FIONA NEILL

Après avoir travaillé pendant six ans comme correspondante pour la presse en Amérique latine, Fiona Neill est retournée vivre en Angleterre où elle a collaboré avec les magazines *Marie Claire*, puis *The Times*. Elle vit actuellement à Londres avec son mari et leurs trois enfants.

Son premier roman, *La Vie secrète d'une mère indigne*, a paru chez Fleuve Éditions en 2009 et s'est vendu dans 25 pays.

Retrouvez toute l'actualité de l'auteur sur :
www.fionaneill.co.uk

LA VIE SECRÈTE
D'UNE MÈRE
INDIGNE

FIONA NEILL

LA VIE SECRÈTE D'UNE MÈRE INDIGNE

Traduit de l'anglais (États-Unis)
par Betty Peltier-Weber

Titre original :
THE SECRET LIFE OF A SLUMMY MUMMY

Pocket, une marque d'Univers Poche,
est un éditeur qui s'engage pour la préservation
de son environnement et qui utilise du papier fabriqué
à partir de bois provenant de forêts gérées
de manière responsable.

À Ed

« Chaque femme est une science, même en l'étudiant une vie durant, on ne la connaîtra jamais. »

John Donne[1]

« Ce n'est pas parce qu'on partage le même lit qu'on partage les mêmes rêves. »

Proverbe chinois

---

1. Poète et prosateur anglais né à Londres en 1573. Il entra dans les ordres où sa réputation de piété et d'érudition lui valut le titre de chapelain de Jacques Ier puis celui de doyen de la cathédrale Saint-Paul. Ses nombreux écrits, poésies amoureuses, épigrammes, élégies, satires, lettres, essais, sermons, l'ont placé au premier rang des écrivains du XVIIe siècle. *(N.d.T.)*

Chapitre 1

« Un mari sourd et une femme aveugle forment toujours un couple heureux. »

Je laisse tremper mes lentilles de contact dans une tasse à café et me réveille le matin pour découvrir que Mari-maniaque les a bues au cours de la nuit.

Et c'est la seconde fois en moins d'un an.

— Mais je t'avais prévenu que je les avais mises là !

— Tu ne peux pas exiger que je me souvienne de ce genre de détail. Et cette fois, il est hors de question que je me fasse vomir pour les récupérer. Tu n'as qu'à porter tes lunettes.

Les cheveux en bataille, Tom est assis dans le lit, les bras croisés, sur la défensive dans son pyjama rayé boutonné jusqu'au cou. Le mien est en tissu écossais et il y manque quasiment tous les boutons. Quand on commence à porter des pyjamas au lit, est-ce le signe d'un début ou d'une fin de quelque chose pour un couple ? Je me le demande. Il tend le bras vers sa table de nuit afin de ranger ses trois livres par ordre de taille, puis il aligne la tasse qui contenait mes lentilles avec la lampe de chevet qui se trouve de l'autre côté.

— De toute façon, je ne comprends toujours pas

pourquoi tu les mets là-dedans. Il y a des millions de gens dans ce pays qui accomplissent ce rituel chaque jour sans recourir à une tasse pour ranger quelque chose d'aussi essentiel dans leur quotidien. C'est une forme de sabotage, Lucy, parce que tu sais pertinemment que je risque d'avoir envie de boire au cours de la nuit.

— Il ne t'arrive jamais d'avoir envie de vivre dangereusement ? De tenter un tout petit peu le destin sans blesser les êtres qui te sont chers ?

— Si j'estimais qu'il existe des questions philosophiques sans réponse derrière tout ça, en dehors d'une bouteille de vin vide et l'amnésie qui en découle, je m'inquiéterais pour ta santé mentale. Je pourrais me montrer un peu plus compatissant si tu t'inquiétais pour moi. Après tout, cela aurait très bien pu virer à l'urgence médicale ! proteste-t-il, de mauvaise humeur.

— Mais il ne t'était rien arrivé la dernière fois !

Il était temps d'interrompre *illico* son inévitable glissade vers l'hypocondrie. Je résiste à l'envie de lui dire qu'il y a d'autres priorités pour l'instant. Celle, entre autres, de déposer nos enfants à l'heure pour leur rentrée des classes. Je me rappelle soudain avoir laissé tomber une lentille de contact sur la moquette quelques mois plus tôt et me lance dans un examen méticuleux du sol de mon côté du lit. Par le plus fortuit des hasards, et pas forcément dans cet ordre, je repère : le verre que mon tout-petit a retiré de mes lunettes la semaine dernière, un œuf en chocolat entamé depuis tellement longtemps qu'il semble pétrifié et une amende impayée que je repousse prestement sous le lit.

— Tu devrais t'organiser un peu mieux, Lucy ! me conseille Mari-maniaque, ignorant ce qui vient d'être découvert à quelques centimètres de lui. Ça te faciliterait tellement la vie. En attendant, tu n'as qu'à porter tes vieilles lunettes. Ce n'est pas comme si tu devais impressionner quelqu'un.

Il sort du lit et se rend à la salle de bains pour l'étape suivante de son rituel matinal.

À l'aube de notre relation, il y a dix ans, ce genre d'échange aurait été considéré comme une véritable dispute, l'une de ces éruptions violentes capables de faire chavirer notre mariage. Même cinq ans plus tôt, à mi-chemin de notre vie à deux, il serait entré dans la catégorie des querelles sérieuses. Aujourd'hui, ce n'est plus qu'une remarque anodine en marge du cours tranquille de notre vie conjugale.

En montant l'escalier pour réveiller nos enfants, je décide que les couples sont comme les élastiques. Un peu de tension y est admise – voire souhaitable, si l'on veut que les deux parties restent ensemble. Trop peu de tension, et tout tombe par terre, comme ces mariages où les couples prétendent ne jamais se disputer et qui partent en fumée du jour au lendemain, sans la moindre récrimination. Trop de tension, et ça claque. Tout est une question d'équilibre. Le problème, c'est que ça ne prévient pas avant de se casser la figure.

Je lâche un juron en écrasant un Lego qui éclate en morceaux sur une marche de l'escalier et va rejoindre une petite voiture et un bras qui appartenait jadis à un Action Man. Mon menton atterrit sur la dernière marche et, le nez enfoui dans le tapis, je repère un minuscule sabre, long d'un centimètre à peine, qui fait partie d'un des personnages de Star Wars de Joe. Il avait disparu quelques mois plus tôt dans des circonstances suspectes, quand notre petit Fred la Terreur avait lancé un raid furtif dans la chambre de son frère aux premières lueurs de l'aube.

Combien d'heures ai-je pu perdre à chercher ce fichu

sabre ? Combien de larmes ont été versées après sa disparition ? Pendant quelques secondes, je laisse reposer ma tête sur le tapis avec un sentiment proche de la satisfaction.

Devant la chambre de Sam et de Joe, je m'arrête et pousse doucement la porte. Sam, l'aîné, est endormi en pole position sur le lit supérieur. Joe, sur celui du bas, et Fred par terre, sous le lit. Un peu comme un club sandwich. J'ai beau reconduire Fred dans sa propre chambre plusieurs fois par nuit, il recommence. Sans doute est-il doté d'un mécanisme d'autoguidage qui le dirige systématiquement vers ses frères ou bien au pied de notre lit où nous le retrouvons souvent le matin, profondément assoupi.

Émerveillée, je reste à observer mes enfants endormis, les membres déployés dans tous les sens, et mon esprit en ébullition s'apaise. Dans la journée, ils obéissent à un mouvement perpétuel et il est impossible de les tenir tranquilles pendant plus de quelques secondes. Leur sommeil nous offre une chance unique d'observer la courbure exacte de leur nez ou les constellations de taches de rousseur. Je caresse la main de Sam pour le réveiller. Au lieu de cela, ses doigts s'enroulent fermement autour des miens. Je me trouve immédiatement ramenée à ce premier instant, peu après sa naissance, où sa main s'était refermée sur mon index. Un flot intarissable d'amour maternel m'avait alors submergée et j'avais immédiatement compris que rien ne serait plus jamais comme avant.

Sam a presque neuf ans désormais. Cela fait deux ans que je n'arrive plus à le soulever. Il est trop grand pour s'asseoir sur mes genoux et il m'interdit de l'embrasser en l'accompagnant à l'école. Bientôt, il m'échappera complètement. Mais il aura été imprégné de toute cette chaleur de la petite enfance. Il lui

14

restera sûrement quelques réserves d'affection dans lesquelles il pourra puiser pendant les heures sombres de l'adolescence, quand il nous verra avec tous nos défauts. En le voyant ainsi étalé sur le lit, son corps filiforme que la pré-adolescence rend déjà maladroit, je comprends que je suis en train de contempler les derniers vestiges de l'enfance. Je suis persuadée que c'est à cause de cela que quelques femmes continuent à avoir des enfants : pour qu'il leur reste toujours un réceptacle disposé à recevoir leur amour.

Joe est le premier à bouger. Comme moi, il a le sommeil léger.

— Qui va aider Major Tom[1] ? demande-t-il avant que ses yeux ne s'ouvrent.

Mon cœur se serre.

Leur passer le CD de David Bowie durant notre route vers Norfolk, l'été dernier, représentait un grand pas en avant dans cet univers particulièrement stressant des distractions routières. On pensait que la qualité narrative de ses chansons captiverait l'imagination des enfants. Ce qui fut bien le cas. Mais nous n'avons jamais dépassé le premier air de *Changes*.

— Pourquoi est-ce que la fusée s'est perdue ? m'interroge-t-il maintenant en hasardant un œil hors de sa couette.

— Elle s'est détachée.

— Pourquoi est-ce qu'il n'y avait pas un autre pilote pour l'aider ?

— Il voulait être seul.

Je lui caresse les cheveux. Joe, cinq ans, me ressemble avec ses yeux verts et ses folles boucles brunes. Son caractère, en revanche, est bien celui de son père.

---

1. Référence à *Space Oddity* de David Bowie où le Major Tom se perd dans l'espace. *(N.d.T.)*

— Est-ce que la fusée le laisse là-bas ?

— Oui. Pourtant, il y a une part en lui qui veut s'enfuir.

Joe laisse passer un instant, puis demande :

— Et toi, maman, est-ce que tu veux parfois t'enfuir loin de nous ?

Je ris.

— Parfois, oui. Mais seulement dans la pièce d'à côté. Je n'ai nullement l'intention de partir dans l'espace.

— Pourtant, quand je te parle quelquefois, tu n'entends pas. Où est-ce que tu es, alors ?

Sam est descendu de son échelle et enfile déjà son uniforme. J'encourage Joe à en faire autant. Le petit Fred, deux ans et demi, restera en pyjama jusqu'à la dernière minute. En effet, dès qu'on a le dos tourné, il a la fâcheuse manie de retirer ses habits. Je retourne dans la salle de bains, en quête de Tom. Le mari, pas le Major !

À une époque, les ablutions de Tom me fascinaient. Bien qu'elles soient toujours remarquables par leur minutie, l'habitude en a érodé l'originalité. En bref, il se rend dans la salle de bains et prépare tout ce dont il a besoin pour se raser : blaireau, crème et rasoir sont étalés sur un petit guéridon à côté du lavabo. Il ouvre le robinet d'eau froide de la baignoire pendant exactement trois minutes avant de porter son attention sur le robinet d'eau chaude. Ainsi, dit-il, on gâche moins d'eau. J'ai beau affirmer qu'en inversant ces gestes ce serait plus efficace, il n'a jamais voulu tenter l'expérience.

— Pourquoi changer de méthode alors que celle-ci fonctionne si bien, Lucy ?

Pendant que le bain coule, il allume la radio et écoute les nouvelles du matin.

Le processus de lavage est uniquement intéressant à cause du temps incroyable qu'il passe à frotter le blaireau sur le savon à barbe. Souvent, on profite de cette opération pour bavarder un peu. Pourtant, même après quelques années de cohabitation, je n'arrive toujours pas à déterminer l'instant précis où il devient *acceptable* de parler. L'interrompre prématurément peut provoquer des sautes d'humeur difficiles à gérer. Mais avec un timing impeccable, on arrive à faire de lui un être expansif et généreux. Eh oui, c'est ainsi que se perfectionne la lente chorégraphie du mariage.

En fouillant dans les tiroirs de la salle de bains, j'essaie de lui expliquer que les pathétiques lunettes bleu lavande, remboursées par la Sécurité sociale et vieilles de vingt ans, ne sont pas le genre d'accessoire tendance qu'on porte pour conduire des enfants à l'école, mais Tom est déjà passé à l'étape suivante qui consiste à s'immerger complètement dans le bain, sauf le bout de son nez, et à fermer les yeux dans une pose méditative sous-marine dont aucun hurlement d'enfant ne pourrait l'extraire.

Maintenant, il est hors d'atteinte et je reste assise sur ma chaise, les jambes croisées, le coude sur le genou, le menton dans la paume de la main, à parler toute seule, parfaite illustration du fonctionnement de notre relation.

Cela me ramène brièvement à la première nuit que j'ai passée avec Tom dans son appartement de Shepherd's Bush en 1994. Je me suis réveillée le matin et – ayant décidé de m'éclipser discrètement – je faisais le tour de la chambre en quête de mes vêtements. N'ayant pas réussi à les trouver, je suis revenue sur mes pas jusqu'au salon. Je me souvenais en effet avec une certaine précision que nous avions batifolé un bon moment sur le canapé avant de passer dans sa chambre. Aucune trace de mes habits. J'étais nue comme un ver. Puis je me suis rappelé l'avoir entendu mentionner l'existence de colocataires. Sur la pointe des pieds pour ne réveiller personne, je me suis précipitée dans sa chambre en me demandant s'il avait dit ça pour blaguer. Ou si, en dépit des apparences, il y avait un côté sombre dans son caractère qui le poussait à séquestrer les femmes qui avaient couché avec lui dès le premier rendez-vous. Quand j'y suis arrivée, il avait disparu. Là, j'ai vraiment paniqué. Je l'ai appelé mais sans obtenir de réponse. Avec mille précautions, j'ai donc enfilé une vieille robe de chambre accrochée derrière la porte pour me lancer dans une fouille effrénée de tout l'appartement.

En entrant dans la salle de bains, j'ai poussé un hurlement. Il était complètement immergé dans sa baignoire, les yeux fermés, parfaitement immobile. Je pensais qu'il s'était endormi et s'était noyé. Je ressentis un terrible vide en songeant que je ne ferais plus jamais l'amour avec cet homme particulièrement doué dans ce domaine. Puis je me suis imaginée en train de téléphoner à la police pour expliquer ce qui était arrivé. Vent de panique ! Et s'ils me soupçonnaient d'être responsable de sa mort ? Toutes les expertises criminologiques iraient dans ce sens. Un instant, j'ai même pensé à m'enfuir. Puis je me suis souvenue que je n'avais pas de vêtements. Alors, très lentement, en m'efforçant de contrôler ma respiration, je me suis approchée du rebord de la baignoire pour l'observer quelques secondes, remarquant le teint cireux de sa peau. Ensuite, j'ai appuyé mon index sur la partie molle située entre les sourcils pour vérifier qu'il était vivant. Le soulagement éprouvé lorsque sa tête a repoussé ma main avec force céda rapidement place à une peur bleue lorsqu'il a saisi mon avant-bras pour le serrer tellement fort que je pouvais voir ma peau blanchir entre ses doigts.

Il s'est mis à hurler :

— Nom d'un chien ! Tu essaies de me tuer ? Je pensais qu'on avait passé un moment plutôt agréable cette nuit !

— J'ai cru que tu t'étais noyé. Et impossible de trouver mes vêtements.

Il désigna une commode sur le palier, juste devant la porte. Là, je les vis empilés avec soin.

La culotte de la veille joliment pliée en deux sur un soutien-gorge en dentelle qui avait connu des jours meilleurs et mon vieux Levi's 501.

— C'est toi qui as fait ça ? lui ai-je demandé nerveusement.

— Du travail minutieux, Lucy ! Il n'y a que ça de vrai.

Et il s'était de nouveau laissé glisser dans l'eau.

Tandis qu'il se vautre dans son bain et que je me brosse les dents, je procède à un inventaire critique de son corps en commençant par le haut. Des cheveux, encore foncés, presque noirs, montrent une légère récession, mais seulement à un œil expert. Des rides de sourire et de soucis se disputent le territoire autour des yeux. Un léger plissement entre les sourcils croît ou décroît en fonction de l'évolution de son projet de bibliothèque à Milan. Un peu de graisse autour du menton parce qu'il a tendance à manger davantage quand il est inquiet. Légèrement arrondi de partout, surtout du ventre et du torse, mais encore étonnamment attirant. Il faut que je pense à le lui dire. C'est un homme sur lequel on peut compter, qui promet un certain confort et des ébats conventionnels puisés dans un répertoire parfaitement rodé. Un homme plutôt séduisant, si j'en crois mes amies.

Sa tête surgit de l'eau et il me demande ce que je regarde.

Au lieu de lui répondre, je l'interroge à mon tour :

— Depuis combien de temps nous connaissons-nous ?

— Douze ans et trois mois.

— Et à quel moment dans notre relation avons-nous commencé à porter des pyjamas au lit ?

Il réfléchit soigneusement à la question.

— Je crois que c'était pendant l'hiver 1998, quand on habitait à l'ouest de Londres et que nous nous sommes réveillés un matin avec du givre à l'intérieur des fenêtres. Au début, tu as pris l'habitude de me piquer les miens.

Il avait raison. Au tout début, j'avais adopté une approche intime et sans chichis en partageant ce que j'estimais symboliser la profondeur et l'amplitude de notre relation. Mais après un an de vie commune, il m'avait fait asseoir à la table de la cuisine et m'avait annoncé que ça ne pourrait pas marcher entre nous si je continuais à me servir de sa brosse à dents.

— Est-ce que tu te rends compte du nombre de microbes que nous avons dans la bouche ? Tout dentiste digne de ce nom te dira qu'il y en a plus dans ta bouche que dans ton cul. La salive transmet toutes sortes de maladies.

— N'importe quoi !

— L'hépatite, le sida, l'Ebola… Toutes ces maladies peuvent être attrapées oralement, avait-il insisté.

— Mais tu pourrais les choper quand on fait l'amour de toute façon.

— Pas avec des préservatifs. Quand tu lèches tes lentilles de contact avant de les poser sur tes yeux, tu peux aussi bien les frotter contre ton cul avant de les mettre.

De toute évidence, cette conversation couvait déjà depuis un bon moment. Je l'ai approuvé sur les deux sujets et cela n'avait plus jamais posé de problème. Je continue à emprunter sa brosse à dents et je lèche toujours mes lentilles. Mais jamais devant lui. Occasionnellement, le soir, je le vois passer le doigt sur les poils de sa brosse en me jetant un regard suspicieux, se demandant pourquoi ils sont humides.

— À quoi pensais-tu sous l'eau ?

Je lui ai posé cette question avec une sincère curiosité.

— J'évaluais le temps que nous gagnerions le matin en mettant les Rice Crispies dans les bols la veille. On pourrait économiser environ quatre minutes, ajoute-t-il avant de replonger.

Puis, après quelques secondes, il réapparaît pour annoncer qu'il accompagnera Fred à sa nouvelle crèche. Sans doute pour se faire pardonner son emportement un peu plus tôt…

— Cela me ferait vraiment plaisir, insiste-t-il. Et puis tu risques de ne pas trouver le chemin.

Je suis ravie. Je devrais me sentir soulagée que Fred ait enfin l'âge d'aller à la garderie. Et pour la première fois depuis huit ans, je pourrai enfin me consacrer un peu de temps. Pourtant, en envisageant cette journée, j'éprouve un profond sentiment d'abandon. Et je sais que je risque de pleurer.

C'est ainsi que je me retrouve, une demi-heure plus tard, sur le chemin de l'école, la main posée sur l'épaule de Sam. Un geste bien maternel, j'espère.

— On est en retard ? demande-t-il.

Il connaissait déjà la réponse puisqu'à l'instant même où nous allions passer la porte, Joe s'était cogné contre la table de la cuisine, renversant une brique de lait sur son uniforme et mon jean. Il nous avait bien fallu dix précieuses minutes pour réparer les dégâts. Malgré une parfaite organisation, les paniers-repas préparés la veille, l'uniforme soigneusement posé sur une chaise, les chaussures rangées par paires devant la porte d'entrée, les brosses à dents alignées à côté de l'évier, certains désastres demeurent imprévisibles. Les départs pour l'école sont réglés avec autant de précision que le contrôle du trafic aérien à l'aéroport d'Heathrow : le moindre impondérable peut mener au pire des chaos.

— Rien de désastreux.

Perplexe, je me demande comment j'arrivais à boucler une émission de *Newsnight* en moins d'une heure alors que je ne suis pas fichue de relever le défi de préparer mes enfants pour l'école le matin.

Cela paraît incroyable que j'aie réussi à persuader des ministres de venir dans nos studios tard le soir pour se faire cuisiner par Jeremy Paxman alors que je ne parviens pas à convaincre mon petit dernier de garder ses vêtements sur le dos.

— Est-ce que Dieu est plus grand qu'un crayon ? demande Joe qui s'inquiète beaucoup trop pour un enfant de cinq ans. Est-ce qu'il pourrait se faire dévorer par un chien ?

— Pas par le genre de chiens qu'on rencontre dans nos rues. Ils sont bien trop polis.

Ce qui est vrai puisque nous vivons dans le nord-ouest de Londres, le territoire des tranches supérieures d'impôt. Ici, pas de visages agressifs au teint livide en train de promener leur pitbull. Pas de jeux d'argent. Pas d'adolescentes enceintes. Nous nous trouvons au cœur du pays des dîners chic.

C'est le jour de la rentrée et il y a déjà du laisser-aller. Tout en marchant sur le trottoir, les enfants complètent leurs toasts avec des poignées de céréales provenant de mini-boîtes individuelles.

Ma vision, limitée par la myopie, doit se contenter de vagues touches impressionnistes. Cela me rappelle une promenade sur une plage du Norfolk, il y a deux semaines de cela. Je me tenais devant la mer du Nord, un chapeau rabattu sur les sourcils et un foulard sur le nez. Un vent d'est, rare à cette époque de l'année, soufflait sur mon visage, faisant pleurer mes yeux. Je devais sans cesse cligner des paupières pour empêcher ma vue de se brouiller. C'était comme regarder à travers un prisme. Dès que je faisais le point sur une mouette ou un caillou particulièrement intéressant, la scène se fractionnait en un spectre aux formes et couleurs variées. Voilà ce que je ressens à mon propre sujet : d'une manière ou d'une autre, au fil des années, je me suis disloquée. Maintenant que mon petit dernier part en garderie trois matins par semaine, le moment est venu de me reconstruire. Malheureusement, je n'arrive plus à me souvenir comment s'ajustent tous les morceaux du puzzle. Il y a Tom, les enfants, ma famille, les amis, l'école... Tous ces éléments disparates et sans aucune cohésion. Pas le moindre fil pour les relier. J'ai dû me perdre quelque part, dans ce tourbillon domestique. Je peux voir d'où je viens mais je n'ai pas la moindre idée de la direction que je prends. J'essaie de m'accrocher à une vague image globale mais je n'arrive pas à me souvenir de sa signification. Il y a huit ans, quand j'ai compris que des journées de treize heures au bureau s'accommodaient mal avec les exigences d'une mère de famille, j'ai renoncé à mon métier de productrice du journal télévisé. Celui qui prétend qu'un travail à plein temps avec des enfants représente l'équation parfaite d'une vie accomplie est nul en maths ! Il y a toujours un déficit quelque part. Y compris sur notre compte en banque parce qu'il ne restait pas grand-chose après avoir payé la nounou. Et puis Sam me manquait tellement.

Ce que je devrais faire là, maintenant, avec le terrain de jeu qui se profile à l'horizon, c'est préparer quelques réponses types aux inepties amicales qui s'échangent au début de chaque nouvelle année scolaire. Les grandes lignes en tout cas, car les gens ne s'intéressent pas vraiment aux détails.

« On a passé un été particulièrement pénible et le clou a été notre séjour désastreux dans un camping du Norfolk parce que nous étions fauchés. Et là, j'ai glissé dans l'introspection, essayant de déterminer les aspects les plus importants de ma vie. Cela comprend – dans le désordre car mon mari a raison, je ne sais pas évaluer les priorités – ma décision d'abandonner mon travail après la naissance des enfants, l'état actuel de mon mariage, et notre manque d'argent. »

Je m'imagine en train de mimer mes paroles en me servant de ma main droite pour illustrer la profondeur de mon affliction :

« Oh, et est-ce que je vous ai dit que mon mari voudrait qu'on mette notre maison en location et qu'on s'installe chez ma belle-mère pendant un an, le temps de renflouer un peu notre compte en banque ? »

Ces vacances ont marqué un tournant décisif dans notre vie, nous en étions conscients tous les deux. Mais où cela allait-il nous mener ? Nous l'ignorions.

— Maman, maman, tu m'écoutes ? m'interroge Sam.

— Désolée, mon chéri. Je rêvassais.

— Est-ce que je te sers de chien d'aveugle ?

— Oui, quelque chose de ce genre.

Sur ce, je plisse les yeux pour mieux voir au loin

et j'aperçois un père de famille qui remonte la rue dans notre direction. Il téléphone tout en passant la main dans son épaisse tignasse d'un geste qui m'était devenu familier au cours de l'année dernière. C'est Père-au-foyer-sexy, avec ses opinions désarmantes sur ce qui doit constituer un repas équilibré et son doux penchant pour les petits cafés entre mamans. Mais ce ne sont pas ces caractéristiques-là qui l'ont gravé dans ma mémoire. C'est son physique, sa démarche. Bref, un truc bien plus primitif.

En d'autres termes, moins il parle, plus il me plaît.

Je reconnais sa silhouette, même de loin. Dans cette étrange juxtaposition de pensées vagabondes, je note soudain qu'en surgissant à cet instant précis, ce type est devenu par inadvertance une fraction de cette image globale qui me turlupine actuellement. Je maudis ces fringues ridicules que j'ai enfilées à la hâte – mon bas de pyjama écossais dépasse d'un long manteau informe – tout en espérant les faire passer pour un look très négligé-chic. Mais il est trop tard pour aller me planquer derrière une haie avec mes petits choux. Furtivement, je vérifie les reliquats de mon maquillage de la veille dans le rétroviseur d'un 4 × 4 garé à côté de moi.

Quand la vitre automatique descend, je sursaute. Une femme se penche sur le siège du passager pour me demander ce que je fabrique.

— Mon Dieu, vous ressemblez à un panda ! s'exclame Mère-parfaite n° 1, ma Némésis vestimentaire.

Elle ouvre sa boîte à gants pour révéler une ligne de produits digne d'un Spa, ainsi qu'une demi-bouteille de Moët, une bougie parfumée Jo Malone et des lingettes démaquillantes.

Reconnaissante, j'en prends aussitôt une pour me nettoyer les yeux.

— Mais comment faites-vous, bon sang ? Vous avez une recette secrète ?

Elle semble déconcertée.

— Non, juste du personnel.

— Vous avez passé un bon été ?

— Formidable. La Toscane… Les Cornouailles… Et vous ?

— Super.

Mais elle a déjà tourné les yeux vers la route et pianote impatiemment sur le volant.

— Il faut que je file, sinon je vais arriver en retard à mon cours de yoga ashtanga. Tiens, vous portez de l'écossais ? Très innovant !

Père-au-foyer-sexy s'approche de moi. Il esquisse un signe de la main et me voilà obligée de lui adresser la parole. C'est alors que j'aperçois son autre bras, pris dans le plâtre. Oh, quelle chance ! Un sujet de conversation tout trouvé.

— Vous vous êtes cassé le bras ? dis-je un brin trop enthousiaste.

— Oui. Je suis tombé d'une échelle chez un copain, en Croatie.

Il m'observe, attendant sûrement la suite. Puis il sourit et je m'entends dire :

— Ça doit être terriblement… reposant.

Sauf que je le lâche d'une voix lente *et* rauque qui rappelle celle de Mariella Frostrup, journaliste super sexy.

Son sourire s'efface en partie. Cela ne correspondait pas du tout aux échanges d'amabilités sociales prévisibles de la part d'un autre parent d'élève.

— Et qu'est-ce qu'il y a de reposant à se casser un bras ? Surtout en Croatie ?

Sam lève les yeux vers moi, tout aussi perplexe :

— Il a raison, maman.

— À vrai dire, Lucy, c'est extrêmement douloureux, poursuit Père-au-foyer-sexy en imitant mon intonation. Et je ne pense pas que ma femme trouve ça de tout repos car je ne suis pas d'une grande utilité en ce moment. Ça fait un mal de chien quand je tape sur les touches du clavier et mon travail n'avance pas.

Il sourit. Je pense soudain aux rencontres fortuites d'avant mon mariage, à leurs possibilités infinies, et les images d'une vie antérieure s'imposent dans mes pensées. Des chaussettes rayées avec orteils séparés, le Walkman Sony, les escarpins pointus… Je me souviens d'avoir acheté un disque des Cure à Bristol pour un garçon qui portait des jeans cigarette, un pull mohair et sentait le patchouli. Je me rappelle même les paroles de la plupart de ces chansons. Je me souviens d'un voyage à Berlin. Un type m'avait demandé si je voulais l'accompagner à son hôtel, j'avais accepté et sa femme s'était retournée sur le siège avant en souriant. Et cet étudiant de la fac dont j'étais tombée amoureuse… Il n'avait jamais défait ses bagages, possédait trois Levi's identiques et trois T-shirts blancs qu'il portait à tour de rôle. Tom aurait trouvé cela génial. Pourquoi ces souvenirs sont-ils restés en moi alors que d'autres se sont envolés à jamais ? Si c'est là tout ce que je me rappelle aujourd'hui, que va-t-il me rester dans vingt ans ?

En mentionnant sa femme, véritable pile électrique, Père-au-foyer-sexy me refroidit. Je n'avais encore jamais décliné cet homme au pluriel. Je passe donc en mode amical et donne à mes traits un air plus professionnel.

— Comment va-t-elle ? Elle s'est bien reposée ?

— C'est rare qu'elle y parvienne. Elle a trop d'énergie pour ça. Vous voulez prendre un café après avoir déposé les enfants ?

— Bonne idée !

J'essaie de garder mon calme face à cette intrusion inattendue dans le fil de mes rêveries. Puis je remarque qu'il fixe mes pieds d'un air soupçonneux.

— C'est un pyjama écossais que vous portez sous votre manteau ? Alors nous ferions mieux de prendre ce café une autre fois.

Chapitre 2

« Les événements sont toujours
précédés de leurs ombres[1]. »

En dépit des messages contradictoires et des petites
humiliations de cette rencontre, celle-ci provoque en
moi un bouleversement géologique. Un mouvement de
plaques tectoniques secouées après un long sommeil.
Sinon, comment expliquer cette nouvelle excitation
que je ressens les jours suivants ? C'est ainsi qu'arrivent les catastrophes naturelles. Une série de déplacements imperceptibles dans le noyau qui aboutissent
à un véritable cataclysme. Je me sens comme lorsque
je fume une cigarette en cachette de mes enfants, me
reconnectant momentanément avec des sentiments de
liberté associés à une autre période de ma vie, celle
où le plaisir était là pour être cueilli.

Les jours suivants, je pars le matin avec le fol
espoir de tomber sur Père-au-foyer-sexy, puis je me
reproche d'être excessivement déçue quand il n'émerge
pas. Peut-être a-t-il repris le travail et que sa femme
s'occupe de conduire ses enfants à l'école. Je sais
qu'elle a un gros poste à la City, ce qui requiert sa

---

1. Citation de Thomas Campbell, poète du XIXᵉ siècle.

présence au bureau dès 8 heures du matin. Peut-être ont-ils une fille au pair ?

Je m'autorise quelques rêveries innocentes et l'imagine à la British Library, plongé dans des recherches pour un livre qu'il écrit. Ça, il peut y arriver avec un bras dans le plâtre, mais il ne peut certainement pas se servir d'un clavier. Il pourrait me dicter son texte et je le taperais. Lui, installé dans un vieux fauteuil confortable et élimé, les bras croisés, retirant des morceaux du rembourrage durant les silences en me contemplant d'un air songeur. Nous passerions de longues journées enfermés dans son bureau (ici, les enfants ne font pas partie de mon petit film), où je lui donnerais des conseils lapidaires pour structurer sa biographie. Puis, très vite, je lui deviendrais indispensable, si bien qu'il ne pourrait plus travailler sans moi.

D'ailleurs, jusqu'à ce que je lance une recherche sur Internet un soir, une fois mes enfants couchés, j'ignorais sur quel sujet il planchait. Je découvre alors qu'il a pris du retard dans la rédaction d'un manuscrit sur la contribution de l'Amérique latine au cinéma international. Un créneau très spécialisé. Et un univers auquel je ne connais fichtre rien. C'est donc là que s'arrêtent mes fantasmes. Sans faire de mal à personne.

— Excusez-moi, madame, désirez-vous une boisson ? Voulez-vous commander quelque chose ?

Je réalise brusquement qu'un serveur me tapote l'épaule. Il porte un tablier blanc impeccablement repassé et noué plusieurs fois autour de la taille, avec un joli nœud à l'avant, juste au-dessus de l'estomac. Je pense à la guerre d'usure menée à la maison, à la buanderie, où des piles de draps et de chemises froissées menacent d'envahir la cuisine. Notre femme de ménage polonaise – qui est supposée venir une matinée par semaine – a maintenant trop d'arthrite pour assurer plus qu'un dépoussiérage superficiel. Cela fait des mois qu'elle a abandonné notre tas de linge à son triste destin !

J'envisage de demander au serveur qui lui repasse ses affaires ou s'il voudrait bien s'occuper de mon linge. Est-ce que dormir dans des draps aussi lisses et frais que le glaçage des éclairs me rendrait mon équilibre ? Je résiste à l'envie de poser ma tête sur son tablier et de fermer les yeux. Voilà le genre de problèmes domestiques qui poussaient les amies de ma mère à prendre du Valium. Je me dis pourtant que ces soucis ne sont plus insurmontables grâce aux nouvelles armes de l'artillerie ménagère : des chemises faciles à repasser, des couches jetables et des coquillettes à cuisson rapide. L'amidon a disparu depuis longtemps, tout comme le battage des tapis.

En outre, le chaos est inscrit dans les gènes. Ma mère en avait intelligemment élaboré une théorie intellectuelle et j'ai grandi en entendant dire qu'une maison bien tenue était antiféministe. Quand j'étais enfant, elle répétait sans arrêt que les femmes devraient passer leur temps à cultiver leur cerveau au lieu de le perdre à ranger leur armoire à linge si elles voulaient briser les entraves domestiques qui les empêchaient de réaliser leur potentiel intellectuel.

Le serveur m'invite à consulter une interminable liste de cocktails. Ils promettent tous des lendemains meilleurs et sont affublés de noms comme « Rêves ensoleillés » ou « Arc-en-ciel d'optimisme ». Je n'en trouve aucun baptisé « Trêve précaire » ou « Menace d'orage ». J'ai l'impression d'être à l'étranger. Je commande une limonade au gingembre, d'abord parce que cette boisson me semble familière, mais surtout parce que c'est écrit si petit que je n'arrive pas à déchiffrer les ingrédients des cocktails.

Encore un an et j'aurai besoin de verres progressifs.

Installée dans un club privé de Soho, j'attends mes amies pour une soirée entre filles en compagnie de notre dernière complice célibataire. Les murs des salles à manger géorgiennes sont peints en rouge sombre et grâce aux lumières tamisées, celles-ci invitent à l'intimité et aux confidences murmurées. Tels des papillons de nuit, les gens volettent en tous sens à la recherche d'un visage familier. Soutenus par l'alcool, ils ne semblent avoir aucun doute quant à la qualité de leur bonheur.

Seule, je me suis vautrée au centre d'un grand canapé style Régence recouvert de velours fatigué. Régulièrement, des gens s'approchent et me demandent de bien vouloir me décaler pour leur permettre de s'asseoir. Mais l'envie d'être seule l'emporte sur mon désir de me montrer aimable et je leur réponds que j'attends des amies. Je sais qu'il faudra encore un bon moment avant l'arrivée de la première. Pour échapper au chaos de l'heure du bain, j'ai affirmé à Tom que j'avais rendez-vous à 7 h 30. En fait, j'avais besoin de me retrouver. Parfois, je tiens tellement de rôles différents dans la même journée que je crois souffrir d'une forme de schizophrénie maternelle. Cuisinière, chauffeur, femme de ménage, amante, amie, médiatrice. C'est comme faire partie d'une pantomime, sans savoir si l'on est censé jouer un rôle secondaire ou le rôle principal.

Je jette un coup d'œil sur ma montre et sirote tranquillement ma limonade au gingembre en pensant aux pannes du système qui ont dû se produire à la maison. J'imagine Fred qui refuse de sortir du bain et se tortille dans les bras de Tom, aussi glissant qu'une anguille. Ses frères le retenant par les pieds en hurlant comme des putois. Tom va jurer dans sa barbe et ensuite les deux plus grands vont répéter inlassablement : « Papa a dit un gros mot » jusqu'à ce que celui-ci se mette en colère. Demain, il me tiendra sûrement responsable de l'anarchie. Mais d'ici là, j'ai toute une nuit devant moi. Même si c'est la première fois que je sors depuis un mois, je me fais déjà des reproches. La culpabilité est le liseron de la maternité. Les deux sont tellement imbriquées qu'on a du mal à savoir où finit l'une et où commence l'autre.

Mon frère Mark, psychologue, prétend que les mères contemporaines sont les victimes innocentes du débat sur l'inné et l'acquis. D'après Mark, nous sommes accablées par le nouveau courant psychothérapeutique qui rejette l'hypothèse selon laquelle les enfants naissent avec des traits de caractère déterminés, reportant tout bonnement sur nous l'entière responsabilité de chaque aspect de leur développement. Ainsi, les mères se blâment pour la moindre insuffisance dans la personnalité de leurs enfants. Les cartes ludo-éducatives, les jeux d'éveil à la mode style Baby Einstein, la bonne ou mauvaise tenue du crayon… tout part du principe qu'on peut modeler les enfants comme de l'argile alors qu'en fait, tant qu'on évite les extrêmes, l'évolution de l'enfant sera sensiblement la même.

J'ai envie de le croire, mais quand je vois le chaos qui règne dans sa vie personnelle, je regarde toujours en arrière, vers notre enfance, en quête de réponses.

— Ça ne vous ennuie pas que je m'assoie là ? demande un homme à l'air épuisé, une liasse de feuilles coincées sous le bras. Je n'en ai que pour une demi-heure.

Devant ma moue sceptique, il ajoute :

— J'aimerais simplement rester ici assez longtemps pour éviter de devoir coucher les enfants.

Là, je sais qu'il dit la vérité. Un vrai compatriote, qui déserte la ligne du front domestique.

Je sors un journal de mon sac afin de lui donner l'illusion d'un peu d'intimité et une chance de se reposer seul, avec ses propres pensées.

Presque sur un coup de tête, je décide de me remettre à fumer et prie mon nouveau voisin de me garder la place un petit moment. Il hoche la tête sans un mot. Cela fait si longtemps que je n'ai pas acheté de cigarettes que je me retrouve à fouiller le fond de mes poches à la recherche d'un complément de monnaie. Les prix ont augmenté à un point… Et puis je ne me souviens plus du fonctionnement de ces fichues machines. Faut-il d'abord insérer l'argent ou choisir sa marque ? Pour finir, j'appuie sur le mauvais bouton et me retrouve avec un paquet de John Player.

J'allume la première et, malgré son goût épouvantable et ma tête qui tourne au point de friser l'évanouissement, je m'obstine à continuer comme pour me prouver quelque chose. Je m'attendais à ce que ce soit aussi facile que de se remettre au vélo, mais ce n'est pas le cas. Il faut vraiment que je sorte plus souvent ! Comme une lycéenne essayant de finir sa cigarette avant de se faire pincer par les profs, je tire tellement sur ma clope que le filtre devient désagréablement brûlant. Très vite, je me retrouve entourée d'un épais nuage de fumée. Je commence à tousser et à crachoter. À travers ce brouillard, j'aperçois mon Amie-à-la-carrière-foudroyante en train de faire le tour de la salle voisine, à ma recherche. Au lieu de lui adresser un signe ou de l'appeler, je la regarde, ébahie, se glisser d'une table à l'autre, reconnaissant des visages et s'arrêtant de temps en temps pour saluer quelqu'un. L'aisance d'Emma me sidère. Elle porte un pantalon slim Sass & Bide, des bottes en cuir qui montent jusqu'aux genoux et une fabuleuse tunique recouverte de glands métalliques si longs qu'ils forment une espèce de sillage derrière elle. Mais je ne suis pas juste épatée par sa tenue, bien que l'ensemble capte indéniablement l'attention. Non, c'est plutôt la manière dont elle occupe l'espace avec autorité qui m'impressionne. Alors que moi, cachée derrière un écran de fumée, dans ma veste en velours de la même couleur que le canapé, je me fonds dans le paysage.

Elle finit par se poser à côté de moi avec un sourire radieux.

— Lucy ! Je t'ai enfin retrouvée !

Les glands cessent de s'agiter et elle considère mon verre vide.

— Qu'est-ce que tu bois ? demande-t-elle.

— Une limonade.

— Oh, je vois ! Très *Club des Cinq* !

Le serveur se précipite immédiatement et l'accueille avec un enthousiasme qu'elle lui rend bien, puis elle commande une bouteille de champagne. Il faut avouer qu'Emma occupe désormais un poste tellement haut placé dans la sphère des infos qu'elle peut faire passer pratiquement tous les moments de sa vie en notes de frais. Je me laisse donc inviter sans sourciller.

Tandis que je sirote du champagne dans une flûte d'une élégance raffinée, Mère-solo-sexy débarque et me fait glisser vers le centre du canapé.

— Lucy ! C'est génial de te voir ! Il y a tellement longtemps qu'on n'est pas sorties toutes les trois ensemble ! s'écrie Cathy en me serrant dans ses bras.

— Comment va mon filleul ?

— Très bien. Il passe la nuit chez son père.

Les ressorts ne sont pas très résistants ici et je m'enfonce dans un creux, bien calée entre deux de mes meilleures amies, en éprouvant un sentiment assez proche du bonheur. Puis arrive une amie de Cathy, une relation de travail. Pendant qu'elle prend place, je m'émerveille devant ce monde si spontané où les gens ne sont responsables que d'eux-mêmes, libérés d'arrangements compliqués impliquant des tiers, des listes de numéros de téléphone et de mesures à prendre si les enfants se réveillent.

Soudain, je ne suis plus la mère de famille en liberté surveillée, mais le membre d'un sémillant groupe de femmes dans la trentaine en train de bien s'amuser. J'imagine les gens qui nous observent en se demandant ce qui peut bien nous rassembler ainsi. Sauf que dans un endroit comme celui-ci, les autres sont tellement absorbés par leurs propres vies que la nôtre ne les intéresse pas.

Il fut une époque – bien qu'aujourd'hui cela puisse sembler fantasque – où nous menions toutes des existences parallèles, construisant des carrières plutôt prometteuses tout en privilégiant les relations sporadiques. Puis j'ai rencontré Tom à une soirée qu'Emma avait organisée en son honneur. En tant qu'architecte, il avait travaillé sur les nouveaux bureaux de son entreprise. Cathy, quant à elle, a fait la connaissance de l'homme que nous surnommons à présent Mari-désespérant au cours d'une séance de photos publicitaires. Nous nous sommes toutes deux mariées, et Emma a failli nous imiter à plusieurs occasions.

Après la naissance de son fils Ben, Cathy a repris son boulot de rédactrice publicitaire trois jours par semaine. Pendant plusieurs années, nous nous sommes retrouvées dans des groupes de jeux pour les petits devant du thé sans saveur servi dans des verres en polystyrène. Nous avions de brèves conversations au téléphone avec nos maris tout en arpentant avec les poussettes des terrains de jeux dont nous n'avions jamais remarqué la présence auparavant malgré leurs couleurs primaires. Nous vérifiions avec amour qu'il n'y avait pas de seringues usagées dans les bacs à sable, comme nous l'avaient recommandé les autres mères.

Tandis que l'ennui de ma propre conversation avec Tom me laissait souvent hébétée, car elle concernait des sujets bêtement domestiques comme par exemple la meilleure façon de décoincer Action Man du coude d'évacuation des toilettes, celle de Cathy devenait de plus en plus bruyante et agressive.

Son mari était écartelé entre l'envie de s'installer comme ébéniste et celle de se lancer dans le bâtiment. Les deux aventures ne rapportant que très peu d'argent, Cathy dut reprendre un travail à plein temps, devenant très vite directrice d'une entreprise. Ce qui ne manqua pas de complexer ce brave homme. Bien sûr, leurs problèmes étaient plus compliqués que cela et ne sont d'ailleurs toujours pas réglés. Son mari a consulté un psy qui l'a convaincu que son épouse entravait son évolution personnelle. Il a donc décidé de quitter femme et enfant pour retourner vivre chez ses parents. Maintenant, Cathy mène une double vie. Mère responsable d'un gamin de cinq ans ou super fêtarde, avec le père qui récupère le môme les week-ends et une nounou qui assure l'intérim à plein temps.

Après une troisième coupe de champagne qui me rend parfaitement heureuse de mon sort, je commence à dresser l'inventaire des clubs privés auxquels j'appartiens.

— Bien sûr, il n'y a pas de liste d'attente et si tu veux boire un coup, il faut te cacher aux toilettes avec une flasque. Par ordre d'importance décroissante, il y a : 1) le club de natation des Petits ratons laveurs, 2) le groupe de musique des Joyeux lutins et en 3) l'équipe des Super footeux.

— Ah, celui-ci me plaît bien, rétorque Cathy. J'aime quand ça devient un peu brutal.

Puis Emma pousse un hurlement.

— Quelque chose m'a égratigné les mollets !

On se penche toutes les quatre pour regarder sous la table.

— Rien à voir avec la faune sauvage, nous rassure Cathy. Ce sont les jambes poilues de Lucy.

Tout le monde demande à les examiner en s'amusant à passer la main de haut en bas de mes mollets.

— Mon Dieu, Lucy ! Tu pourrais faire de sérieux dégâts avec ça, m'assure Cathy.

J'essaye d'expliquer qu'avec trois enfants il faut savoir se contenter d'un rituel quotidien de soins corporels réduit au strict minimum. Une douche de trois minutes est à considérer comme un important préparatif de fête. On peut éventuellement y ajouter une touche de déodorant quand tout va bien. L'épilation des jambes à la cire est devenue un luxe bisannuel depuis que diverses tentatives « maison », tard après le coucher des enfants, s'étaient terminées en désastre, recouvrant les draps de poils.

Regards incrédules autour de moi.

— Mais qu'est-ce que tu fais toute la journée ? demande Emma. En dehors du yoga et des pâtisseries maison ?

Je me lance dans l'inventaire des tâches les plus importantes de mon combat d'arrière-garde.

— Aujourd'hui par exemple, je me suis levée à 6 h 30, j'ai préparé deux déjeuners à emporter, j'ai écouté l'exercice de lecture de Joe, j'ai accompagné les deux plus grands à l'école, j'ai organisé un goûter avec le meilleur copain de Sam, j'ai fouillé le panier des objets trouvés pour retrouver le pull égaré par Joe puis je me suis précipitée à la garderie avec Fred.

Ensuite, en me penchant en avant pour plus d'effet, j'ajoute :

— Et tout ça avant 9 heures ce matin, les filles !

— Non ! s'exclament-elles, ébahies.

— Vous voulez en savoir plus ?

Elles opinent du chef.

— Je suis allée faire les courses avant de retourner à la maison pour décharger les paquets. J'ai réduit la pile de linge sale à une trentaine de centimètres et j'ai nettoyé la poubelle de notre salle de bains parce que j'ai découvert que Fred faisait pipi dedans depuis quinze jours. Après, je suis allée le récupérer à la garderie. Comme il avait invité un petit copain à jouer, j'en ai profité pour appeler ma mère pendant qu'ils étaient occupés au premier. En montant, je me suis rendu compte qu'ils avaient sorti tous les vêtements de la commode de Sam et j'ai dû replier toutes ses affaires. Il était alors temps de prendre Sam et Joe à leur école. Ensuite, il y a eu les devoirs, le goûter, le bain et les histoires à raconter… Oh, et j'ai failli oublier de vous dire que j'ai dû jouer à Jens Lehmann pendant une demi-heure après le goûter.

D'autres regards étonnés. Je précise :

— C'est le goal d'Arsenal, l'équipe de foot de Londres. Presque un membre de la famille.

— Mais c'est impossible que ta vie ressemble à ça ! proteste Emma. À nos yeux, tu es censée mener une vie de rêve. Ne gâche pas tout.

Franchement, j'ai plutôt passé une bonne journée et j'aime assez incarner Jens Lehmann, le footballeur infatigable. (Pas question de le leur avouer !) Il n'y avait eu ni bobo, ni fièvre suspecte, ni bras cassé. Aucun incident compromettant le *statu quo*. Je ne mentionne donc pas les petites besognes que j'assure automatiquement : le cycle incessant de la préparation des repas, des lessives, du repassage... en partie parce que c'est devenu une seconde nature pour moi, mais surtout parce que je n'arrive pas à croire que les limites de mon existence aient été définies par le train-train des tâches ménagères.

De plus, je suis pratiquement certaine qu'Emma est bien trop occupée à profiter de sa propre vie pour m'envier la mienne. Elle habite un bel appartement à Notting Hill et redoute nos visites épisodiques avec les enfants, parce qu'ils laissent leurs petites traces de doigts sur le plan de travail en inox et arpentent avec leurs tracteurs le parquet en chêne immaculé.

Puis la conversation s'oriente rapidement vers des sujets plus concrets, y compris l'analyse détaillée des talents d'un nouvel amant.

— Dites-moi si vous trouvez ça normal, demande l'amie de Cathy, dont le ton les dément la suite. Il accepte seulement de me faire l'amour si mon visage est caché par un oreiller ou si je suis allongée sur le ventre. Et il refuse tout contact postcoïtal.

— Tu veux dire qu'il est branché asphyxie ? l'interroge Emma.

Je demande immédiatement des précisions :

— Ça peut aussi être un coussin ou faut-il impérativement que ce soit un oreiller ? Tu as peut-être affaire à un fétichiste de la déco.

— D'après toi, il n'y a rien de gênant qu'il la prive d'oxygène s'il le fait par exemple avec un magnifique coussin dessiné par Lucinda Chambers pour la Compagnie des Tapis ? s'inquiète Cathy.

— Je ne connais pas ce modèle en particulier, mais je trouve un joli coussin un peu moins sinistre qu'un oreiller lambda. Et puis c'est plus original, non ?

— Écoute, il est probablement homo, voilà tout ! fait remarquer Emma.

— Homo ? répète l'amie de Cathy avec des trémolos dans la voix. Mais c'est encore pire ! Ça ne me laisserait aucun espoir. Je peux jouer plein de rôles, mais pas celui d'un homme… jamais !

Emma, à son tour, confirme qu'elle est toujours en train de tester les hôtels du quartier de Bloomsburry avec un homme marié, père de quatre enfants, avec lequel elle entretient une aventure depuis huit mois. Elle l'avait rencontré au cours d'un dîner organisé par une agence de relations publiques désirant promouvoir les contacts entre les banquiers et les journalistes. Et ça avait plutôt bien marché !

— Il prétend vivre une renaissance sexuelle depuis qu'il me connaît, lâche-t-elle avec une certaine allégresse. Pour la première fois depuis quinze ans, il arrive à faire l'amour plus d'une fois par nuit.

— Je parie que Tom y arriverait aussi s'il couchait avec toi. Tu n'y es pas pour grand-chose. Ça le change de sa femme, voilà tout… Il n'y a rien de très étonnant, tu sais.

— Je pense que je lui rends le mariage plus facile à supporter, lance-t-elle comme si elle servait la soupe populaire un soir de Noël.

Cathy nous avoue qu'elle a eu une relation non protégée avec un partenaire rencontré lors d'une soirée. Puis elle commence à énumérer d'autres pratiques sexuelles particulièrement exotiques.

— Doux Jésus !

Son manque de pudeur me sidère.

— Tu devrais garder ça pour les jours de fête ! intervient Emma.

Que puis-je ajouter à cette conversation, moi qui n'ai pas dû faire l'amour une seule fois depuis notre

41

dernière réunion ? Mais parfois – et parfois seulement – dans des moments comme celui-ci, ça ne me paraît plus aussi dramatique.

— Je crois que j'en pince pour un des papas de l'école, dis-je sur un coup de tête.

Tout en parlant, je me demande si je n'ai pas piqué le script de la vie d'une autre femme, assise à la table voisine. Parce que ce n'est pas du tout ce que j'avais l'intention de dire. Pourtant, je m'attends à ce que cette révélation soit traitée par mes amies avec la même équanimité réciproque.

Au lieu de cela, j'ai droit à un silence embarrassé.

— Lucy, mais c'est absolument épouvantable ! s'écrie Emma. C'est choquant. Indécent.

J'essaie de me rattraper aux branches :

— Je plaisantais ! C'était juste pour me rendre intéressante.

Elles me toisent toutes avec le plus grand sérieux. Je fais immédiatement marche arrière.

— Rassurez-vous, il ne s'est rien passé ! En fait, je ne me suis jamais retrouvée seule avec lui. Je n'ai même pas encore atteint l'étape du fantasme sexuel. Pas le temps pour ce genre de chose !

Je force un éclat de rire, attendant que quelqu'un se joigne à moi. Sans le moindre succès. Je m'empresse alors d'ajouter :

— Je lui ai à peine parlé.

Ça ne s'arrange pas. Quelle hypocrisie ! Les amis sont pires que les parents. Ils s'attendent à ce que vous vous conformiez exactement au rôle qu'ils vous ont donné.

— Écoutez, dans le nord-ouest de Londres, tout n'est pas toujours comme dans les livres pour enfants. J'ai le droit de rêver un peu !

— Quelqu'un d'autre est-il au courant ? s'inquiète Cathy sur un ton désapprobateur.

— Au courant de quoi ? Il ne s'est rien passé. Il dépose les enfants à l'école, c'est tout.

Ça suffira peut-être à tout expliquer...

— Je pense que nous devrions venir jeter un coup d'œil aux abords de l'école, propose Cathy. On dirait que c'est un tout nouveau terrain de chasse !

Chapitre 3

« Du sublime au ridicule, il n'y a qu'un pas. »

En arrivant chez nous, je ne vais pas immédiatement me coucher. Au lieu de cela, j'erre dans la maison, me lovant dans l'obscurité et le silence. La lumière est allumée dans la chambre de Sam et de Joe. Quand j'y entre, je suis soulagée de voir les enfants endormis. En découvrant le sol jonché d'un joli labyrinthe de rails, de tunnels et de gares de triage que seul Tom a pu construire, je me dis que l'heure du coucher a dû être particulièrement laborieuse.

Pour Tom, mettre les enfants au lit représente toujours une expérience pleine de réflexion, une remise en question de sa croyance en une formule magique capable de conjurer le chaos essentiel de la vie domestique.

Fred est étalé en travers du circuit, les fesses en l'air et le nez à quelques centimètres d'un passage à niveau. Sam et Joe ont repoussé leurs couvertures. Je les borde avec tendresse avant de faire le tour de la chambre pour ramasser tout l'attirail de leur enfance. Petits bouts de trésors tellement précieux que les gamins n'arrivent pas à dormir sans eux et que je dois laver en secret tant ils sont accros à leur odeur.

Un doux mélange de nounours, de livres et de trains. Avec mille précautions, je replace ces chères reliques sous le duvet et m'engage à ne jamais rien faire qui puisse troubler leur sommeil, tout en sachant que la réciprocité ne sera jamais respectée. Au cours des huit dernières années, une nuit passée sans être dérangés est à marquer d'une pierre blanche, un véritable sujet de conversation comme la vue d'un castor en plein centre de Londres.

Je soulève délicatement Fred qui émet des bruits rassurants. Il ronfle et grommelle contre ma poitrine tel un petit animal. Je retire une balle de cricket de la main de Sam et ramène Fred dans sa chambre.

De retour dans la cuisine, j'allume la lumière, me prépare une tasse de thé et m'installe à la table. Très vite, je me surprends en train de fixer un tableau que nous a offert Petra, ma belle-mère. Le portrait signé d'un artiste qui s'était installé au Maroc peu après la fin de la Seconde Guerre mondiale. D'après Tom, sa mère s'était brièvement fiancée avec lui. Il ignorait pendant combien de temps avait duré leur idylle, mais finalement Petra avait refusé de s'installer là-bas avec lui. Cette explication semblait lui suffire. Quant à moi, j'ai souvent tenté d'extorquer plus d'informations à ma belle-mère en me servant du tableau comme prétexte. Elle n'a pourtant jamais mordu à l'hameçon. L'œuvre est inachevée et la couche de peinture verte à l'arrière-plan est par endroits si fine qu'on devine le grain de la toile. Petra prétend ignorer qui a posé pour le portrait mais je suis persuadée que c'est elle.

— Si vous n'en voulez pas, Lucy, je l'offre à quelqu'un d'autre, avait-elle déclaré en me le tendant à l'occasion de l'une de ses visites.

C'est alors que je lui avais demandé si elle avait été amoureuse de l'artiste qui avait peint ce portrait.

Après tout, ne s'était-elle pas fiancée avec le père de mon mari à peine quelques mois plus tard ? Réaction typique d'une relation post-déception sentimentale.

— Avec beaucoup d'imagination, on peut aimer n'importe qui, Lucy ! avait-elle rétorqué en me fixant avec insistance.

Je monte l'escalier pieds nus, zigzaguant d'un côté à l'autre des marches, usant d'une technique peaufinée au fil des années pour éviter les lattes de parquet disjointes qui, en grinçant, risqueraient de trahir ma présence. Dans la chambre, je renonce à allumer la lumière et tends une main, sachant que je vais rencontrer le coin de la commode quatre pas plus loin, sur la droite. J'ouvre la porte du placard avec précaution pour cacher dans des bottes en cuir les cigarettes achetées un peu plus tôt.

Alors qu'il commence à faire jour dehors, je chuchote des paroles rassurantes à Tom quand il grommelle un « tu es déjà rentrée ? ». Puis j'écoute un instant le gargouillis désapprobateur des radiateurs et leur pardonne leur inefficacité à chauffer correctement cette maison.

Enfin, je me glisse discrètement dans le lit en adoptant la méthode du fax qui s'imprime, m'immobilisant dès que je perçois le moindre mouvement chez Tom afin de ne pas le réveiller. Quand j'arrive assez près de lui, je passe un bras sur son torse et, ainsi collée à son corps chaud, je me laisse emporter par le sommeil. Seule une véritable insomniaque, ou une mère privée de sommeil depuis des années, sait apprécier ce genre de plaisir.

Il n'y a pas de raison logique pour qu'un manque de sommeil additionné à un léger abus d'alcool entraîne des conséquences plus graves qu'une journée ronchon et une envie de pleurnicher. Et pourtant, allez savoir pourquoi, rien ne se passe de cette manière !

Le lendemain matin, je dois assister à une petite fête organisée par l'école dans la salle de gym surchauffée pour célébrer la rentrée des classes. Mon turbulent Joe panique toujours quand il ne repère pas mon visage dans la foule, alors je renonce à mon petit déjeuner pour arriver à l'école plus tôt et trouver un siège aux premiers rangs.

— Tu veux dire quelque part sur l'aile gauche ? m'interroge Joe en levant vers moi des yeux pleins d'espoir tandis que nous franchissons la grille de l'école.

Je devine ce qui va suivre.

— On pourra jouer à Jens Lehmann quand je rentre ?

J'essaie de lui expliquer qu'après l'école on prépare le thé, on débarrasse, on s'assure que les devoirs sont faits, on fait prendre le bain, on raconte des histoires, on file au lit et que c'est déjà un miracle si l'on réussit à accomplir toutes ces tâches en quatre heures chrono.

Puis, devant son petit visage qui s'assombrit, je cède.

— Et si on jouait plutôt au cricket ? Je pourrais être Shane Warne et toi Freddie Flintoff. Mais seulement dix minutes. D'accord ?

Excité, il saute de joie. C'est tellement facile de faire plaisir à un gamin de cinq ans.

Tandis que Fred et moi foulons la cour de récréation avec la poussette chargée comme un mulet, je marque une pause comme toujours, attendant un applaudissement silencieux pour avoir une fois de plus réussi à passer la grille avant la sonnerie de 9 heures. Sur les marches, je vois la responsable des maîtresses qui salue les parents.

J'imagine facilement ses paroles :

— Toutes mes félicitations, madame Sweeney ! Non seulement vous arrivez à l'heure après seulement quatre heures de sommeil et une soirée bien arrosée, mais en plus vous êtes accompagnée de vos deux garçons qui ont le ventre plein et des uniformes impeccables. Sans oublier votre petit dernier qui, même s'il mange encore sa tartine, est tout de même habillé et quasiment rassasié. Bravo, ma chère ! Vous n'avez pas oublié leur déjeuner ni les chaussons de gym marqués à leurs noms. Vous et toutes ces autres mères qui pensez toujours à tout, vous êtes de véritables héroïnes !

Bien qu'aucune acclamation ne s'élève autour de moi, j'éprouve une certaine jubilation.

En cette heure matinale, vêtue comme l'as de pique, j'aspire avant tout à l'anonymat. Dans la salle de gym, je me retrouve pourtant flanquée de Mère-parfaite n° 1 qui s'installe à ma droite, aussitôt suivie de Père-au-foyer-sexy qui, chose curieuse, vient s'asseoir à ma gauche. Je jette un coup d'œil pour voir si toutes les autres places sont prises et constate qu'il y en a plein partout. Mon cœur se met aussitôt à battre la chamade et je me sens piquer un fard pour la première fois depuis des années. Je dois souffrir des syndromes conjugués de pré-ménopause et d'adolescence attardée.

J'essaie de me concentrer sur l'équipement de la salle. Cordes, chevaux-d'arçons, barres parallèles, espaliers contre les murs… Tout ça n'a pas beaucoup évolué. Les écoles ont échappé aux décoratrices d'intérieur. Pas de bohème chic ni de minimalisme esthétique. Le mélange d'odeur fétide de chaussettes sales et de transpiration m'est tellement familier que, lorsque je ferme les yeux et oublie le petit garçon assis sur mes genoux, je me sens transportée dans l'établissement de mon enfance. Quand on accompagne ses enfants sur les bancs de l'école, on régresse forcément un peu. Ainsi, Mère-efficace, calée sur une chaise derrière nous, ancienne déléguée de classe et capitaine de l'équipe de hockey, dirige aujourd'hui l'association des parents d'élèves et surveille la scène avec un air désapprobateur. Les dissipés s'agitent nerveusement sur leurs sièges et celles d'entre nous qui appréciaient les garçons – comme Mère-parfaite n° 1, je présume – eh bien, elles les apprécient toujours autant.

C'est alors que je me souviens de Simon Miller. Mon premier amoureux. Miller m'avait demandé s'il pouvait me raccompagner après mon examen d'anglais du bac. Nous avions marché en silence, nos pas synchrones, en direction d'un cabanon jouxtant le gymnase que je n'avais jamais remarqué auparavant. Toutes les filles de la classe en pinçaient pour Miller et pourtant on ne lui connaissait pas de petite amie. À cette époque, nous étions toutes d'accord pour dire que Simon Miller était le type le plus cool de l'école.

Jusqu'à ce que nous fermions la porte derrière nous, nous nous étions à peine touchés. Il n'avait desserré les dents qu'une seule fois :

— J'aimerais que tu deviennes ma petite amie, mais il ne faut mettre personne au courant sinon mes copains vont me demander comment c'est de faire l'amour avec toi. Ce sera plus excitant si ça reste notre secret.

Sans un mot, j'ai opiné du chef et il m'a caressé la joue du dos de la main. Un délicieux frisson a parcouru mon corps de la tête aux pieds et j'ai dû faire un effort pour ne pas éternuer à cause des effluves de sa lotion après-rasage Aramis.

Chaque semaine, au cours de ce semestre, nos étreintes maladroites sur les tapis de gym avaient l'exquise saveur des découvertes désordonnées de l'adolescence, du flirt furtif et de la concupiscence. Le risque de se faire surprendre et le besoin de se cacher en permanence apportaient à notre attirance mutuelle un zeste d'excitation irrésistible. À ma grande surprise, nous étions encore tous les deux vierges. L'égalité de cette situation nous rendait particulièrement généreux et Simon a dû donner du plaisir à beaucoup d'autres femmes car, même à seize ans, il était déjà doté d'un talent inné pour les rapports bucco-génitaux, talent qui demeura inégalé par tous mes petits amis suivants. Ce ne fut qu'au moment de quitter l'école que je découvris qu'il entretenait le même genre de relation clandestine avec au moins trois de mes amies. Son *modus operandi* sophistiqué fut révélé au grand jour. Je dois avouer que ce jeune homme entreprenant avait placé la barre très haut. Et cela vous marque à vie.

Cet épisode me fit comprendre l'intérêt de garder un secret. Je n'ai jamais ressenti le besoin de partager avec quiconque mes émois d'adolescente. Je savais simplement qu'un jour tout cela aurait un sens. Je me demande ce qu'est devenu Simon Miller. Si je me connectais à Copains d'Avant, je pourrais probablement lui envoyer un e-mail dans la journée et apprendre qu'il est devenu dentiste à Dorking avec deux enfants et une épouse aux dents parfaitement alignées. Certaines choses gagnent à rester de purs souvenirs.

Fred gesticule sur mes genoux et j'ai de plus en plus chaud.

— Maman, j'ai faim !

J'extirpe un paquet de raisins secs de la poche de ma veste.

Derrière, Mère-efficace se penche vers moi, si près que je peux sentir le col de son chemisier blanc impeccablement repassé me chatouiller la nuque.

— Vous saviez qu'ils contiennent huit fois plus de sucre que le raisin frais ? me chuchote-t-elle à l'oreille.

— Euh… non.

— Vous saviez qu'elle est huit fois plus pénible qu'une mère normale ? chuchote Mère-parfaite n° 1 sur un ton de conspiratrice.

D'un coup, je me rappelle avec stupéfaction que j'ai oublié d'apporter « un goût d'automne » pour l'exposé et fouille dans mon sac en quête d'un symbole susceptible de convenir. Par une chance inouïe, je trouve une vieille pomme rabougrie qui semble parfaitement incarner la saison des brouillards et la fertilité langoureuse dans toute sa gloire pourrissante. Il ne me reste qu'à persuader Joe qu'elle provient d'un pommier sauvage. Contente de m'être découverte aussi pleine de ressources, je retrouve ma bonne humeur et me tourne vers Mère-parfaite n° 1 pour l'interroger :

— Avez-vous apporté quelque chose ?

Je parie qu'elle pense toujours à faire le nécessaire pour les jours d'exposé. Toujours prête, j'en mettrais ma main au feu !

D'un geste de la tête, elle montre un homme d'une vingtaine d'années, particulièrement sexy, nonchalamment adossé contre le mur du fond. Il nous adresse un signe de la main.

— Nouvelle rentrée, nouvel entraîneur personnel ! explique-t-elle en souriant. Boxe française. Il ne jure que par ça.

— Il est bien trop grand pour figurer sur la table de l'exposé « goût d'automne », voyons ! Et il risque de coller une châtaigne à la maîtresse, non ?

— Oh, zut ! J'avais complètement oublié ce fichu exposé, lâche-t-elle d'un air distrait. Tant pis ! Je demanderai à ma bonne de m'apporter un sac de noisettes du jardin un peu plus tard.

Je me rends compte que je ne l'ai jamais vue en compagnie de plus jeunes enfants ni avec son mari,

51

d'ailleurs. Sans doute une de ces familles nucléaires. Les molécules semblent vraiment très dispersées.

— Le truc, commence-t-elle en choisissant soigneusement ses mots tout en jetant un coup d'œil vers l'arrière de la salle, c'est qu'on a besoin de quelques encouragements pour se rendre à la gym tous les jours et j'avoue qu'on frise le sublime à suer sang et eau pour un bel homme. Même si son unique sujet de conversation se limite aux groupes musculaires et aux qualités nutritionnelles du porridge… Vous ne trouvez pas qu'une dose quotidienne de sublime est vitale ? Avec l'âge, de toute façon, ce que dit un homme devient de moins en moins important.

Curieuse de jauger la profondeur de sa relation avec son entraîneur, je demande :

— Est-ce que vous pensez à lui quand vous n'êtes pas ensemble ?

Elle me considère d'un air amusé.

— Uniquement quand je m'apprête à ouvrir une boîte de petits gâteaux et que je l'imagine en train de me faire les gros yeux en disant : « Non, non, c'est très très vilain ! » Alors, je ne les mange pas.

À ces mots j'essaie de me redresser et de rentrer mon petit bedon mais celui-ci refuse de coopérer. Au lieu de cela, quelques bourrelets de gras débordent de la ceinture de mon jean. Bien sûr, personne ne peut les voir, mais cela n'en demeure pas moins un acte de rébellion. Il y a beaucoup de rafistolages à faire une fois qu'on a eu des enfants ; votre corps ne vous est plus jamais fidèle.

— Vous devriez venir, vous aussi. Ce serait super marrant ! lance-t-elle sur un ton plus amical que critique.

Généralement, pourtant, elle se montre plutôt hypocrite. J'aimerais lui expliquer que nous n'appartenons pas à la même stratosphère financière, et qu'à part la vieille femme de ménage percluse d'arthrite incapable de toucher le sol du doigt, je représente l'unique domestique de la maison. Mais ce serait trop long. Et puis c'est le genre de femme qui aime vivre dans un monde merveilleux où les gens évitent les galères de métro en prenant des taxis et qui croit qu'on résout le problème de la dette du tiers-monde avec une soirée caritative où le champagne coule à flots.

Fred s'endort sur mes genoux, poussant mon mollet contre celui de Père-au-foyer-sexy. Finalement, j'apprécie le fait que Tom ait autant de mal à coucher les enfants à l'heure. « Profite des petits plaisirs simples de la vie », me disait toujours maman. Alors, j'essaie de vivre l'instant présent. Mais très vite mon esprit commence à divaguer et, à mon plus grand trouble, je me mets à espérer que mon beau voisin presse toute sa cuisse contre la mienne. Quelques secondes plus tard, je ne peux plus m'empêcher de surveiller sa jambe droite. Au début, la semelle de caoutchouc de ses Converse reste scotchée au sol. Mais dès que la pianiste entame le refrain, il commence à battre la mesure du pied et j'ai l'impression que sa jambe se rapproche de la mienne. En tout cas, j'en sens la chaleur. Quand la musique s'arrête, sa cuisse est définitivement plus proche qu'au début. Et là, ça se complique. Je pense que je devrais m'éloigner, juste au cas où il penserait que je réponds à ses avances. Finalement, je décide qu'un retrait pourrait sembler mal élevé s'il ne me frôlait pas volontairement la jambe. Comme si je l'accusais d'une trop grande promiscuité physique.

J'essaie de jeter un œil à son autre jambe pour voir si elle touche celle du père assis sur le siège voisin. Et je suis extrêmement déçue de constater que c'est en effet le cas. Fonctionnerait-il à voile et à vapeur… ?

Je sursaute. Comment ai-je pu en arriver là ? Je pense à Tom qui est à son travail, s'évertuant à trouver une solution aux contraintes imposées par les services d'urbanisation milanais. Je m'imagine debout, à côté de lui, en train de lisser du doigt les rides entre ses sourcils pendant qu'il discute avec son collègue en Italie des dernières orientations de leur projet. Mais il ne voudrait pas de ma petite personne, là-bas. Je le sais parce que, quand je l'appelle au bureau, il s'empresse de se débarrasser de moi. Je compatis à son stress, mais je regrette que son boulot l'accapare autant. Le fait de penser à Tom m'aura au moins servi à retrouver le sens des réalités.

Juste au moment où je recommence à me comporter en adulte raisonnable et que j'essaie de déterminer ce que je vais préparer pour le déjeuner et si j'ai le temps d'emmener Fred au parc sur le chemin du retour, Père-au-foyer-sexy change complètement de position. Maintenant qu'il a posé sa jambe pliée sur son autre genou, je ne suis plus seulement en contact avec la partie supérieure de sa cuisse mais également avec une grande part de sa fesse.

Il se penche et, *sotto voce*, me glisse à l'oreille :

— Encore heureux que vous ne soyez pas en pyjama aujourd'hui, il fait une chaleur d'enfer.

Je lui lance un regard furtif et me demande s'il pense à des plaisirs illicites dans des hôtels de Bloomsburry. Emma prétend que beaucoup de gens s'y retrouvent pour y cultiver des liaisons interdites.

— C'est sans doute à cause de toutes ces théières !

J'essaie de déceler un éventuel sous-entendu sexuel dans son commentaire, mais en vain. Inutile de chercher midi à quatorze heures. Les élèves de la grande section de maternelle, et donc les nôtres, se tiennent sagement sur l'estrade et entonnent le dernier refrain

de « Je suis une petite théière, ronde et mignonne… »,
puis ils passent directement à « Notre père qui êtes
aux cieux, pardonne-nous nos offenses » et tous mes
fantasmes s'évanouissent.

Après ce tour de chant, la maîtresse demande
quelques volontaires pour accompagner la classe en
sortie à l'aquarium de Londres.

— Je me suis déjà inscrit pour celle-ci, chuchote
Père-au-foyer-sexy.

— Ceux que cela intéresse, levez la main et venez
me voir pour plus de renseignements ! annonce la maîtresse en agitant une enveloppe.

Je me redresse sur mon siège du mieux que je peux
avec mon Fred dans les bras et agite la main dans l'air.

— Quel enthousiasme formidable ! s'écrie-t-elle.

Et tout le monde de se retourner pour me dévisager.
Suis-je une mère travaillant à temps plein dévorée par
la culpabilité et qui cherche à compenser ses absences
ou l'une de ces forcenées qui servent des nouilles
alphabet au goûter pour permettre à leur progéniture
de progresser en orthographe ? La vérité est bien plus
futile : j'y vais parce que Père-au-foyer-sexy compte
y aller. D'ailleurs, je pense qu'il le sait pertinemment.

Quel mal y a-t-il à cela ?

Je me penche et commence à me lever tout en jetant
un rapide coup d'œil vers mes jambes pour vérifier que
je porte bien le jean « spécial jambes interminables »
ou « spécial fessier rebondi ». Horrifiée, je remarque
que ce n'est pas ma jambe qui effleure Père-au-foyer-
sexy mais une curieuse protubérance sur mon mollet
gauche ! Ma petite culotte de la veille. Je sens ma
respiration s'emballer en réalisant que je ne peux rien
faire pour me tirer de cette situation imprévisible. Dans
mon for intérieur, je maudis le retour des jeans ciga-

rette. Une pince à épiler ne pourrait même pas m'aider à retirer cette excroissance par le bas.

— C'est quoi ce truc ? demande Mère-parfaite n° 1, particulièrement douée dès qu'il s'agit de réduire une tenue en pièces tel un vautour dépeçant une charogne en quelques coups de bec.

Elle baisse les yeux vers ma jambe avec suspicion.

— C'est un gadget, m'entends-je dire.

J'essuie les gouttes de sueur qui perlent sur mon front avec le manteau de Fred.

L'attention de Père-au-foyer-sexy semble piquée au vif.

— Marrant. J'espère que ça n'explose pas ! dit-il.

— C'est fait pour diminuer le stress. Quand on se sent anxieux, on appuie.

Sur ces mots, j'appuie délibérément sur ma culotte de la veille.

— Comme sur une balle antistress ?

— Exactement !

Ils se penchent tous deux pour toucher et le bras plâtré de Père-au-foyer-sexy vient lourdement s'appuyer sur mon genou. En toute autre circonstance, j'aurais qualifié cette intrusion dans mon espace personnel de moment sublime.

— Eh bien ! Je me sens déjà plus détendu ! déclare Père-au-foyer-sexy avec un brin de sarcasme.

— Moi, pas vraiment, rétorque Mère-parfaite n° 1.

— Madame Sweeney, pourriez-vous venir chercher votre enveloppe ? s'impatiente la maîtresse en insistant bien sur chaque mot, se balançant d'une jambe sur l'autre pour mieux voir ce qui se passe.

Des centaines d'yeux me transpercent. Puis c'est l'opération sauvetage. Tous ces tripotages ont fait descendre la culotte incriminée vers ma cheville et l'étiquette M & S commence à se voir. Je m'incline, sentant une rougeur envahir mon visage et saisis délicatement le bord de l'étiquette. Avec dextérité, je tire dessus et empoigne vite la malencontreuse boule pour la glisser dans mon sac à main d'un geste détaché tout en me relevant. Puis, le visage en feu, Fred endormi dans les bras, je me fraie un chemin entre les parents pour récupérer l'enveloppe. J'ai la tête qui tourne après m'être penchée en avant si longtemps et je dégouline de sueur, mais la pensée d'une journée entière à l'aquarium avec Père-au-foyer-sexy me remplit d'optimisme.

Quand je reviens vers mon siège, je le surprends en train de m'observer avec cette expression qui me rappelle les premières années de ma relation avec Tom. Il paraît méfiant, décontenancé, et sa bouche esquisse un curieux mélange de sourire et de grimace. Jambes et bras croisés, il se penche en avant comme s'il cherchait à se rendre invisible. Il ne pipe mot et s'efface légèrement pour me laisser passer, s'assurant que je ne le frôle pas.

— C'est pire qu'un cauchemar, me glisse à l'oreille Mère-parfaite n° 1, quand je m'assois enfin. Imaginez, des culottes Mark & Spencer ! Même ma mère n'en porte plus. Enfin, ne vous en faites pas, je suis sûre que personne ne l'a remarqué. Et puis le M peut laisser penser qu'elles viennent de chez Myla.

Elle essaie de me réconforter, ce qui est plutôt sympa, mais je n'ai pas la moindre idée de *qui* est Myla.

Quand nous nous levons pour quitter la salle de gym, je suis impressionnée par son allure toujours aussi impeccable tandis qu'elle louvoie avec grâce entre les rangées de chaises vides. Elle a mis une robe croisée sur le devant et des bottes montantes avec des talons vertigineux, le tout enveloppé d'un très long manteau en mouton retourné.

— C'est un Joseph ! Cadeau de mon mari pour se faire pardonner ses nombreux déplacements cet été, dit-elle en réponse à mon regard envieux quand nous nous arrêtons.

Ce que je convoite, ce n'est pas le manteau luxueux mais sa propreté. Il ne porte aucune marque, aucune trace de ce qu'elle a donné aux enfants pour le petit déjeuner. Pas de tache de confiture ou d'encre provenant d'un stylo ayant coulé dans sa poche, pas d'égratignures ou de décoloration d'aucune sorte. Son rouge à lèvres et son mascara sont appliqués avec une perfection inégalée. Elle dégage même un parfum discret dont l'élégance a sans doute été peaufinée au cours de plusieurs générations. Elle est inaccessible. Parfaite. Et apparemment sans le moindre effort. Et qu'est devenu Père-au-foyer-sexy ? Eh bien, il se précipite dans la direction opposée, même si le chemin est encore plus encombré. La dernière fois que je l'aperçois, il pédale aussi vite que le lui permet son bras dans le plâtre vers Fitzjohn's Avenue.

Chapitre 4

« La censure épargne les corbeaux et tourmente les colombes. »

La semaine suivante, à 5 heures du matin, j'abandonne tout espoir de me rendormir et me penche vers Tom pour jeter un coup d'œil à l'un des réveils. Celui qui se trouve à gauche de sa table de nuit est branché sur le secteur et nous réveille en répétant « Tom, sors du lit ! » d'une voix lente et mécanique. Sur la droite, celui qu'il a chipé à Sam, encore trop jeune pour s'en servir, fonctionne avec des piles. Il est surmonté d'une tête de lapin et, si on le laisse sonner trop longtemps, il glisse au bord de la table et tombe par terre tant la sonnerie est forte.

Depuis que nous vivons ensemble, je dois reconnaître que nous n'avons jamais eu de panne d'oreiller. Aucun des réveils ne nous a jamais fait défaut et les rares fois où nos enfants nous autorisent à dormir après 7 heures du matin, nous sommes réveillés par un concert de sonneries. Parfois, j'ai été tentée de reculer nos pendules d'une heure pour montrer à Tom que le monde ne s'écroulera pas si nous décalons tout de soixante minutes.

Les insomnies vous laissent un temps fou pour ressasser de vieilles querelles. Bien sûr, au matin, tous les arguments infaillibles sont oubliés et il ne reste plus qu'un goût désagréable dans la bouche. Mais ces disputes obstinées ne vous lâchent jamais et permettent de rejouer la séquence un nombre incalculable de fois durant la nuit. Aujourd'hui, je rejoue l'une de mes préférées, la douairière de toutes les disputes, celle qui concerne mes incessants retards et le credo de Tom selon lequel tout va bien dans le meilleur des mondes si tout est fait à temps. Une grande qualité chez un architecte, mais moins appréciable chez un mari.

Le dernier round a eu lieu dans le cellier derrière la cuisine, chez mes parents à Mendips, quelques semaines avant les funestes vacances au camping quelque part dans le Norfolk. Si vous vouliez tracer une courbe des événements importants de ma famille, le cellier apparaîtrait comme une toile de fond d'une importance capitale. Il s'agit de l'endroit où j'ai annoncé à ma mère, il y a des années, que j'épousais Tom. Elle m'avait félicitée, les yeux noyés de larmes, avant de déclarer : « Tu es tout de même consciente que si tu étais une expérience chimique, ce serait l'explosion assurée ! » Mon père est entré à ce moment-là, marmonnant quelque chose au sujet des éléments instables et des avantages de l'explosion sur l'implosion pour s'assurer un mariage stimulant. « Il n'y a pas d'attraction sans réaction », avait-il sagement affirmé.

Je ne me rappelle pas exactement ce qui avait déclenché cette dispute entre Tom et moi, mais je me souviens du carrelage sous mes pieds nus, tellement glacé que je ne sentais plus mes orteils. Malgré ce froid polaire, la puanteur d'un vieux morceau de stilton du dernier Noël envahissait la pièce. Nous étions à la recherche de la réserve de café.

— Je ne comprends pas que tes parents puissent tomber à court d'une denrée aussi essentielle que le café, avait déclaré Tom en sursautant quand un piège à souris avait claqué juste à côté de son pied. On devrait toujours en trouver dans un cellier, surtout quand il est de cette taille !

— Sans doute ont-ils autre chose à l'esprit, avais-je répliqué dans un effort pour le distraire.

— C'est comme leur incapacité d'arriver à l'heure, même le jour de notre mariage !

— Dans la vie, il y a des choses tellement plus graves que le manque de ponctualité.

Devais-je me réjouir que la discussion s'éloigne du problème café ou être démoralisée par la nouvelle direction qu'elle prenait ? Car je savais que ses critiques envers mes parents m'étaient en réalité destinées.

Puis, comme il ne me répondait pas, j'ajoutai :

— En fait, c'est très mal élevé d'être en avance. Pourquoi ne pas commencer à vivre dangereusement ? Pendant les quatre semaines à venir, nous pourrions faire une expérience et arriver systématiquement en retard d'une demi-heure…

— Tu parles de vivre dangereusement, Lucy ? Ce n'est plus de notre âge, voyons ! Nous sommes des créatures d'habitude qui devraient se contenter du familier. C'est comme pour les vieux canapés.

Je lui ai sûrement paru sceptique car il devint plus expansif :

— Le canapé de notre salon a un ressort cassé à l'extrémité droite. Une tache collante à l'arrière, vers le centre, à cause d'un bonbon oublié là il y a quelques années. Je crois que c'était un bonbon au citron. Et un trou sur le côté s'élargit de jour en jour parce que les enfants s'en servent pour cacher de l'argent.

Je n'en revenais pas qu'il ait relevé tous ces détails.

— Même si tout cela peut sembler légèrement ennuyeux, ça ne l'est pas. Ces imperfections, parce qu'elles sont familières, rassurent. N'as-tu pas remarqué que je ne te fais plus de réflexions quand tu perds ta carte de crédit ?

Je regardai droit devant, sans bouger mes sourcils. Respiration normale. Tous tics nerveux sous contrôle.

— Je croyais que tu commençais à comprendre que la perte d'une carte de crédit n'a rien de catastrophique.

Il continua, imperturbable :

— Une fois qu'on a compris qu'on n'est pas immortel, il y a un certain réconfort dans la routine, Lucy. Souviens-toi combien tu as été furieuse quand le mari de Cathy l'a quittée. Tu étais carrément bouleversée. À cette époque, tu ne te plaignais jamais d'être en avance. En fait, Lucy, tu n'aimes pas le changement. Tu détesterais que je me mette brusquement à être en retard.

Et, comme d'habitude, je finis par être d'accord avec lui. Parce qu'il avait probablement raison. Toute la nuit, Tom avait dormi sur le ventre sans changer de position, les jambes écartées, les bras autour de l'oreiller. Moi, en revanche, j'ai eu droit aux habituelles visites nocturnes. Quand je suis allongée sur le lit, mon oreille est à peu près à la même hauteur que la tête de Fred et, vers 1 h 30 du matin, je me suis réveillée en sursaut pour entendre une voix rauque chuchoter à mon oreille :

— Je veux mes câlins. Je les veux maintenant.

Puis, une petite heure plus tard, Joe a débarqué en larmes pour m'annoncer qu'il rétrécissait.

— Je suis plus petit que quand je me suis couché,

geint-il en me serrant le bras si fort qu'il restait encore les traces de ses petits doigts le lendemain matin.

— Je te promets que tu as gardé la même taille. Regarde ta main. Elle entre dans la mienne exactement comme lorsque je t'ai accompagné à l'école, hier.

— Mais je sens que mes jambes raccourcissent, insiste-t-il avec une telle conviction que j'en viens moi-même à douter.

— Ce sont des douleurs de croissance... Papa et moi les avions aussi à ton âge.

C'est ma réponse standard pour tous les bobos nocturnes non identifiés.

— Comment tu sais que ce ne sont pas des douleurs de rétrécissement ? Mamy aussi est plus petite qu'avant. Demain, je serai tellement minuscule que tu ne pourras même plus me voir, ajoute-t-il d'une voix de plus en plus faible. Et puis, en allant à l'école, un chien m'avalera peut-être.

Alors je me lève et l'emmène au rez-de-chaussée, à la porte de la cuisine, où Tom inscrit régulièrement la taille des enfants.

— Regarde, tu as même grandi depuis la dernière fois que nous t'avons mesuré.

Devant le trait rassurant de notre toise familiale, il sourit et me serre dans ses petits bras. Je le remonte dans son lit et parviens même à me rendormir jusqu'à l'inévitable insomnie du petit matin.

D'abord, je commets l'erreur de commencer à calculer le nombre d'heures de sommeil que j'ai au compteur ; à 5 h 45 précises, je renonce. Prise dans cet espace-temps assez glauque, entre sommeil profond et éveil approximatif, je prends conscience d'une boule au creux de mon estomac, un rappel de l'anxiété que je trimballe en permanence sans vraiment en connaître l'origine. J'égrène tous les scénarios qui hantent généralement cette heure de la nuit : j'ai bien eu mes dernières règles. Je sais où j'ai garé ma voiture. J'ai soigneusement caché mes cigarettes. Le souvenir cuisant de l'infortune « petite culotte » d'hier rôde toujours, mais j'ai déjà réussi à enfouir cette débâcle dans les plus profonds recoins de mon subconscient. Certaines déconvenues s'avèrent tellement épouvantables qu'on ne gagne rien à les analyser.

C'est alors que je me souviens de ce que j'ai oublié : le projet de Sam qui doit être rendu dans la matinée. Thème : six grands artistes du monde. Il y en a trois de faits. Il en reste trois autres… En un clin d'œil, je saute du lit, surprenant mes pauvres muscles encore endormis.

La situation est grave mais pas désespérée. Pour éviter de déranger Tom, je me précipite dans la chambre d'amis et enfile la vieille robe de chambre accrochée au dos de la porte. Celle que j'ai portée chez Tom quand je l'ai rencontré. Un peignoir informe qui ressemble terriblement à une espèce de tapis à poils longs, impossible à laver. Ma belle-mère l'avait offerte à Tom quand il était adolescent. Son existence remonte donc à une époque précédant mon entrée en scène et cette chose improbable ne sert qu'en cas de grande incertitude. Autrefois, songer au Tom d'avant notre rencontre me rendait terriblement jalouse des instants que nous n'avons jamais partagés. Maintenant, j'en tire une certaine jouissance. Parce qu'il y a un moment, dans un mariage, où l'inconnu devient plus intéressant que le connu. J'essaie de le convaincre de m'éclairer sur ses exploits sexuels avec les femmes qui m'ont précédée, mais il est trop prude pour satisfaire ce genre de curiosité lubrique.

Il y a des taches et des parties reprisées sur le côté de ce peignoir, des miettes de nourriture non identi-

64

fiables et des vestiges de bagarres d'adolescent. Je tiens là un compte rendu de la jeunesse de Tom bien plus éloquent que les interminables séances de diapos floues de sa mère.

Ce peignoir remonte à l'époque des imprimés Laura Ashley et des disques de Statu quo. Je sens quelque chose dans la poche et m'attends presque à tomber sur une photo froissée de belle pulpeuse arrachée à un numéro de *Playboy* de 1978. Je n'aurais pu me tromper d'avantage : il s'agit en fait d'un feuillet tiré du manuel de savoir-vivre de Mrs. Beeton, dans une ancienne édition. Je parcours en diagonale quelques phrases : « J'ai toujours estimé qu'un repas mal cuisiné par la maîtresse de maison et un intérieur négligé constituaient les sources principales d'un mécontentement familial. De nos jours, les hommes sont tellement bien servis en dehors de chez eux, que ce soit au restaurant, à la taverne ou à leur club, que pour entrer en compétition avec ce genre d'endroits, une épouse doit parfaitement maîtriser la théorie et la pratique de la bonne cuisine. Sans oublier l'art et la manière de tenir une maison impeccable et accueillante. »

En fourrant le bout de papier tout au fond de la poche du peignoir, je me dis que Mrs. Beeton a pas mal de comptes à rendre. D'ailleurs, je ne vois pas comment ce petit bout de papier a pu atterrir ici et j'essaie de me rappeler à quand remonte la dernière mise en service de ce peignoir. C'est ma belle-mère qui a occupé cette chambre en dernier. Il faudra que je réfléchisse à la question un peu plus tard, mais je me demande si Petra n'a pas tenté de m'envoyer des messages subliminaux. Dans l'immédiat, cependant, il y a d'autres priorités. Quelques secondes plus tard, le papier est déjà oublié.

En sortant de la chambre d'amis, je percute Fred qui

passe dans le couloir en se frottant les yeux. Son état devrait me permettre de le persuader de retourner se coucher. Mais il sent sûrement mon niveau de stress et remarque que je suis emmitouflée dans une tenue inconnue. Il proteste et insiste pour descendre avec moi. Arrivée à la cuisine, j'évalue la situation tout en me mettant en quête de pinceaux et de peinture. J'explore les placards et les tiroirs que j'ouvre et ferme sans ménagement tout en marmonnant un récapitulatif : « Degas, c'est fait. Goya, c'est fait. Constable, c'est fait. » Fred répète chaque phrase. Contre toute attente, il apprécie les changements qui interviennent dans sa routine très matinale. Je l'installe sur le tabouret à côté de la table à dessin de Tom et lui tends les ciseaux, des pots de peinture et autres trésors interdits. Il faut ce qu'il faut. Même dans les foyers où l'on n'autorise la télévision que les week-ends, les mères ont recours à des tactiques vicieuses pour sauvegarder les quelques minutes qui décideront du succès ou de l'échec, non seulement du reste de la journée, mais également du reste de leur vie, parce que parfois les causes les plus insignifiantes peuvent avoir des conséquences considérables. On appelle ça l'effet papillon.

Je dois faire plus de bruit que prévu durant ce branle-bas de combat car Tom arrive dans la cuisine.

— Il faut que je fasse Van Gogh, Jackson Pollock et Matisse, lui dis-je en lui agitant un demi-mètre d'essuie-tout devant le nez. Et tout ça pour 8 heures !

— Mais qu'est-ce que tu fabriques, Lucy ? Retournez vite vous coucher, tous les deux ! C'est sans doute une espèce de cauchemar sur la peinture abstraite. Et lui, pourquoi l'as-tu réveillé ?

— Je ne l'ai pas réveillé, voyons. Ce serait bien plus facile de ne pas l'avoir dans les pattes. Il découpe des bouts de papier pour réaliser un collage Matisse.

— Cela te semble peut-être logique, mais moi je ne vois aucune explication rationnelle à tout ce ramdam.

— Sam doit rendre un projet et n'en a fait que la moitié. Heureusement, je me suis souvenue qu'il fallait rendre l'autre moitié aujourd'hui. Et si Sam ne le finit pas, c'est moi qu'on tiendra pour responsable...

— Mais ce n'est pas Sam qui le finit, c'est toi !

— J'irai plus vite et il y aura moins de bazar. Sam mettrait un temps fou à boucler ce projet. Et qui plus est, s'il ne le rend pas à temps, j'aurai l'impression d'avoir failli à mon rôle de mère.

— C'est ridicule, Lucy ! Personne ne te juge en fonction de ça.

Je pose la peinture et prends une profonde inspiration.

— C'est là que tu te trompes. Si Sam échoue, cela retombera forcément sur moi.

Et, brassant l'air avec mon pinceau pour appuyer mes arguments, j'ajoute :

— Voilà ce qu'est devenue la nature même de la maternité dans notre nouveau millénaire !

— Pose ça, Lucy ! Regarde ce que tu as fait à mon pyjama.

Il est couvert de petites taches de peinture rouge. La main sur la bouche, Fred se tortille de rire comme le font les enfants sentant qu'un adulte va piquer une crise de nerfs.

— Il y a des parents, essentiellement des mères mais parfois aussi des pères, qui vont se pointer aujourd'hui avec le projet de leurs enfants sur CD-Rom sous forme de présentations PowerPoint.

— Mais ce n'est pas le projet des parents ! proteste Tom, déconcerté. De toute façon, tu ne sais pas te servir de ce logiciel. Et moi non plus, d'ailleurs.

— Précisément. Donc, le moins que je puisse faire, c'est m'assurer que Sam termine le projet.

— Avec un sosie de Van Gogh ! Parce que ce petit loustic s'apprête à se couper une oreille, dit-il en indiquant Fred qui brasse l'air de ses ciseaux.

Puis Tom découvre les taches de peinture sur la table de dessin et sur le mur.

— Mais qu'est-ce qui s'est passé ? Comment avez-vous fait un tel carnage ?

— On copiait le style Jackson Pollock. D'ailleurs, c'est assez réussi.

Je lui montre notre chef-d'œuvre et ajoute :

— Cela aurait pu être pire, tu sais. Imagine si Sam avait choisi Damien Hirst[1] !

— Si tu prenais la peine de marquer dans un carnet tout ce qu'il y a à faire, Lucy, il y aurait moins de problèmes.

— Tu ne te rends pas compte de tout ce dont je me souviens chaque jour. Tu ne t'intéresses qu'à ce que j'oublie.

— Nous ne vivons pas en état de siège. On peut facilement se montrer prévoyant dans la mesure où on ne risque pas d'être pris sous les bombes à tout moment et qu'on ne nous a pas coupé l'eau et les vivres.

— Toi peut-être pas, mais moi je me sens perpétuellement assiégée.

— Je suis persuadé que tu fais les mêmes choses chaque jour. J'admets que c'est un peu répétitif, mais au moins tu suis une routine bien huilée.

— Tu n'imagines pas tout ce qui doit être accompli en une seule journée rien que pour survivre. Dès qu'on

---

1. Artiste anglais contemporain très provocateur. Ici, sans doute référence à la cervelle humaine coupée en tranches. (N.d.T.)

68

oublie un détail, tout s'écroule comme un château de cartes. C'est pire que l'épée de Damoclès.

— Comment cela ?

— Ici, on se chamaille pour un oui ou pour un non du matin au soir, on renverse des trucs, on les casse, on les perd… Et, sans crier gare, on attrape un virus qu'on se refile plus vite qu'un ballon de foot. Ce type d'impondérable vous éclate à la figure et vous fait perdre un mois dans vos tâches. Tu te souviens de la varicelle ? Je suis restée cloîtrée dans la maison pendant des semaines ! Figure-toi que j'en arrive parfois à apprécier l'imprévu parce qu'au moins ça casse ma routine tout en apportant un brin d'excitation à ma vie de tous les jours.

Il semble interloqué.

— Alors comme ça, la perspective d'un chaos latent t'amuse ? demande-t-il en s'efforçant de comprendre ce que je dis. Dans ce cas, c'est sans espoir !

Il me considère avec ce curieux regard oblique, la bouche légèrement entrouverte comme s'il prenait sur lui pour ne rien ajouter. Ce n'est pas une réaction naturelle chez un homme qui adore avoir le dernier mot.

Sam entre dans la cuisine. Il est entièrement habillé, déjà en uniforme, et il s'amuse à lancer sa balle de cricket en l'air pour la rattraper. Ses poches sont bourrées de cartes de football. Je lui tartine des toasts – confiture et pas de beurre – et lui répète au moins cinq fois de ne pas jouer avec sa balle en mangeant. Puis je me demande s'il ne serait pas bon de laisser un garçon mener plusieurs tâches en parallèle dans l'espoir qu'il deviendrait un jour le genre d'homme capable de préparer des brocolis et de changer une couche tout en tenant une conversation sur sa journée passée au bureau. Après quelques tranches de pain de mie, il accepte de rédiger des légendes pour accompagner chaque œuvre d'art. Je lis celle qui est le plus près de moi.

« Vincent était un homme passionné. S'il s'était intéressé au cricket, il ne se serait sans doute pas coupé l'oreille. Matisse était un grand fan de cricket. »

*

Je décide d'accompagner les enfants à l'école en voiture afin que la peinture puisse sécher devant le chauffage. Mais aussi pour profiter un peu du confort de cet habitacle familier après l'excitation du matin.

— Maman ? Si on rend ce travail à temps, c'est comme un petit pas pour un homme et un saut géant pour l'humanité ? demande Sam.

— Est-ce que Sam parle du Major Tom ? veut savoir Joe.

— Oui, probablement.

J'espère avoir répondu aux deux questions.

— Pourquoi tu dis toujours « probablement » ? Les choses ne sont pas *entièrement* justes ou *entièrement* fausses ? m'interroge Sam.

— Tu sais, la vie en général est surtout grise. Elle est rarement noire ou blanche.

Ma réponse devrait faire l'affaire…

— Sauf si on est un zèbre, intervient Joe.

Puis il marque une pause, signe qu'il veut ajouter quelque chose.

— Peut-être que le Major Tom a trouvé la lune tellement belle en arrivant dessus qu'il est resté là-bas.

Je remarque que les rues sont particulièrement calmes. Installés dans la voiture avec le chauffage poussé à fond, on a l'impression d'être coupés du reste du monde. Quand je m'arrête au croisement suivant, je vois de nombreux parents accompagner leurs enfants à pied en affichant des expressions de joie artificielle et de bonhomie collective. Avec un sursaut de panique, je réalise que j'ai complètement oublié un détail : aujourd'hui est LE jour où tout le monde emmène ses gamins à pied à l'école… On va immanquablement m'associer à tous les maux de la planète et me coller sur le dos des étiquettes du genre obésité infantile, réchauffement de la Terre et encombrements des villes. J'éteins aussitôt le chauffage et explique la situation aux enfants.

— En prenant la voiture pour aller à l'école, nous relâchons de vilains produits chimiques dans l'atmosphère. Aujourd'hui, beaucoup d'enfants dans Londres se rendent à l'école à pied pour montrer qu'ils sont sensibles à ce problème. J'ai complètement oublié ça et nous sommes en retard. Voilà pourquoi je vous y conduis en voiture. Mais si vous jouez le jeu et que vous vous couchez vite par terre en attendant mon signal pour sortir, nous réussirons peut-être à ne pas nous faire attraper.

À deux cents mètres de l'entrée de l'établissement, je me retourne vers Joe, je lui enfonce sa casquette Spider-Man sur la tête et je me ratatine sur mon siège pour me mettre au niveau du tableau de bord. Là, nous attendons en silence une trouée dans le nuage de parents qui défilent sur le trottoir.

Je repère Mère-efficace qui descend la rue, équipée de grosses chaussures de marche et d'un impressionnant sac à dos. Elle habite à plusieurs kilomètres. Impossible qu'elle ait tout parcouru à pied mais, à voir l'ardeur sur son visage, je me dis qu'elle a dû jouer le jeu. Juste au moment où elle arrive à la hauteur de notre voiture, Fred se met à taper sur la fenêtre et à hurler à pleins poumons :

— Au secours ! À l'aide !

J'essaie de l'en empêcher mais il essuie la vitre embuée de ses petites mains. Un nez apparaît, un de ces nez retroussés et hautains sans la moindre tache de rousseur parce qu'ils sont toujours protégés par des chapeaux à bord large et de la crème écran total. Puis de grands yeux écarquillés clignent en essayant de voir le petit visage qui se trouve à l'intérieur. Le tout a un air assez terrifiant et Fred se met à hurler de plus belle.

— Quelqu'un a laissé un enfant tout seul dans la voiture ! crie Mère-efficace dans la rue.

De toute évidence, elle fait partie de ces femmes qui aiment prendre les choses en main en cas d'urgence.

— Je vais prévenir l'école ! Pouvez-vous rester ici pour essayer de le réconforter ?

J'entends Mère-efficace s'éloigner et je ferme les yeux pour réfléchir à une issue. Oui, il ne me reste plus qu'à poursuivre la technique d'hyperventilation qui, avec un peu de chance, maintiendra assez de vapeur sur les vitres de ma voiture pour nous dissimuler. Puis je perçois une autre voix venant de l'autre côté.

— Regardez-moi tous ces déchets sur le siège avant ! Il y a des trognons de pommes, des M&M's fondus, des vêtements, des assiettes en plastique. C'est dégoûtant ! Et toutes ces peintures bizarres sur le tableau de bord ?

C'est forcément Mère-parfaite n° 1 ! Une autre voix, masculine cette fois, et plutôt bienvenue en d'autres circonstances, intervient dans la conversation.

— Je reconnais certains de ces trucs. N'est-ce pas la voiture de Lucy ? demande Père-au-foyer-sexy.

Mère-efficace revient avec la directrice.

— Madame Sweeney ? Êtes-vous là-dedans ?

J'ouvre la portière, sors de la voiture avec une certaine assurance et déclare le plus sérieusement du monde :

— Nous répétions une installation Tracey Emin pour le projet « Artistes du monde ». Nous l'avons baptisée : « Voiture fouillis » !

La directrice applaudit avec enthousiasme.

— Oh, quelle idée formidable ! Il faut qu'on fasse vite des photos pour le montrer à toute la classe. Vous êtes géniale, madame Sweeney. Quelle imagination !

Elle prend les deux aînés par la main et les entraîne vers l'école. Puis Sam revient en courant.

— Maman, rappelle-moi ce que je ne dois pas dire, chuchote-t-il.

— Ne dis pas à la maîtresse que c'est moi qui ai fait trois de tes peintures et ne dis surtout à personne que la voiture est toujours dans cet état-là. Je ne te demande pas de mentir, je te demande seulement de garder la vérité pour toi.

— Est-ce que c'est une situation grise ?

— Oui, tout à fait.

La capuche du manteau de Fred à la main, je ferme brièvement les yeux en espérant une seconde de répit. Et dire qu'il n'est même pas encore 9 heures du matin ! Quand je les rouvre, Fred a descendu son pantalon sur les chevilles et fait pipi contre la roue.

— Voilà, maintenant c'est la mienne, annonce-t-il fièrement pendant que je le rhabille en vitesse pour l'installer dans la Peugeot.

Lorsque je me relève, j'aperçois Père-au-foyer-sexy perché sur son vélo, à côté de la voiture. Il est penché en arrière, les jambes écartées et les genoux légèrement fléchis pour rester en équilibre sur les pavés de la route. Son casque pend par la mentonnière à son bras cassé. Son jean et son T-shirt blanc qui dépasse d'un blouson vert un peu court lui donnent un air décontracté terriblement sexy. J'aimerais lui souffler qu'il ne se rend pas compte de l'effet produit. Je pense néanmoins que sa tenue trahit un brin de vanité car il prend toujours la peine de retirer son casque et de se passer la main dans les cheveux avant d'entrer dans l'école.

Je remarque une légère bedaine à l'endroit où le blouson n'est pas fermé et son T-shirt fait des plis au-dessus de son estomac.

— C'est celui de ma femme, lance-t-il comme pour s'excuser quand il me surprend en train de l'observer.

Il tire sur la veste pour cacher ses bourrelets. Malgré cette précaution, son penchant pour le goût raffiné de haricots borlotti et le cyclisme écolo, il y a quelque chose d'irrémédiablement « brut de décoffrage » chez lui.

— Vous ne manquez pas de repartie, lâche-t-il en descendant de son vélo.

J'ignore s'il s'agit là d'un compliment ou d'un défi et je sais que je devrais rentrer chez moi *fissa*. Ce petit commentaire anodin risque en effet de me trotter dans la tête bien plus longtemps que nécessaire avant de prendre une connotation que son auteur n'aura sûrement pas voulue. Et là, je réalise que ma belle-mère se trompe un peu. Il faut bien moins d'imagination pour aimer son mari que pour élaborer un fantasme sans le moindre espoir de réciprocité. Tentant de mettre un terme à cette conversation plutôt que de l'encourager, je rétorque sur un ton que j'aimerais sec et laconique :

— Des années de pratique, Robert !

C'est l'un de ces matins d'automne où il fait suffisamment froid pour que la respiration se transforme en buée. Il se tient désormais tellement près que nos haleines s'entremêlent quand il parle. Je ne suis pas maquillée et je sens mes joues rougir dans l'air glacial.

— Je suis désolé d'avoir dû filer aussi vite hier, dit Père-au-foyer-sexy. J'ai quelques pépins avec mon travail. Je n'arrive pas à trouver la bonne structure pour mon livre et les Américains tiennent à le sortir avant le prochain Festival du film Sundance.

On pourrait penser qu'il en rajoute un peu mais ce n'est pas le cas. Il essaie simplement d'engager la conversation.

— En ce moment, j'écris un truc concernant les westerns sur Zapata. Ceux qui se déroulent durant la révolution mexicaine comme *Une poignée de dynamite*, par exemple. Pourtant, même s'ils ont été inspirés par l'histoire mexicaine, il n'y a pas vraiment d'influence latino-américaine…

Je hoche la tête d'un air entendu et profite de cette verbosité inhabituelle pour procéder à un examen approfondi de son avant-bras droit qui s'est brusquement échappé de la veste de sa femme quand il a gesticulé pour illustrer ses propos.

En ce qui me concerne, aucune partie du corps d'un homme ne résume aussi bien son potentiel que cet avant-bras. En fait, j'irais même jusqu'à dire que celui-ci me donne une idée assez précise de ce à quoi ressemble le reste de son corps sans que le type en question n'ait le moindre soupçon de toutes les informations apportées par ce bref coup d'œil.

On peut en déduire le tonus, la texture, la longueur des membres, le temps passé en salle de musculation, les séjours à l'étranger… Père-au-foyer-sexy a un avant-bras presque parfait, de taille moyenne, fort sans être râblé, suffisamment poilu pour paraître viril, mais sans excès pour garantir un dos glabre. Je lui souris.

— Qu'en pensez-vous ?

— Très prometteur, dis-je avec une certaine emphase. J'adore Sergio Leone.

— Bien, rétorque-t-il en rabaissant la manche de sa veste. Sauf que vous ne répondez pas à ma question. J'ai changé de sujet quand j'ai vu vos yeux devenir vitreux. Mais peu importe. Ça arrive tout le temps, à moins que je parle de l'irrésistible Benicio del Toro... Et là les femmes tendent généralement l'oreille. Je demandais si vous alliez vous présenter comme déléguée des parents d'élèves. Je peux vous aider mais il m'est impossible de m'en charger tout seul à cause de mon travail. C'est important de participer à la vie de l'école, vous ne trouvez pas ?

Il marque une pause, puis ajoute :

— Vous semblez surprise.

Autant que s'il m'avait demandé de lui lécher l'avant-bras.

— Euh, oui... j'y ai en effet songé. Mon petit dernier vient juste d'entrer à la garderie, ce qui me permettra de me lancer dans ce genre d'initiatives. Mais je ne voudrais pas avoir l'air d'insister.

Ça semble tellement crédible que j'y crois presque moi-même.

— Je voterai pour vous. Isabelle aussi. Elle dit que ce serait vraiment rigolo si vous réussissiez à l'emporter.

— Ah oui ?

Je me méfie des motivations de Mère-parfaite n° 1.

— J'ai expliqué à ma femme ce qui s'est passé hier. Vous savez... euh... l'imbroglio avec les sous-vêtements. Elle a trouvé ça très drôle. Très sympa. Moi aussi, d'ailleurs.

Je me demande comment cette histoire est venue dans la conversation, quels adjectifs ont été employés, s'il lui avait confié qu'on était assis si près l'un de l'autre que je pouvais sentir la chaleur de sa cuisse... Était-ce après qu'il avait fini de préparer le repas familial ou dans leur lit conjugal ? Et que portaient-ils pour dormir ?

— Le pyjama, ajoute-t-il. Je lui ai aussi parlé du pyjama.

Je devrais être flattée qu'il ait partagé tout cela avec sa femme car il y a là comme les prémisses d'une amitié. J'imagine déjà les petites dînettes à quatre, les pique-niques en famille à Hamstead Heath, voire même des vacances en France. Pourtant, je refuse toute intrusion dans mes fantasmes. Ils risqueraient de perdre de leur pouvoir d'évasion.

Le soir, je suis assise à l'autre bout du canapé et je regarde Tom lire l'*Architect's Journal* de la semaine dernière. Avec plus d'une année de retard, les travaux pour la construction de la bibliothèque de Milan ont enfin commencé et Tom est d'excellente humeur. Nos pieds se touchent. L'heure fatale est passée. Les enfants sont couchés et une bouteille de vin a tenu lieu de dîner.

Il va devoir se rendre à Milan dans les semaines à venir. Il me l'annonce sur un ton contrit, s'efforçant de se montrer conscient du fardeau que cela représente pour moi. Mais je sais qu'il est ravi parce que ce soir il n'a pas fouillé dans le frigo pour y dénicher des produits périmés. Ni scrupuleusement analysé les relevés de banque pour y chercher la preuve de contraventions ou autres délits mineurs. Ni posé de questions à propos des rayures récemment apparues sur la carrosserie de la voiture.

— Je te laisserai un réveil pour que tu ne sois pas en retard le matin. Je mettrai mille livres en espèces dans la commode au cas où tu perdrais ta carte de crédit. Je ferai du baby-sitting pour toi après mon retour. J'achèterai moi-même mes chaussettes à l'aéroport.

Je ne réponds pas grand-chose et ses offres deviennent de plus en plus extravagantes. Alors je me tais.

— Nous ne ferons plus jamais de camping. La prochaine fois, nous louerons une maison. Plus jamais nous ne passerons de vacances aussi abominables. Et nous pourrons peut-être même nous permettre d'embaucher une femme de ménage deux fois par semaine.

À mon tour, je fais moult promesses.

— Je ne mentirai plus pour cacher de petites choses. Je préparerai les uniformes des enfants la veille. Je vérifierai le contenu du frigo avant de faire les courses.

Puis le téléphone se met à sonner. Après de brèves négociations, Tom daigne décrocher à la cinquième sonnerie à condition que j'aille ouvrir une deuxième bouteille de vin.

— C'est pour toi, m'annonce-t-il. Un des pères de l'école.

Il hausse un sourcil interrogateur et me tend l'appareil.

Je proteste en chuchotant :

— Dis-lui que je suis occupée.

Mais Tom me plaque le téléphone dans la main.

— J'espère que je ne vous dérange pas, commence Père-au-foyer-sexy. Vous êtes peut-être à table.

Je me donne une petite claque sur la joue dans un effort désespéré pour reprendre mes esprits.

— Non, non, nous venons juste de terminer. Une potée jardinière que mon mari avait préparée. Délicieuse.

Tom me considère d'un air étonné.

— Pourquoi est-ce que tu lui racontes des bobards ? Dis-lui simplement que tu t'es trompée sur ta commande Internet et qu'il ne reste plus qu'un oignon et un pot de confiture dans le frigo, grommelle-t-il d'un air amusé.

Il s'approche de moi, les yeux brillants de concupiscence avant d'ajouter :

— J'adore quand tu essaies de mentir. Tu n'es tellement pas crédible !

Pas maintenant, pas maintenant, me dis-je en réfléchissant au dilemme complexe qui s'offre à moi : mettre fin à une disette sexuelle de deux mois ou prendre le risque de vexer Père-au-foyer-sexy au début d'une amitié si prometteuse. Je repousse Tom du pied.

— Le truc, continue Père-au-foyer-sexy sans se douter de quoi que ce soit, c'est que j'ai proposé votre nom comme déléguée des parents d'élèves...

Tout désir de faire l'amour avec l'un ou l'autre des deux hommes s'évanouit sur-le-champ.

—... mais une concurrente s'est déjà présentée et elle passe plein de coups de fil pour mettre les autres parents en garde contre vous. Une espèce de campagne de diffamation. Elle prétend surtout que vous n'avez aucune expérience et que vos habitudes domestiques sont bizarres et peu recommandables.

J'ai du mal à digérer l'information.

— C'est Mère-parfaite n° 1, pas vrai ? Je savais qu'on ne pouvait pas lui faire confiance. Elle est gonflée ! Et je ne vois pas ce qu'elle peut bien reprocher à mes habitudes domestiques...

Tom retire sa chemise et me désigne le canapé.

— Écoutez, nous pourrions parler de tout cela une autre fois, lance Père-au-foyer-sexy sans doute désorienté par le ton de ma voix. Et en fait, ce n'est pas Isabelle, la traîtresse, mais la mère dont les enfants apprennent le mandarin.

J'entends ma voix se transformer en gémissement.

— Mère-efficace ?

Puis, reprenant du poil de la bête, je hurle :

— Puisque c'est comme ça, elle ne perd rien pour attendre !

— Inutile de tirer sur le messager, proteste Père-au-foyer-sexy. J'appelais simplement pour vous proposer mes services comme responsable de campagne.

Il raccroche et je réfléchis aux options qui s'offrent à moi. Puis on sonne à la porte. C'est le livreur des courses par Internet. Il paraît légèrement inquiet.

— Où voulez-vous que je mette tous ces oignons ? demande-t-il à Tom. C'est bien ici ? Je pensais qu'on livrait un restaurant italien.

Il apporte trois gros sacs dans la cuisine.

Tom commence à fouiller leur contenu.

— Explique-moi comment tu as pu en arriver là, demande-t-il, consterné.

— Je pensais que c'était vendu à la pièce, pas au kilo.

— Mais pourquoi commander trente oignons rouges ? Ça n'a pas de sens, voyons ! Bon, j'abandonne et je vais me coucher !

Chapitre 5

« Petits coquins font de grands fripons. »

L'hiver a commencé, ça j'en suis certaine, car la guerre d'usure annuelle à propos du chauffage a elle aussi commencé. Dès que Tom quitte la maison, je monte le thermostat et parfois je pense à le redescendre avant son retour. Mais il découvre souvent le subterfuge en posant automatiquement la main sur le radiateur près de la porte d'entrée.

— Nous avions un accord, Lucy ! Et la chaleur du radiateur est exactement proportionnelle à l'étendue de ta tricherie, vitupère-t-il un vendredi soir de la fin octobre.

En bas, dans la cuisine, Emma a débouché une deuxième bouteille de vin et grignote à contrecœur de petits crackers nounours à défaut de mieux. Les enfants sont au premier, profondément endormis.

— Je sais qu'on avait dit novembre, mais la météo ne se soumet pas à nos désirs. On va connaître l'hiver le plus rigoureux jamais enregistré dans ce pays, plus froid encore que le grand gel de 1963. À mon avis, nous devrions suspendre les hostilités jusqu'au printemps, lui dis-je en employant un langage qu'il comprendra sûrement.

On frappe à la porte. Tandis qu'il longe le couloir pour aller ouvrir, je tourne furtivement le thermostat de quelques millimètres. Il se retourne brusquement et je reste immobile, la main en l'air, juste à côté du bouton. Nous jouons à une version adulte de « 1-2-3 soleil ! ».

— Très bien, Lucy. C'est toi qui t'occuperas du chauffage jusqu'au printemps, capitule-t-il.

Je pense qu'il est soulagé de se voir retirer cette responsabilité mais ça, il ne l'admettra jamais.

Dans tous les mariages, il y a des secrets. Il y a les énormes trahisons et puis il y a les plus petites, presque insignifiantes. Bien que nous soyons mariés depuis presque dix ans, Tom ignore toujours que :

1) J'ai cinq lignes de crédit avec mes multiples cartes de paiement.

2) La voiture a été volée peu après que j'ai perdu le double de la clé.

3) J'ai eu une petite aventure inavouée au cours de la deuxième année de notre relation. Quant à la toute dernière, avant notre mariage, on pourrait la considérer comme une grande trahison, sauf que je sais que lui-même en a vécu une de la même importance.

Il ouvre la porte et semble sincèrement ravi de tomber sur Cathy.

— Oh, quelle bonne surprise ! s'exclame-t-il comme si son arrivée était tout à fait inattendue.

Alors que certains hommes ont du mal à supporter les amies de leurs épouses, Tom a toujours adoré les miennes et elles l'adulent en retour. Cathy l'embrasse avec enthousiasme et se glisse dans le couloir étroit pour descendre l'escalier, me serrant dans les bras sur son chemin. Cathy est perpétuellement en mouvement. Elle fait partie de ces gens qui prennent beaucoup de place bien qu'elle soit relativement menue, comme une force centrifuge qui aspire les gens sur son passage. Elle arrive plutôt chargée : un sac à main, des courses et un ordinateur portable. Tom est immédiatement emporté par le courant et la suit jusqu'en bas.

Quand je les rejoins, elle a déjà ouvert son ordinateur, retiré la prise de notre téléphone et s'est installée pour pianoter sur son clavier sans même ôter son manteau.

— Tu as une crise de travaillite aiguë ? demande Tom.

— Oh, non, non ! déclare Cathy, tout excitée. Il faut que je vous montre la photo de mon prochain rencard d'Internet.

Emma est langoureusement étendue sur le canapé.

— Ça vous ennuierait de le rapprocher pour m'éviter d'avoir à me lever ?

— Pas de problème, répond Cathy. C'est ça, la magie d'Internet. On vous livre des hommes jusqu'à votre canapé, dans le confort et l'intimité.

— Je ne vois vraiment pas pourquoi tu as besoin de chercher des hommes sur Internet. Tu n'en trouves pas assez avec les méthodes traditionnelles ? demande Tom en ouvrant la porte du frigo.

— Les mecs qu'on rencontre par le circuit normal sont forcément défectueux.

— Il y a pourtant quelques types célibataires à mon bureau et ils ont l'air tout à fait normaux.

— Alors, pourquoi ne me les présentes-tu pas ? l'interroge Cathy. En ce moment, je suis branchée sur les relations multiples.

De petits visages de la taille de timbres-poste apparaissent sur l'écran. Elle pointe le curseur sur l'un d'entre eux.

— Qu'est-ce que vous en pensez ? J'ai eu du mal à me décider. Les choix sont plutôt limités.

Je plisse les paupières pour mieux distinguer le visage.

— Difficile à dire. Apparemment, ses traits principaux sont placés aux bons endroits, c'est toujours un bon début, non ?

Sur ces mots, elle commence à agrandir la photo jusqu'à ce que les contours s'affinent. Maintenant nous pouvons observer un nez assez grand mais joliment proportionné, des cheveux châtains coupés court, presque en brosse, et des yeux marron intéressants.

Une fois que l'image a atteint sa taille maximale, nous sommes assises en rang d'oignons, les yeux fixés sur l'étranger devant nous. Il a quelques rides sur le front et autour des yeux.

— Tout à fait ton genre, déclare Emma.

Après un long silence, j'interviens :

— Eh bien, il... il a un côté pas très net, quand même...

— Qu'est-ce qui te fait dire ça ? lance Tom des profondeurs du frigo.

— Oh, à cause de ces rides sur son front. Elles ne proviennent pas d'un excès de rire ou d'anxiété. C'est le genre de rides qui apparaissent quand tu ne te souviens pas où tu es, ni avec qui.

Tom ricane et continue à explorer le frigo.

— Tu sais, Tom, Lucy a souvent raison pour ce genre de chose. Elle avait vu juste pour mon mari bien avant qu'il ne me fasse des misères. Enfin, peu importe ! Vous ne le trouvez pas superbe ? Trente-huit ans. Avocat. Habite à Earl's Court. Parfait, non ? Le seul hic, c'est qu'il m'a conseillé de me faire couper les cheveux à la Jeanne d'Arc.

— Oh, dommage ! dis-je. Ça ne se voit pourtant pas sur la photo.

— Et à quoi ressemble un type qui préfère les femmes avec une coupe au bol ? s'enquiert Tom avec curiosité.

— Eh bien, sur le plan esthétique, il n'a jamais quitté les années quatre-vingt. Il porte probablement des pantalons aux couleurs criardes et des mocassins à trou-trous même sur la plage, explique Emma. En hiver, il enfile d'épais pulls norvégiens aux motifs on ne peut plus voyants. Il occupe un poste sérieux, gagne un salaire confortable et adore jouer au golf le week-end. Il n'a jamais pris une ligne de coke, lit le *Telegraph* et déteste dire des insanités au lit. Pas aux femmes, en tout cas.

— C'est dingue ! Comment peux-tu généraliser à ce point ! proteste Tom.

— Pas du tout. C'est un truisme, objecte Emma. Est-ce qu'il veut que tu choisisses des tenues assorties à son labrador ?

Tom s'approche et jette un coup d'œil.

— Je le vois plutôt avec un chien de traîneau, dit-il sur un ton énigmatique. Écris-lui pour lui demander s'il ne connaît pas monsieur Orange. Le hic, c'est qu'il ne doit même pas lui ressembler. Il ne bosse pas comme avocat à Londres, non plus. C'est l'acteur Tim Roth qui a été pris en photo et il vit à Los Angeles. Le type qui veut sortir avec toi n'est qu'un imposteur.

Cathy marque une pause, examine de nouveau la photo et conclut :

— Soit. Je vais donc sortir avec une vedette de cinéma. Je suis même prête à aller m'installer à Hollywood si tout se passe bien et s'il insiste un peu.

Je demande :

— Et les écoles ?

— Nous vivrons à Palo Alto. J'arrêterai de travailler et les enfants suivront des cours à domicile.

— Mais quel cauchemar ! Surtout si tu décides d'avoir un autre bébé.

— Oh, du calme ! intervient Tom. Pour commencer, Tim Roth est marié.

— Il ne faut pas que cela t'arrête, réplique Emma. Ces quadras sont comme des bêtes sauvages quand ils se libèrent du carcan du mariage. Ils entreprennent en une semaine tout ce qu'ils n'ont pas fait pendant les dix dernières années.

Tom semble intéressé.

— Je croyais qu'on ne franchissait pas ces limites-là. Solidarité féminine et tout le tintouin, qu'est-ce que vous en faites ? s'enquiert-il en tapotant sur son début de brioche.

— On trouve d'autres compensations, affirme Emma d'un air entendu. Vous êtes généralement au top de votre vie professionnelle. L'argent et le pouvoir sont des aphrodisiaques très puissants. Et puis, sur le plan émotionnel, vous êtes bien plus cohérents que les types de vingt ans. D'autant que les kilos superflus fondent très vite dès que vous redécouvrez votre libido de jeune homme.

— Dans ce cas, il va falloir que je regarde d'un autre œil ces jeunes minettes sexy et célibataires du bureau.

Là, j'interviens :

— Quelles minettes sexy et célibataires ?

— Tu n'as pas eu l'occasion de les rencontrer, répond-il. Mais rassure-toi : aucune d'entre elles n'égale ton degré d'enthousiasme et d'imprévisibilité ni ta beauté… gironde.

À ces mots, il s'approche, me flatte la croupe et précise :

— Ta beauté *très* gironde.

— S'il fait de la pub sur Internet, on peut en déduire qu'il est *sur le marché*, non ? déclare Cathy.

— Le problème, c'est que Tim Roth n'a pas besoin de passer par Internet pour draguer. Il a probablement des centaines de femmes qui se jettent à son cou, reprend Tom qui perd patience.

Je suis manifestement la seule à avoir noté ce léger changement de ton.

— Ce qui reviendrait à dire que Hugh Grant est dispensé de payer pour se faire faire une fellation sur Sunset Boulevard ! ironise Cathy.

— Écoute, ce type est peut-être un juriste mais il n'en a vraiment pas le style. Au mieux, tu sortiras avec un menteur d'un mètre quatre-vingts, explique Tom. Au pire... eh bien, je te suggère de demander à quelqu'un de t'accompagner au cas où cela tournerait au vinaigre. Si tu veux, je viens te servir de chaperon.

Cathy hausse les épaules.

— Bon, retour à la case départ, conclut-elle comme si le sujet était clos.

Tim Roth rétrécit, clic après clic, jusqu'à ce qu'il redevienne un visage parmi d'autres.

— Regarde, là ! dis-je en pointant sur une nouvelle vignette en haut à gauche. Clique pour voir...

Cathy agrandit la photo et, si incroyable que cela puisse paraître, c'est encore un autre candidat qui se cache derrière une photo de Tim Roth, plus récente, celle-ci. Même moi je le reconnais dans le rôle du cambrioleur de *Pulp Fiction*. L'homme se fait passer pour un ingénieur basé dans le nord de l'Angleterre. Puis Emma trouve David Cameron sur le trombinoscope.

— Comment ce type peut-il être assez stupide pour penser que les nanas ne reconnaîtront pas le chef du parti conservateur ? lance Tom. En plus, j'ai du mal à croire que les femmes le trouvent séduisant.

Silence.

— Quoi ? Je n'en reviens pas que vous ayez toutes le béguin pour David Cameron ! s'offusque Tom. Parfois je ne comprends pas les femmes. Cathy, je pense que tu devrais te faire rembourser. Ou demander quelques rendez-vous gratuits. Essaie au moins de négocier des réductions sur les suivants. C'est incroyable que des hommes aillent jusqu'à user de tels subterfuges pour séduire une fille. Ils doivent avoir de sérieux problèmes...

— En fait, ils s'en tirent très bien. Mon dernier en date sortait avec cinq femmes en même temps, explique Cathy. Tu en penses quoi, Lucy ?

— À ta place, je commencerais par me renseigner sur les collègues de bureau de Tom. Et j'éviterais dans la mesure du possible les hommes mariés. Bien qu'il soit souvent difficile de les repérer ou de leur résister.

— Si seulement tu pouvais sortir avec moi, Lucy, et me faire profiter de ton radar pour trier le bon grain de l'ivraie.

— Je lui dois quelques soirs de baby-sitting. Pourquoi ne l'emmènes-tu pas à tes rendez-vous ? propose Tom.

— Oh, il est adorable ! Quel mari génial ! s'écrient-elles en chœur.

Je ne mentionne pas le fait que les maris remboursent rarement leurs dettes de baby-sitting et qu'avec le projet de Milan à présent sur les rails, il fera d'innombrables allers-retours en Italie dans un proche avenir. Tom se vautre dans l'adulation. En fait, je crois qu'il s'efforce d'anticiper les attentes de mes copines. En matière d'arbitrage sur le terrain domestique, il est impossible de partir avec le même nombre de points. Les femmes se retrouvent toujours au pied de la butte, avec une pente plus raide à gravir et une plus grande chance de dégringoler. Un homme qui change laborieusement une couche avance nettement son pion tandis qu'une femme qui accomplit la même tâche en deux temps trois mouvements, n'utilisant que le quart des lingettes, bouge à peine d'un cil. Il n'y a qu'à regarder le succès remporté par les hommes qui cuisinent pour les dîners entre amis. Les invités rivalisent d'imagination pour qualifier le goût exquis du beurre de saumon et la créativité du cuisinier. Mais en réalité, ils ont appris deux recettes du River Café par cœur dix ans plus tôt et les recyclent sans la moindre honte dès qu'ils trouvent l'occasion de s'attirer des éloges alors que les repas pour les enfants sont considérés comme indignes de leurs talents.

Personne ne daigne tenir compte de la délicieuse sauce bolognaise maison, des pommes de terre au four ou de l'humble tourte forestière que les mères donnent à leurs progénitures deux fois par jour et cela quotidiennement. Ces plats ne font pourtant pas le chemin du frigo jusqu'à la table tout seuls. Et il y a une telle aisance dans cette répétition, aussi ancienne que celle des fourmis coupeuses de feuilles qui ramènent les morceaux sur leur dos jusqu'au nid, remplissant patiemment leur tâche génétiquement programmée sans en faire tout un plat.

J'observe Tom en train de converser avec mes amies et j'essaie de porter sur lui le même regard qu'elles : un homme bien dans ses baskets, évoluant avec assurance dans les méandres des échanges intimes de ces femmes, sans se montrer ni importun ni dominateur. Un homme qui apprécie sa partie de foot hebdomadaire avec ses copains et sait tirer plaisir d'un triplet pendant au moins deux mois. Un homme qui va au pub pour boire quelques bières et ne consomme rien d'autre. En le voyant à travers les yeux de mes amies, je comprends que je devrais m'estimer comblée. Mais, en dehors des deux personnes concernées, nul n'est en droit de disséquer un mariage pour porter un jugement, car il est difficile d'en connaître toutes les facettes. Sans compter le nombre incalculable d'angles et de points de vue différents. Par exemple, la satisfaction d'avoir réussi à mettre trois enfants au lit pour la soirée doit être évaluée à l'aune de la fatigue écrasante qui s'abat sur vous en fin de journée. Le moment est-il bien choisi pour mentionner que vous avez de nouveau perdu les clés de la maison ? Le soulagement qu'apporte enfin le silence compense-t-il l'irritation d'être aussi épuisée qu'après une nuit de débauche ?

Je médite sur les insupportables caprices des relations conjugales, qui transforment progressivement les qualités jadis attirantes en défauts insurmontables. Par exemple, j'adorais regarder Tom rouler ses cigarettes. Il y arrivait d'une seule main, se servant de ses longs doigts pour étaler le tabac sur la feuille, émiettant avec dextérité l'herbe sèche avant de la rouler pour ensuite me la tendre avec un sourire. À trente ans, il a soudain arrêté de fumer, pour devenir hypocondriaque et m'assaillir de reproches parce que je ne suis pas parvenue à me débarrasser de cette sale petite habitude moi aussi. Puis il y a eu ce moment où, pour la première fois, Tom s'est rendu compte que j'étais loin d'être le public attentif qui l'écoutait docilement raconter ses problèmes de chantiers. Les pupilles rivées sur les siennes, je m'étais retirée dans mon propre petit monde. Aucun de nous n'est ce qu'il semble être.

— Lucy, Lucy, arrête de faire ça ! Tu agrandis le trou, lança Tom, interrompant le fil de mes pensées.

La tête ailleurs, je m'acharnais en effet sur le trou situé sur le côté du canapé et les pièces que Sam y cachait se sont soudain répandues sur le sol. J'ai gagné le gros lot.

Emma bâille bruyamment.

— Je suis tellement fatiguée, dit-elle.

— Tu es débordée de boulot ? s'informe Tom dans l'espoir de ramener la conversation sur un terrain plus sûr.

Il s'efforce de résister à l'envie de lui demander de retirer ses boots à talons bobines quand elle est allongée sur le canapé. S'il arrive à se retenir avec elle, pourquoi pas avec moi ?

— Non, en fait, j'ai passé la moitié de la nuit à faire l'amour par téléphone, répond-elle les yeux fermés.

— Comment un type avec une épouse et quatre enfants trouve-t-il le temps pour ce genre d'activité ?

— C'est seulement lorsqu'il est en déplacement ou quand il travaille tard. Mais ça arrive tout de même très souvent.

— Comment ça marche ? Tu mets ton téléphone sur vibreur ?

Mes ricanements sont interrompus par le bip de son portable.

— Décidément, il est insatiable ! soupire Emma. Eh bien, je ne lui répondrai pas. Ces petits amis deviennent tellement exigeants…

— Je ne sais pas si tu peux techniquement l'appeler un « petit ami » s'il est marié.

Elle ignore ma remarque et me jette son téléphone.

— Je peux aller voir les enfants, Lucy ? demande-t-elle.

— Bien sûr.

Je connais mieux que personne le pouvoir régénérant de ce passe-temps.

Elle disparaît au premier et je médite sur les progrès technologiques réalisés depuis l'époque où Tom et moi commencions à sortir ensemble. On était déjà bien assez angoissés d'attendre que le téléphone sonne. Aujourd'hui, il y a les BlackBerry, les portables, les points Wi-Fi... Pour la première fois depuis Norfolk, je ressens un certain soulagement à l'idée d'être mariée.

Je lis le message qu'elle avait laissé affiché :

« Te veux dans mon bureau, penchée sur table, secrétaire en jupe très courte s'apprête à entrer... »

Choquée, je lâche le portable et demande :

— Et que sont devenus les préliminaires ?

Cathy s'approche et jette un coup d'œil. Je ne peux m'empêcher de faire un commentaire :

— J'espère qu'il planque la photo de sa Famille-heureuse dans le tiroir avant de s'adonner à ses turpitudes !

Tom annonce qu'il va passer la soirée au pub pour suivre le match de foot.

En partant, il s'approche de mon oreille et murmure :

— Je préfère ne pas en entendre davantage. Imagine que je rencontre ce type, un jour.

Sans réfléchir, je reprends le téléphone et me retrouve en train de composer une réponse au message : « courte comment, exactement ? » que j'envoie, poussée par je ne sais quel instinct primitif.

Cathy lit le SMS par-dessus mon épaule.

— Mais dis donc, Lucy ! Depuis quand sais-tu envoyer des textos ?

Le téléphone bipe. Je consulte l'écran :

« Assez courte pour qu'on puisse voir son joli petit cul. »

Je me sens déjà complètement dépassée.

— Pourquoi n'écrit-il pas en abrégé ? demande

Cathy. Pas étonnant que cela leur prenne toute la nuit. Ils doivent mettre une éternité à conclure.

Il fut une époque où les hommes mûrs se faisaient griller par leur vocabulaire désuet ou parce qu'ils qualifiaient de « gamines » toutes les femmes en dessous de soixante ans. Maintenant, il suffit de les voir taper leurs textos en entier.

— Toi aussi, tu pratiques ce truc de text-sex ?

Tout en composant ma réponse, je lui ai posé la question sur le ton de quelqu'un qui voudrait savoir si la meilleure manière de parfumer son linge est bien de glisser des sachets de lavande dans ses tiroirs.

— Bien sûr, même si je préfère nettement la réalité au virtuel.

J'écris un nouveau message :

« Veux que ta femme entre en tenue sexy, pas ta secrétaire. »

Et l'envoie illico.

— Ça, c'est vraiment tordu, Lucy ! lâche Cathy tandis qu'Emma revient dans la pièce.

Son téléphone bipe encore une fois et Emma me l'arrache des mains.

« Laisse ma femme en dehors de ça », dit le message.

— Lucy ? Mais qu'est-ce qui se trame ici ? s'affole Emma en remontant les étapes de cette conversation virtuelle. Elle tape frénétiquement un autre SMS et ne reçoit pas de réponse.

Elle me jette un regard ennuyé.

— Je n'en reviens pas que tu aies fait une chose pareille. Il stresse vraiment en pensant à sa femme.

— Précisément, dis-je. C'est comme ça que cela doit être. Pourquoi devrait-il entretenir une relation extra-conjugale sans éprouver la moindre culpabilité ?

— Certaines personnes se font masser pour se

détendre. Lui, il m'a *moi*. Son foyer ne lui offre pas un endroit serein où se ressourcer. Ses enfants réclament son attention et sa femme exige des vacances aux Caraïbes et des crédits illimités chez Joseph. Le budget mensuel de cette nana dépasse mon salaire.

— Bien sûr que sa maison est stressante. Ses quatre enfants accaparent son attention parce qu'ils ne le voient pas assez, parce qu'il est avec toi quand il ne travaille pas. Normal que sa femme exige des compensations... Voilà ce qui se passe quand on épouse un banquier. Elle lui a fait quatre gamins et maintenant il doit passer à la caisse. Classique. De toute façon, tu devrais arrêter de te considérer comme un traitement d'aromathérapie dont *la raison d'être* consiste à soulager un homme de son stress au travail. Tu pourrais avoir n'importe quel type, et les célibataires ne manquent pas à ton bureau. Je crois simplement que tu es accro aux cachotteries.

— Lucy, je suis plutôt attachée à cet homme. Je compte m'installer avec lui.

— Qu'est-ce que ça veut dire ?

— Tu sais, laver la vaisselle en gants jaune canari pendant qu'il l'essuie, lui mitonner des recettes de Nigella Lawson[1], repasser ses chemises le matin...

— Tu te fais des illusions ! Il a une femme et quatre enfants. À ses yeux, tu n'es qu'une distraction.

— Alors pourquoi a-t-il loué un appartement pour nous à Clerkenwell et signé un bail de six mois ?

Cathy et moi restons comme deux ronds de flan. Pas un instant nous n'imaginions que la discussion en arriverait là. Emma se carre dans le canapé avec

---

1. Journaliste célèbre pour ses émissions culinaires et ses livres de recettes. *(N.d.T.)*

l'air satisfait de quelqu'un qui réussit encore à tirer des lapins de son chapeau.

Je reprends mes esprits et demande :

— Parce que c'est près de son bureau ? En fait, je ne vois pas pourquoi il louerait une garçonnière à Clerkenwell alors que tu as déjà ton propre appartement.

— C'est peut-être sa manière vieux jeu d'avoir une maîtresse ? suggère Cathy.

— Nous nous fréquentons depuis plus d'un an, se défend Emma. Il n'aime pas venir à Notting Hill car il risque de tomber sur une connaissance. J'ai donc décidé de m'installer dans l'Est et de sous-louer mon appart. Il va payer le loyer et nous avons déjà acheté un lit ensemble.

Je ne sais pour quelle raison, c'est ce dernier détail qui me choque le plus. Acheter un lit à deux dépasse la simple transaction. Il s'agit d'un de ces moments subtils et déterminants qui surgissent au moment où l'on s'y attend le moins. La largeur du lit, toujours une pomme de discorde, occasionne une certaine spéculation sur l'avenir du couple : Auront-ils des enfants ? Un chien qui dort sur leur couette ? Ou, encore plus radical, une troisième intruse dans leur lit ? Le prix détermine le degré d'engagement. Plus il sera élevé, plus longue sera la garantie.

J'aimerais en savoir plus :

— Combien a-t-il coûté ?

— Tu parles du loyer ? demande Emma.

— Non, du lit. Il était cher ?

— Neuf mille ressorts en V. Vingt-cinq ans de garantie. Deux mètres sur deux. Plus de trois mille livres.

— C'est du sérieux, alors.

— Mais vous ne risquiez pas de tomber sur

quelqu'un dans le magasin ? Je croyais que les banquiers avaient horreur de prendre le moindre risque.

Je les imagine déjà en train de faire du trampoline sur les matelas du rayon literie de John Lewis, cette boutique tellement sage et conservatrice.

— Il l'a commandé par téléphone, réplique-t-elle.

Et là, je sais qu'il a acheté exactement le même lit que celui qu'il partage avec sa femme. Je parie qu'ils vivaient à Clerkenwell avant de s'installer dans l'ouest de Londres.

— Écoutez, j'aimerais vraiment que vous fassiez sa connaissance. Vous verrez que c'est un homme adorable. Il subit cette situation. Son mariage était terminé bien avant qu'il me rencontre. C'est juste une formalité. Ils ne faisaient l'amour que deux fois par mois.

Je manque de m'étouffer avec les crackers nounours.

— Deux fois par mois ? Ce n'est déjà pas mal avec quatre enfants et un travail.

— Mais c'était devenu machinal. Ça ne voulait plus rien dire. En plein milieu de l'action, son épouse se souvenait brusquement d'un service qu'elle avait oublié de demander à sa femme de ménage et s'arrêtait pour le noter. Du style « réserver Coco le Clown »... Vous voyez le genre ?

Je m'apprête à avouer que cela m'était déjà arrivé, mais certaines choses doivent rester secrètes, même avec des amies très proches.

— Lucy, je te trouve un peu hypocrite vu la confession que tu nous as faite lors de notre dernière sortie.

Je proteste en posant mon verre un peu trop brusquement sur la table.

— Ça n'a rien à voir ! Je faisais ça pour la galerie, pour en rajouter un peu et me mettre à votre niveau.

Elles me considèrent d'un air perplexe. J'ajoute :

— En fait, lui et moi sommes en train de devenir amis.

— Bon, alors dans l'intérêt de notre propre amitié, intervient Cathy, dis-nous à quoi ressemble Père-au-foyer-sexy.

Emma se cale contre les coussins, déterminée à ne pas perdre une miette de ce qui va suivre. Vu ses efforts, je décide de lui servir quelque chose d'un peu plus épicé que la réalité plutôt banale de nos derniers échanges.

— Eh bien, il n'a pas cette espèce de suffisance de ces hommes dont l'amour-propre est strictement défini par l'importance de leur prime annuelle. Il n'est pas chauve et ne porte pas le polo d'une équipe sportive...

— Au lieu de nous dire ce qu'il n'est pas, insiste Emma, dis-nous plutôt ce qu'il est !

— Assez grand, cheveux foncés, pas très bavard sauf quand il ouvre le bec pour dire : « Le pain au son est bien plus sain pour le déjeuner des enfants, pas vrai ? » Même avec beaucoup d'imagination, je ne vois pas de sous-entendus dans ce genre de conversation.

Elles demeurent imperturbables.

— Tu lui as reparlé depuis ? me presse Cathy.

— Il estime que je devrais me présenter comme déléguée des parents d'élèves et me propose son aide.

— En effet, il n'y a pas grand-chose à en déduire, admet Cathy. Sauf que vous auriez plein de prétextes tout trouvés pour passer du temps ensemble.

— Le jour de la rentrée, il m'a proposé d'aller prendre un café.

Emma s'assoit doucement sur le bord du canapé.

— Juste vous deux ? s'enquiert-elle, tout ouïe.

Je hoche la tête en signe d'assentiment, me régalant de leur expression ravie.

— Mais tu ne nous en as jamais parlé, me reproche-t-elle.

— Parce que cela ne s'est jamais fait.

Mes petits airs mystérieux les intriguent.

— Tu veux dire que tu as refusé ? m'interroge Cathy.

— Non, c'était plus compliqué que cela.

— C'est dingue, Lucy ! Je ne sais pas comment tu as pu nous cacher une chose pareille ! s'insurge Emma, la main sur la bouche.

— Qu'est-ce qui s'est passé ? Donne-nous tous les détails. Immédiatement ! ordonne Cathy.

— Quand il a vu que je portais un pyjama sous mon manteau, il a retiré l'invitation. Pas définitivement, mais temporairement, et on n'en a jamais reparlé depuis.

Cathy éclate de rire.

— Lucy ! C'est tellement loufoque ! Personne ne sort en pyjama à moins d'avoir dépassé les soixante-dix ans ou de s'être enfermé dehors.

— Écoute, il n'aurait pas dû le remarquer ! Et puis les situations désespérées exigent des mesures désespérées. Vous ne pouvez pas imaginer ce que c'est que d'arriver à l'école à l'heure un jour de rentrée. Avez-vous déjà essayé d'habiller un gamin de trois ans qui s'est levé du pied gauche ? C'est comme tenter de jouer au foot avec une méduse. Je préfère encore poser pour John Humphreys[1], devoir porter un bikini pour faire mes courses au supermarché, avoir une liaison avec David Blunkett[2] ou...

1. Sculpteur londonien contemporain qui présente des corps et des visages déformés, brûlés, écorchés... Il travaille aussi pour les effets spéciaux au cinéma. (N.d.T.)
2. Ministre de l'Intérieur anglais qui a dû démissionner en 2004

— On a compris, mais ça ne peut pas être aussi terrible que ça, lance Emma. Tu devrais peut-être songer à coucher Fred tout habillé, le soir.

Et je souris parce que cela me rappelle une soirée, dix ans plus tôt, où, rentrée tard du travail, j'avais trouvé Tom au lit, entièrement habillé. Plongé dans un profond sommeil, il était allongé sur le dos, avec sa chemise blanche et les boutons de son jean entièrement défaits. J'ai laissé courir ma main de son cou jusqu'à son nombril encore tout bronzé, puis plus bas, à l'intérieur du jean. Cet épisode remonte à l'époque où il suffisait d'un simple regard pour allumer les flammes de notre passion. Même dans son sommeil, le rythme de sa respiration avait changé. J'essayais de savoir s'il s'était endormi tout habillé ou s'il s'était préparé pour sauter dès l'aube dans le premier train à destination d'Édimbourg pour une visite de chantier.

Puis j'ai découvert un petit mot sur mon oreiller, m'annonçant qu'il avait trouvé ma carte de crédit dans le réfrigérateur. En ce temps-là, notre relation connaissait une véritable harmonie, un équilibre entre mes pertes navrantes et les recherches fructueuses de Tom, signe de notre compatibilité fondamentale.

Pourtant, je me rappelais avoir fouillé le réfrigérateur de fond en comble en quête de ma carte le matin même, avant de me rendre au travail. Je n'avais rien trouvé. Et s'il s'amusait à cacher mes affaires afin de me faire plaisir en les retrouvant ? J'étais donc allée dans la cuisine pour mener ma petite enquête. Le frigo était un peu plus rempli que je ne l'avais laissé ce matin-là. Mais sur une étagère du bas, tout seul, trônait

à cause de la liaison qu'il entretenait avec une femme mariée puis à nouveau en 2005, du poste de ministre du Travail et des Retraites. Cette histoire a entraîné un grand scandale médiatique. (N.d.T.)

un gâteau au chocolat. Il semblait fait maison. Je l'ai sorti et, quand j'ai allumé la lumière de la cuisine, j'ai découvert posé dessus un anneau en argent serti de quatre petites pierres de couleurs différentes. À côté de la bague, un message était écrit en sucre glace : « Réveille-moi si la réponse est oui. » J'ai léché le chocolat qui recouvrait la bague et l'ai glissée à mon doigt. Elle m'allait parfaitement.

Tom se tenait sur le pas de la porte de la cuisine, observant mon visage.

— Il m'a fallu beaucoup de volonté pour te résister, tout à l'heure, avait-il lâché en souriant.

— Lucy ! Lucy ! Tu as de nouveau l'air ailleurs, dit Cathy en poussant Emma du coude. Elle doit encore être en train de penser à Père-au-foyer-sexy !

— Non, non, j'étais en train de penser à la demande en mariage de Tom.

— Ouf ! Tant mieux ! soupira Cathy. L'autre jour, je lisais que les limites qui définissent l'infidélité deviennent de plus en plus floues et que même une amitié un peu ambiguë avec un homme constitue une trahison. De toute façon, Tom et toi formez le couple le plus solide et cette maison le foyer le plus rassurant que je connaisse. J'ai l'impression de rendre visite à mes parents. Si quelque chose clochait vraiment, je m'en rendrais compte tout de suite. Que ferions-nous si vous vous sépariez ou traversiez une période de turbulences ?

Je ne peux m'empêcher de penser : Et moi alors ? Qu'est-ce que je ferais ?

— Rassurez-vous, il n'y a pas eu d'inconvenance ! Je me fais juste quelques petits films dans ma tête. Une distraction qui me change les idées. De toute évidence, il aime sa femme.

— Comment le sais-tu ? demande Emma.

— Parce qu'il lui a parlé du pyjama et de l'incident de la culotte.

— C'est quoi, cet incident de la culotte ?

Je leur livre une version abrégée de cette aventure et elles rient comme des folles, dissipant toute tension.

— Vous finirez certainement par devenir de très bons amis, dit Cathy.

Elle est interrompue par le bip de mon propre portable. Je le considère avec suspicion car recevoir des textos, c'est encore un peu nouveau pour moi. Mais avant que je puisse lire le message, Cathy se précipite sur mon téléphone. Il vient de Père-au-foyer-sexy. Il a dû trouver mon numéro sur la liste des parents d'élèves.

« Élection des délégués lundi prochain 20 h. »

Elle tape sur quelques touches, me présente le résultat pour que je puisse le lire et, avant même que je réagisse, appuie sur envoi.

« Et ensuite ? » a-t-elle écrit.

Je suis horrifiée.

Quelques minutes plus tard, le téléphone bipe de nouveau. Cette fois, je me jette dessus la première.

« Si nous allions prendre un verre ? »

Éberluée, j'éteins le téléphone. Emma se colle la main sur la bouche et se met à glousser :

— Cathy ! Qu'est-ce que tu as fait ? Tu es folle ?

Chapitre 6

« Rien n'est certain en ce monde, si ce n'est la mort et les impôts[1]. »

Nous nous apprêtons à sortir dîner à Islington avec Cathy et un architecte du cabinet de Tom. Une semaine plus tôt, en effet, nous avions promis de lui présenter un célibataire tout à fait correct et Tom avait organisé la rencontre sans vraiment nous consulter.

Il règne un calme étonnant à cette heure de la journée. C'est parce que la baby-sitter est arrivée un peu plus tôt et a proposé de coucher les enfants. Je suis donc allongée sur le lit de notre chambre et regarde, fascinée, Tom préparer sa valise, même s'il reste encore trois jours avant son départ pour Milan.

Il compte soigneusement caleçons, chaussettes, chemises, pyjamas et pantalons qu'il range côte à côte en petits tas parfaits. Puis, sur une deuxième rangée, il aligne une brosse à dents, du dentifrice, du fil dentaire, du déodorant et un rasoir, chacun à une distance égale de l'autre. Je sais qu'en arrivant à l'hôtel Central, il les sortira et les disposera sur l'étagère en verre de la salle de bains d'une manière absolument identique.

1. Citation de Benjamin Franklin. *(N.d.T.)*

Nous ne partageons plus le dentifrice et cela depuis une dispute sur la façon dont le tube doit être pressé. Je préfère une autre technique. Il y a des années, j'ai adopté le cylindre vertical pour éviter tous débats de cet ordre, le sujet étant, à mon avis, depuis longtemps épuisé. Mais Tom persiste à acheter des tubes et à presser le dentifrice depuis le fond, les roulant méticuleusement pour s'assurer qu'il n'y aura pas de gâchis.

Je le vois reculer d'un pas et, les poings sur les hanches, il sifflote, satisfait du travail accompli. J'admire l'expert à l'œuvre, rêvant secrètement de pouvoir tirer un jour une joie semblable d'une activité de ce genre.

Il se peut qu'il y ait de grands bouleversements dans le monde d'ici lundi matin, mais Tom sait exactement quelle couleur de pantalon il portera pour les affronter. Après tout, c'est un homme très constant. Jusqu'à récemment, je m'estimais plutôt constante dans mon inconstance. La preuve : on peut compter sur moi pour perdre mes cartes de crédit six fois par an en moyenne, pour laisser des miettes de toast entre les touches du clavier de l'ordinateur chaque fois que je consulte mes e-mails, pour réduire le prix de vêtements que je viens d'acheter d'au moins un quart quand Tom me demande combien j'ai *encore* claqué... Ces derniers jours, je doute de mon inconstance, ce qui, en y réfléchissant, est probablement pire.

— À quoi penses-tu ? m'interroge Tom en me considérant du coin de l'œil tout en restant entièrement absorbé par ses piles et ses rangées.

— Que penses-tu de la liaison d'Emma avec cet homme ? Je n'aurais jamais cru qu'elle sortirait avec un type marié. Elle aime tellement que les choses soient claires. Quelle que soit l'issue de cette affaire, tout ça risque d'être terriblement compliqué.

Dans l'armoire, il récupère un sac de voyage qu'il débarrasse de la poussière d'un coup de chiffon.

— Il faut laisser les gens vivre leur vie, Lucy. Tout cela me semble assez compulsif : les étreintes furtives au bureau, dans les ascenseurs, à l'arrière des voitures... Ces rencontres clandestines offrent un excellent aphrodisiaque.

— Comment sais-tu tout ça ?

— Emma me l'a raconté pendant que tu t'occupais de Fred. Elle ne peut pas s'empêcher de s'en vanter. Bon sang ! J'espère que tu ne donnes pas autant de détails quand tu parles de moi !

J'ignore sa remarque et passe à un autre sujet, qui me touche bien plus.

— Et sa femme, dans tout ça ?

— Oh, elle est sûrement trop lessivée par le quotidien. On ne peut envisager ce genre de fantaisies qu'avec une personne relativement disponible.

— Ce n'est pas ce que je voulais dire. Je trouve tellement injuste qu'elle ignore ce qui se passe, qu'elle soit entraînée dans une bataille où elle risque le tout pour le tout. Si elle se connaissait une rivale, elle ferait sans doute un effort.

— Comment ça ?

— Je ne sais pas. S'épiler le maillot, se mettre à la gym, préparer des petits plats, envisager de nouvelles positions, s'occuper de son mari quand il rentre du travail...

— Alors c'est peut-être toi qui aurais besoin d'une rivale, plaisante Tom. Si on accorde de l'importance à ces détails, alors ce n'est pas un mariage très solide. D'ailleurs, cette nana fait peut-être déjà tout ça sans que cela change quoi que ce soit. Ce que je ne comprends pas, c'est pourquoi il veut prendre un appartement avec Emma. La vie domestique sonne le glas de ce genre de passion.

— Pas si elle se cantonne à quelques tranches horaires bien définies. Je ne vois pas où cela va les mener.

— Je pense que cette histoire te préoccupe plus qu'elle ne préoccupe ton amie.

— Quoi ? Que veux-tu dire ?

— Tu ressens tellement d'empathie envers les autres que cela te déstabilise.

Juste au moment où la conversation commence à devenir intéressante, Fred déboule dans la chambre et saute sur le lit pour y faire du trampoline, au beau milieu des piles bien organisées de son père. Les vêtements se mettent à voler dans tous les sens, les manches des chemises s'enroulent autour des caleçons, les chaussettes sont séparées et le contenu prévu pour sa trousse de toilette dégringole sur le parquet.

À cet âge, les gamins sont anarchistes de naissance.

— Fred, tu devrais être en train de dormir ! crie Tom en le prenant sous le bras comme un ballon de rugby.

Il le ramène dans sa chambre tandis que ses petites jambes pédalent sauvagement dans l'air.

Les enfants sentent toujours quand on abandonne la ligne de front pour ne laisser qu'un officier de service en charge.

Mais Polly-la-baby-sitter – la cadette de nos voisins – est trop occupée en ce moment pour s'inquiéter de ce qui se passe au premier étage car elle rédige une dissertation de philo. Je descends à la cuisine pour lui donner une liste de numéros de téléphone au cas où elle aurait besoin de nous contacter. Je jette un coup d'œil sur l'écran de son ordinateur : « Socrate pense que les gens font le mal non pas parce qu'ils sont

105

foncièrement mauvais mais parce qu'ils ne savent pas ce qui est bon pour eux. Commentez. »

— Voulez-vous que je lance des lessives une fois que les enfants seront endormis ? demande Polly.

Les paniers débordant de linge sont toujours calés au même endroit dans la cuisine depuis sa dernière visite. Il y a quelques semaines, les piles de vêtements propres et de vêtements sales ont associé leurs forces et, au lieu de deux petits monticules bien droits, on obtient maintenant une véritable montagne coiffée de culottes et de soutiens-gorge.

Plutôt efficace, elle débarrasse un coin de la table afin de libérer de l'espace pour ses livres de philo. Elle transfère dans l'évier les gobelets en plastique aux couleurs criardes et à moitié pleins de lait ainsi que les assiettes encombrées de croûtes de toasts et de coquilles d'œuf qui traînaient encore là depuis le goûter. Puis elle nettoie grossièrement le tout avant de remplir le lave-vaisselle.

— Désolée, c'est toujours un tel bazar quand on sort, dis-je amicalement en lui donnant un coup de main.

J'espère que Tom ne choisira pas ce moment pour entrer parce que Polly range les assiettes n'importe comment et mélange les couteaux et les cuillères dans les compartiments du panier à couverts.

— J'allais débarrasser après le bain des garçons mais Fred s'est coupé la lèvre dans la baignoire et Tom a passé plein de coups de fil à Milan. Si vous aviez du temps pour la lessive, ce serait super.

Lorsqu'elle se relève à côté de moi, je m'arrête un instant sur ses vêtements. Elle porte un jean Seven qui a dû coûter plus de cent livres et une petite veste laissant deviner un joli ventre plat et un piercing au nombril. Et dire qu'un jour elle devra se battre contre des

106

tas de linge sale et des bourrelets rebelles, se prendre les pieds dans des pyjamas en boule imbriqués dans un train électrique et se chamailler avec son mari sur la meilleure façon de remplir un lave-vaisselle... Et dire que j'étais comme elle ! Tiens, je me demande ce qu'elle pense de moi. Je remarque qu'elle parcourt la liste des choses à faire sur la porte du frigo. Chaussures de gym Joe. Coiffeur. Cadeaux Noël souligné trois fois. Shampooing antipoux.

Je sais à présent qu'elle ne s'occupera pas du linge. Non pas parce qu'elle est paresseuse ou que son offre n'était pas sincère. Mais parce qu'elle préférera travailler un peu plus sérieusement sur sa dissertation, et avoir d'assez bonnes notes pour s'assurer un avenir plus brillant que le mien.

Pendant que nous remplissons le lave-vaisselle, je l'interroge sur ses projets.

— Je veux passer une licence d'histoire.

Je réponds avec enthousiasme :

— Oh, c'est ce que j'ai fait à Manchester !

Elle semble quelque peu déconcertée mais a le bon goût de rougir.

— Et alors, avez-vous travaillé avant d'avoir vos enfants ? demande-t-elle cependant, sans vraiment souhaiter connaître la réponse.

Quelque part, j'aimerais lui mentir, lui dire qu'elle pourra faire d'autres choix et que tout sera plus facile.

— Oui. Puis j'ai essayé un mi-temps après la naissance de Sam. Mais avec les horaires imprévisibles de Tom, j'ai dû trouver une nounou qui accepte de rester jusqu'à minuit. Et après je suis tombée enceinte de Joe.

— Vous faisiez les trois huit ?

— Oui, c'était un peu ça, dis-je rapidement en ramassant des restes de pâtes au fond de l'évier.

107

— Quel genre de métier faisiez-vous exactement ? persiste-t-elle.

— J'étais la productrice de *Newsnight*, un magazine télé d'infos du soir.

— Mais c'est épouvantable d'avoir dû renoncer à tout ça !

— Quand on a des enfants, on n'est plus jamais libre de ses choix. C'est à la fois épouvantable et formidable. Au début, j'avais l'impression qu'on me retirait le rôle que j'avais répété depuis toujours. C'est comme si au lever du rideau on s'attendait à jouer le premier rôle et qu'on se retrouvait simple figurante. Avec le temps, on ne sait plus ce qu'il faut faire… C'est drôle… Quand vous redoutez de passer une journée avec vos enfants, cela veut dire que vous les voyez trop. Si au contraire vous vous levez tôt un samedi matin pour les emmener au musée ou au zoo et que vous leur préparez des crêpes pour le petit déjeuner, cela signifie que vous ne passez pas assez de temps avec eux.

— Il doit y avoir un juste milieu.

— Eh bien, un mari très riche facilite les choses, ça permet de payer quelqu'un pour s'occuper de tout ce qui vous barbe, dis-je en plaisantant. Mais dans ce cas, c'est lui que vous ne voyez jamais. Et puis certains métiers sont plus compatibles avec la maternité. Ou alors, il faut trouver un père au foyer.

— Je crois que je vais avoir mes enfants très jeune et construire ma carrière ensuite, dit-elle, pensive.

Je préfère lui mentir parce que je ne vois pas l'intérêt de lui expliquer ce qu'elle apprendra bien assez tôt.

— Excellente idée. Mais ne vous inquiétez pas. Profitez de la vie. Que faisait votre maman ?

— Elle était avocate d'affaires. On l'appelait « la taupe » parce qu'on ne la croisait jamais quand il faisait jour. Et je ne veux surtout pas qu'il m'arrive la même chose.

J'entends crier et me précipite au premier pour voir ce qui s'y passe. Fred est encore une fois sorti de son lit et les deux plus grands se sont lancés dans un nouveau jeu qu'ils adorent. Cette fois, c'est au tour de Fred d'être collé au sol. Ils ont pris du ketchup dans la cuisine pour simuler du sang et il y en a plein la couette. Cela mériterait une bonne fessée mais je n'en ai pas le courage. Alors je me contente de ramasser la bouteille et de jeter à Sam – qui est l'aîné et devrait se montrer plus responsable – un regard noir chargé de sens : déception, fureur et exaspération.

— Maman, on fait une greffe de cerveau ! m'explique Sam.

— C'est pour qu'il se souvienne comment on compte jusqu'à vingt, renchérit Joe.

— Toi aussi, tu en veux une, maman ? demande Sam.

Je passe dans notre chambre à la recherche de Tom et aperçois un rideau en tire-bouchon sur le sol. Fred l'aura certainement fait tomber en jouant à cache-cache. Son absence contre le mur révèle une auréole brunâtre à l'endroit où la gouttière a débordé l'année dernière.

Il faudrait qu'on repeigne toute la maison. Mais, tout comme le rêve d'une étagère remplie de boîtes identiques étiquetées pour que chaque chose ait sa place, rafraîchir les peintures ne fait pas partie des priorités. Alors je me surprends à me demander ce qui en est une. Trouver une nouvelle femme de ménage, peut-être ? Finir d'organiser l'anniversaire de Sam ? Faire l'amour avec Tom, certainement ! Résoudre la crise que je traverse ? Probablement aussi.

Une chose est incontestable : l'incertitude constitue

un excellent terreau pour faire pousser d'autres incertitudes. J'essaie de remonter le cours de cette perte de confiance en moi-même. Tom a raison. Les graines ont certainement été semées il y a plus d'un an, par cet appel de Cathy, peu après minuit. Avec la voix tout étranglée qu'on prend généralement après des heures et des heures de larmes, elle nous a demandé si elle pouvait passer la nuit à la maison. Elle nous a dit qu'elle nous raconterait tout en débarquant avec Ben, alors âgé de trois ans, mais nous savions déjà ce qui s'était produit. Les fissures étaient là depuis quelque temps déjà. Son mari et elle avaient assisté à des séances avec un médiateur conjugal, mais ils nourrissaient tellement d'amertume que même l'air autour d'eux était contaminé. Et puis une crise était survenue lors du quarantième anniversaire de mon frère. Cathy avait oublié d'annoncer à son mari qu'elle devait travailler pendant le week-end, et donc qu'il devait annuler son massage shiatsu pour s'occuper de Ben.

— Écoute, si je ne travaille pas, nous n'aurons pas assez d'argent ! avait-elle crié.

— Mon thérapeute dit que j'ai besoin d'espace pour réfléchir et retrouver mon enfant intérieur ! avait-il braillé.

— Je pense que tu devrais d'abord trouver ton adulte extérieur ! avait-elle rétorqué.

Après avoir couché Ben et partagé avec nous quelques bouteilles de vin, Cathy avait déclaré :

— Ce qui est terrible, c'est qu'il est déjà tellement avancé dans son processus de prise de décision qu'il n'y a aucun espoir de réconciliation. On croit savoir ce que pense l'autre et un jour il vous assène qu'il n'est pas sûr de vous avoir jamais aimée. Alors on commence à se poser des questions sur ses propres sentiments et on perd toute confiance en soi.

Nous avions sagement hoché la tête. À cette époque, je ne m'étais jamais interrogée sur la force de notre sentiment fusionnel. Tom était monté pour lui chercher un mouchoir. Quand il le lui avait tendu, elle avait fondu en larmes devant tant de gentillesse.

— Tu es tellement fiable, Tom. Si seulement j'avais épousé un homme qui range les épices par ordre alphabétique, avait-elle dit en reniflant.

— Si seulement j'avais épousé une femme capable d'apprécier ce genre de qualité, avait-il plaisanté.

— Parce qu'on était mariés, je pensais que nous allions essayer de nous en sortir malgré tous nos problèmes. Je suis certaine qu'il a une autre femme dans sa vie. Il est incapable de prendre tout seul ce genre de décision.

Cette nuit-là, quand nous nous sommes couchés, Tom a dit :

— Eh bien, c'est fichu, nos séances du mercredi soir. Plus de foot au pub entre mecs.

Puis il s'est endormi. Cela semblait être toute l'étendue de ses regrets.

— Les choses changent mais pas les gens. La vie continue, Lucy, me lança Tom le lendemain matin. Et Cathy se portera beaucoup mieux sans lui. Il ne grandira jamais.

— Allez, Lucy, viens ! Nous allons être en retard ! s'écrie Tom qui entre dans la chambre en mettant sa veste et une écharpe.

Quand il ferme la porte derrière nous, j'éprouve cette sensation de légèreté qui accompagne la certitude d'avoir assuré l'arrière-garde pendant les quelques heures à venir. Tom doit être dans le même état d'esprit car il me tend la main que je prends. Avoir du temps est un trésor précieux et nous chérissons tous les deux l'idée *d'être* plutôt que *de faire*. Après quelques pas dans un silence harmonieux, je me laisse emporter par une vague d'optimisme en me disant que mon équilibre chancelant pourrait se rétablir si seulement nous passions plus de temps ensemble, sans les enfants. Pendant l'espace d'à peine une minute, je me retrouve à l'époque où nous étions encore jeunes mariés et où nous pouvions rester le week-end au lit, à lire tous les journaux ou partir en week-end prolongé. Puis je me rends compte que la voiture a disparu.

— Oh, doux Jésus ! Je l'avais garée à la sortie de l'école parce que les enfants voulaient rentrer à pied. Je suis vraiment désolée.

J'essaie d'imaginer combien de temps il me faudra payer cette étourderie, un calcul rapide qui tient compte de deux paramètres : son proche voyage à Milan et son absence pour les présentations au restaurant. Détail qu'il considérera comme important mais non crucial. Je décide que le bon avancement de son projet italien devrait jouer en ma faveur. Et j'ai raison. Du temps à partager sans les enfants est un luxe et il le reconnaît.

— Ne t'en fais pas. Je vais courir la chercher et toi tu commences à marcher vers l'école.

Sur ce, il s'élance dans un sprint qu'il ne parviendra pas, je le sais, à soutenir plus de cent mètres.

Je pense à Polly, en train de travailler sur sa dissertation. Où est passée toute cette culture que j'ai engrangée durant cette période intense entre l'école et l'université ? Est-elle à jamais perdue ? Le déclin a sûrement commencé pendant les années où j'ai été enceinte, quand tous ces nouveaux centres d'intérêt très spécifiques se sont imposés à moi. Les poussettes, par exemple. Il y a quelques années, j'aurais pu écrire une thèse entière sur les poussettes. Choisir la nôtre a pris plus de temps que l'achat de notre voiture, demandé plus de visites dans les magasins spécialisés que l'acquisition de notre maison.

Je me rappelle une conversation à mon bureau avec deux de mes collègues qui allaient devenir pères au moment où j'attendais Sam. Écœurés de passer nos week-ends dans les boutiques pour bébés, saturés et décontenancés par l'incroyable diversité des poussettes, nous nous sommes installés dans une salle de conférences avec divers catalogues, espérant qu'à trois nous aurions collecté et analysé assez de renseignements pour réussir à nous décider. Mais une demi-heure plus tard, nous débattions toujours au sujet du poids, des options de pliage et de l'utilisation sportive ou rurale. L'analyse statistique nécessaire dépassait nos compétences.

Puis, quand Sam est venu au monde, j'ai fait de l'expertise médicale ma nouvelle priorité. Il était devenu crucial de savoir se servir d'une loupe pour différencier les diverses éruptions virales des méningocoques. Il était utile de savoir que les thermomètres numériques avaient tendance à exagérer la température et que les choux frisés de Milan et les petits pois congelés possédaient des vertus anti-inflammatoires inattendues. Maintenant, ces domaines de compétences se sont encore élargis. Une bonne connaissance des différentes écoles arrive en tête de liste et nécessite quasiment un doctorat.

Je lève la tête et vois Tom fondre sur moi en faisant de grands gestes.

— Elle n'est pas là ! crie-t-il.

— Oh merde ! On a encore dû nous la voler.

Cette fois au moins, je sais que je n'ai pas perdu le double de la clé.

— Es-tu sûre de l'avoir laissée à l'école ? Je vais entrer et demander à Sam s'il s'en souvient, propose Tom en prenant aussitôt la situation en main.

Quelques minutes plus tard, il revient en courant. Toute cette précipitation a quelque chose de comique, comme s'il vivait en mode accéléré et moi en mode normal, voire au ralenti. Cela me fait rire.

— Je ne vois vraiment pas ce qu'il y a de drôle, nous sommes en retard de trois quarts d'heure, hurle-t-il, en colère cette fois, son visage à quelques centimètres du mien. (Il n'a aucune raison d'élever la voix.) Sam affirme que tu l'as garée devant le Starbucks Coffee.

Mais plus il se fâche, plus je ris.

— C'est curieux, car en y allant j'ai effectivement remarqué une Peugeot bleue au coin de cette rue. Bien sûr, je n'ai pas imaginé un seul instant qu'il pouvait s'agir de la nôtre !

Alors nous nous mettons à courir tous les deux, passant devant les arbres et les maisons que je croise tous les jours sur le chemin de l'école, faisant signe au gentil monsieur avec le labrador noir qui arrive en face, remarquant que l'ampoule du lampadaire devant la pharmacie ne fonctionne plus. Même si notre rythme est bien synchronisé, bluffant les deux couples que nous dépassons, nous ne pourrions être plus éloignés l'un de l'autre qu'en cet instant.

Nous retrouvons néanmoins la voiture.

— Une chance que ce soit arrivé ce soir et pas demain matin avant d'aller à l'école ! dis-je, essoufflée.

— Cela n'a rien à voir avec la chance, Lucy. Ce n'est que le résultat d'une mauvaise organisation !

J'aimerais poursuivre la conversation que nous avions plus tôt, mais je sais que toute mon énergie doit désormais être employée à améliorer l'ambiance qui risque de plomber la soirée.

Tom conduit sans desserrer les dents, agrippé au volant dans une colère sourde. Le silence qu'il m'impose est la plus sévère des punitions. Je suis soulagée qu'il n'y ait pas de lune ce soir et que nous empruntions les rues mal éclairées des bas quartiers du nord de Londres. Plus que tout, je me réjouis que Tom n'occupe pas le siège passager.

Parce que l'état de la voiture est comparable à celui d'un lit défait et que le siège et moi ne faisons plus qu'un.

Parce que les Smarties fondent lentement et collent à mon manteau.

Et dès que je bouge, même à peine, des papiers de bonbons crépitent sous mes fesses.

Quand il tourne à gauche à Marylebone Road, je ramasse discrètement quelques trognons de pommes sous le frein à main et les cache dans mon sac à main.

La circulation est bloquée.

Tellement bloquée que personne ne songe à se servir de son klaxon.

Tellement bloquée que certains ont même coupé leur moteur et attendent sur la trois-voies en se demandant ce qui a pu se produire. Impossible d'avancer ou de reculer. Et aucun d'entre nous n'a envie d'être le premier à briser le silence.

Cela me rappelle notre retour de la fête d'anniversaire de mon frère, l'été dernier. Je conduisais sur cette même route et Tom s'était endormi à côté de moi peu après avoir quitté la maison de Mark dans l'ouest de Londres. Un bouchon inexpliqué s'était formé au niveau de West-way et j'étais seule en train de ressasser certaines des conversations que j'avais eues avec différents invités de la soirée.

À un moment, Emma m'avait tirée par le bras vers un coin calme du couloir, près de la porte d'entrée, pour des confidences de filles. Cela tombait mal car j'étais au beau milieu d'une conversation avec mon frère. On se disait que depuis la mort de mon beau-père, quelques années plus tôt, la mère de Tom était obsédée par l'envie de vider la maison.

— C'est peut-être sa façon à elle de faire son deuil, hasardait Mark. Chaque fois qu'elle donne un objet, elle revoit tous les souvenirs qui y sont associés. Ça lui permet de poursuivre sa route seule. À moins qu'elle cherche à préparer sa propre mort.

— Alors il y a de quoi faire !

Puis Emma était arrivée. À une époque, il y avait eu quelque chose entre eux mais j'ignorais où ils en étaient restés. Toujours est-il qu'ils échangèrent quelques propos tendus avant qu'elle m'entraîne plus loin.

— J'ai rencontré un type, m'informa-t-elle en chuchotant. Mais n'en parle surtout à personne parce qu'il est marié.

Puis elle m'expliqua comment elle avait fait sa connaissance lors d'un dîner d'affaires rassemblant des investisseurs et des chefs d'entreprise. Elle racontait l'histoire lentement, avec précision, comme si chaque détail avait son importance. Cela changeait de la manière dont elle rapportait généralement ses rencontres, les dénigrant avec un humour empreint de cynisme.

— D'habitude, ce genre de bonhomme ne m'intéresse pas. À part les affaires, ils n'ont pas beaucoup de conversation. Ils travaillent tellement qu'il ne reste plus de place pour autre chose dans leur vie, pas même leur famille. Il était assis à côté de moi et nous avons à peine échangé quelques mots pendant le repas. Comme si nous savions tous deux que ce serait une mauvaise idée. C'est du moins ce qu'il m'a dit plus tard. Un courant passait entre nous, et ce n'était pas que du désir parce qu'à ce stade je ne l'avais pas encore examiné de près. C'était plus l'impression d'être attiré par quelqu'un.

Elle agita les mains pour souligner ses propos, puis reprit :

— Quand ils ont servi le café, mon portable a sonné et je me suis baissée pour le prendre dans mon sac à main. Au même moment, il a fait tomber exprès une cuillère de la table et, en la ramassant, ses doigts ont effleuré les miens. En fait, nos peaux se sont à peine touchées mais ce contact a éveillé quelque chose en moi et en lui. Nous l'avons su dès que nos regards se sont croisés. Ce fut aussi rapide et simple que cela. Comme un courant électrique.

— Bizarre. Est-ce un habitué du fait ?

Elle me jeta un coup d'œil méfiant. Les gens préfèrent toujours croire qu'ils vivent une situation unique en son genre, alors j'ai courageusement continué :

— Tom a une théorie : il prétend que les liaisons commencent non parce que les gens se trouvent attirants – ce qui arrive fréquemment – mais parce qu'ils se laissent entraîner dans une situation qui leur donne l'impression de s'épanouir. Et une fois qu'ils y ont goûté, ils ont du mal à ne pas recommencer.

— Eh bien, c'est lui qui l'a cherché car il a appelé dès le lundi matin pour m'inviter à déjeuner, sans même prétexter un problème sur les dossiers en cours. Nous n'avons pas dépassé les hors-d'œuvre tant il y avait de tension entre nous, et nous nous sommes précipités dans un hôtel à Bloomsbury. Dans l'ascenseur, plus d'un mètre nous séparait l'un de l'autre. Je crois même que nous n'avons pas échangé un mot. Aussitôt arrivés dans la chambre, il a verrouillé la porte derrière nous et, pour la première fois depuis le dîner de la veille, nous nous sommes touchés.

— Comment connaissais-tu l'hôtel ?

— Lucy, tu as toujours de ces questions ! Mais pour satisfaire ta curiosité, sache que j'y étais déjà allée. Lui non. Et, à en juger par sa hantise à l'idée que sa femme l'apprenne, je pense qu'il ne l'avait jamais trompée. On reconnaît de loin les habitués en matière d'infidélité. En tout cas, c'était incroyable, torride. Depuis, nous nous y retrouvons chaque jour. Nous avons beaucoup parlé, aussi.

Tandis que je suis bloquée dans la circulation, je pense au pot que je partagerai au pub avec Père-au-foyer-sexy, lundi soir, après la réunion. Bizarrement, je n'ai plus aucune envie d'y aller. Pourtant, mes derniers fantasmes sur cet homme ont dégénéré en scénarios impossibles à raconter, même à mes amies les plus proches. Ce sont des étreintes furtives dans Soho, qui offre des ruelles plus pratiques pour faire l'amour qu'en banlieue. Mais pour l'instant, ce ne sont que des fantasmes. Je suis comme ces gamins qui font un caprice devant un bonbon et le refusent quand on le leur donne. Ce n'est pas parce qu'on a un rêve qu'on tient forcément à ce qu'il se concrétise. Mais je me fais sûrement tout un cinéma de cette sortie car rien ne laisse présager qu'un pot avec un autre parent de l'école débouchera sur autre chose qu'un simple verre, des questions sur l'avancement de son livre et des commentaires sur mon rôle imminent de déléguée des parents d'élèves.

Mon agacement concernant Père-au-foyer-sexy vient surtout du fait que c'est moi qui ai fait le premier pas en lui envoyant le message énigmatique : « Et ensuite ? » Il est étrange de voir que la juxtaposition de deux mots parfaitement innocents puisse se transformer en une avance pour le moins culottée. Résultat : c'est moi qui vais devoir gérer la situation puisque c'est moi qui l'ai créée.

Impossible de me défiler sans lui laisser croire que j'ai des doutes sur ses intentions. Je suis pratiquement certaine que son offre n'est qu'un geste purement amical. Et c'est bien ça le hic ! Avec une soudaine lucidité, je me rends compte que je ne veux surtout pas devenir l'amie de Père-au-foyer-sexy. Et ainsi m'interdire toute possibilité de continuer à fantasmer à son sujet.

Cela fait des années que je n'ai pas eu de projet personnel. Je n'ai probablement pas passé plus de quatre heures d'affilée seule depuis que j'ai arrêté de travailler, si ce n'est pour dormir. Avec Fred qui commence la crèche et les deux plus grands à l'école, il devient évident que j'ai besoin de retrouver le monde des adultes pour réapprendre les codes sociaux élémentaires.

— Au fait, ma mère a promis de garder les enfants lundi soir pour te permettre d'aller à ta réunion de l'école. Elle viendra passer la journée avec toi et restera la nuit, précise Tom, fracassant le silence.

Ouf ! Nous sommes sortis de l'impasse.

— Merci, Tom, d'avoir trouvé une solution.

— Tu ne comptes pas rentrer tard, hein ? Tu sais comme elle craint de s'endormir et de ne pas entendre les enfants s'ils se réveillent.

— Non. Il se peut que j'aille prendre un verre avec quelques mamans après la réunion. Juste pour me montrer amicale. Pour l'instant, je pense que nous devrions appeler Cathy pour la prévenir que nous serons en retard.

— Bonne idée.

Au fil des années, je suis devenue experte en raccourcis domestiques. Cela exige une rapide analyse de la situation : il vaut parfois mieux se montrer économe avec la vérité pour protéger l'harmonie et éviter les disputes. Ainsi, je ne considère pas ma réponse comme un mensonge mais plutôt comme une vérité partielle. Une zone grise.

— Je ne comprends toujours pas pourquoi tu veux t'impliquer dans ce truc de déléguée, Lucy. Je te vois mal en pilier de comité et, pour être parfaitement honnête, ton sens de l'organisation ne fait pas partie de tes points forts à mon avis, ajoute-t-il en pianotant sur le volant.

— Et quels sont mes points forts ?

— Je pense que tu es une maman merveilleuse. Peut-être un peu irascible parfois, mais toujours là pour les enfants. Et les rares fois où nous sommes tous les deux réveillés en même temps et qu'il n'y a pas d'enfant dans notre lit, j'aime vraiment faire l'amour avec toi, dit-il en me regardant droit dans les yeux. Et puis tu es douée en dessin.

Ah, celle-là, je l'avais oubliée !

Il décide ensuite de mettre un CD. Mon sang se glace parce que tous les disques sont mélangés. Il ramasse un album des Strokes et c'est le *Best of des Beatles* qu'il trouve dans le boîtier.

— Sans commentaire.

— Quand je sors un CD du lecteur pour en introduire un autre, je range généralement celui que j'ai sorti dans le boîtier de celui que je viens juste de mettre dans le lecteur. C'est simple, non ?

J'espère que mon explication permettra d'éviter une crise.

— Pourquoi ne le ranges-tu pas dans la bonne boîte ?

— Parce qu'elle contient déjà le CD que j'ai sorti la fois d'avant.

Il semble perplexe.

— *Blanche-Neige* se trouvera dans la boîte des

Contes d'Andersen parce que c'est le CD qu'il a remplacé.

— Et où est passé le CD des *Contes d'Andersen*, alors ?

Je réponds avec aplomb :

— Dans le boîtier du *Best of de Bob Dylan*.

— Et où est le *Best of de Bob Dylan* ? En fait, je préfère ne pas savoir. C'est un peu comme les chaises musicales.

— Exactement. Il y a une certaine logique dans mon système. Cela demande juste un peu de psychologie inversée. Dis-moi quel CD tu cherches et je te dirai où il se trouve.

— U2 !

Je réfléchis un instant.

— Dans *Le Roi Lion*.

Et je ne me suis pas trompée.

Cela aurait pu être bien pire. Il aligne les boîtiers sur le tableau de bord et empile les CD sur ses genoux. Mais il s'agit d'une excellente occupation quand on est coincé dans un lieu exigu, incapable de se rendre à un dîner à cause d'un embouteillage. Je consulte la montre. Il est presque 21 h 40. Ça fait trois quarts d'heure que nous sommes immobilisés ici. Et je trouve que nous nous comportons plutôt bien.

Lorsque le type devant nous redémarre son moteur, Tom lève la tête. Les plus curieux regagnent leurs voitures. Aussi mystérieusement qu'elle s'était tricotée, l'interminable écharpe des véhicules collés les uns aux autres commence à se détricoter et chacun reprend sagement le chemin vers la scène de sa propre existence.

— Et si nous rentrions à la maison ? suggère Tom d'un air fatigué. Le temps qu'on arrive au restaurant ils auront fermé les cuisines.

121

Alors j'appelle de nouveau Cathy pour lui annoncer ce que je considère comme une autre mauvaise nouvelle. Un rendez-vous arrangé est, dans le meilleur des cas, une entreprise épineuse. Si nous étions arrivés à l'heure, nous aurions au moins pu combler les silences.

— Je suis tellement désolée, Cathy. Je sais qu'on te laisse tomber, mais on a été pris dans d'horribles embouteillages. Nous sommes restés scotchés sur place pendant près d'une heure et, vu l'heure, nous ferions aussi bien de rentrer chez nous. J'espère que tu n'auras pas passé une soirée trop pénible avec le collègue de Tom.

— Écoute, les choses se déroulent plutôt bien. *Très* bien, même. Ça tombe à merveille que vous ne soyez pas là. On flirte comme des dingues et ce serait embarrassant d'avoir des témoins pour nous tenir la chandelle. Pour l'instant, il est aux toilettes et nous nous apprêtons à faire un tour à Soho House ensemble.

— Veinarde, c'est un club génial ! Heureusement que nous ne sommes pas venus. Et tu le trouves comment, ce type ?

— Très bien. Du style fesse & confesse.

— Ce qui veut dire ?

— Lucy, il faut que tu sortes un peu plus souvent ! Ce que je veux dire, c'est qu'il adore faire la fête mais qu'ensuite il culpabilise. C'est une combinaison assez excitante. J'ai déjà rencontré des mecs dans son genre. Enfin, peu importe. Il est très beau. Remercie bien Tom de ma part, d'accord ? Écoute, il revient. Ne m'appelle pas trop tôt demain matin. Je te raconterai tout. Promis.

Tom paraît légèrement inquiet.

— Alors ?

— Tout va bien. Mieux que bien même. Je pense qu'ils vont probablement coucher ensemble.

— En voilà une bonne idée ! De toute façon, c'était sympa qu'on puisse passer un peu de temps ensemble, rien que nous deux.

— Ce n'est pas ce que j'appellerais un tête-à-tête très romantique. Une soirée de bouchons sur l'autoroute, ce n'est pas le pied.

— Non, mais j'ai l'impression que nous nous sommes un peu retrouvés. Parfois, j'ai le sentiment que tu t'éloignes de moi, Lucy, pour te retrancher dans un monde impénétrable. Au fait, tu devrais envoyer un texto à Cathy pour lui conseiller de ne pas coucher avec lui dès leur premier rendez-vous.

— C'est un peu hypocrite, non ?

Chapitre 7

« Une tartine tombe toujours du côté de la confiture. »

Le moment où j'apprécie le plus Tom, c'est quand il est absent. Sans lui, la cocotte-minute domestique est en surpression permanente. Au petit déjeuner, il sait verser en même temps dans les bols le lait et les corn flakes. Devant la porte d'entrée, il réussit à aligner trois manteaux, chacun accompagné de son sac déjeuner. Et dans la panique, il a le chic pour toujours retrouver mes clés. Aujourd'hui, cette dernière compétence me fait terriblement défaut.

Tom est parti pour Milan aux aurores et, comme convenu, il a fermé la porte à double tour derrière lui.

— Je ne comprends pas comment une personne qui a oublié ses clés dans la serrure, non pas une mais deux fois cette semaine, peut craindre un cambriolage matinal avec une telle parano ! m'a-t-il murmuré à l'oreille en se penchant sur le lit pour me donner un baiser.

À 8 h 10, dix minutes plus tôt que d'habitude, j'aligne les enfants devant la porte d'entrée, assez satisfaite de moi. Pas mal du tout. Livres de bibliothèque : OK. Chaussures : OK. Manteaux : OK. Clés de la maison…

Introuvables ! Au début, je refuse de paniquer. Après tout, on n'est qu'en tout début de journée et il reste de la marge. L'augure demeure favorable. Je cherche dans les endroits habituels : poches de manteaux, sac à main, tiroir de cuisine. Sans aucun résultat.

— N'oublie pas de regarder dans le frigo ! crie Joe. C'est là qu'elles étaient la dernière fois, maman ! Tu te souviens ?

Le frigo est vide.

— Peut-être que tu devrais vérifier dans ton hypo-campus, suggère Sam. C'est là qu'on stocke nos souvenirs.

Je fais mine d'être impressionnée :

— Oh ! Et comment fait-on ?

— Il faut qu'on ouvre ton cerveau, dit-il.

Je demande aux enfants de retourner leurs poches et interroge Fred, car le coupable le plus évident, c'est lui. Il regarde ses pieds et remue les orteils d'un air fautif. Les enfants me suivent à la cuisine et je renverse le contenu de la poubelle sur le sol au cas où il les aurait jetées dedans. Ce ne serait pas la première fois.

L'odeur est insoutenable. La puanteur de la viande rance et des fruits en décomposition rivalisent pour me dégoûter. Les enfants se couvrent la bouche avec la main et regardent dans un silence consterné leur mère fouiller les détritus des derniers jours. Je secoue fébrilement une carcasse de poulet malodorante au cas où la clé s'y serait coincée, je trie des bouts de pain et de fruits moisis qui se désintègrent aussitôt sous mes doigts. Je retiens ma respiration aussi longtemps que possible, puis me précipite vers la cuisinière pour expirer. Ensuite, je prends une nouvelle inspiration avant de me relancer dans la mêlée. Mes mains sont recouvertes de feuilles de thé mouillées provenant d'un sachet éclaté.

— Vous saviez que dans les pays pauvres, les enfants sont obligés de fouiller dans les décharges pour trouver des choses à vendre et à manger ? dis-je en levant les yeux sur les trois visages consternés. Nous avons beaucoup de chance.

Ils n'ont pas l'air convaincus.

— Maman ? Je peux te poser une question ? demande Sam. Si on meurt, est-ce qu'on peut tous être enterrés sous une pyramide pour rester ensemble, comme les Égyptiens ?

— Voilà une idée très intéressante, Sam ! Ça t'ennuierait qu'on en parle plus tard ?

— Alors on pourrait faire une place spéciale pour les clés ? suggère Joe.

J'interromps la recherche et m'accroupis un instant, les morceaux de détritus éparpillés autour de moi comme une espèce de nature morte. Je dois me rendre à l'évidence. Mes clés sont perdues, Tom a verrouillé la porte, je me retrouve incarcérée avec mes enfants. La tête entre les mains, au bord des larmes, je répète ces trois évidences plusieurs fois, comme un mantra, espérant une intervention divine.

Désespérée, je téléphone à Cathy afin de lui demander conseil.

— Passe par la fenêtre du salon. Appelle l'école et préviens-les que tu seras en retard parce que tu as oublié quelque chose. Ça, c'est crédible au moins. La vérité, en revanche, ne l'est pas. Ne te lance pas dans les détails, tu risques de te trahir.

— Dis-moi, comment ça s'est passé avec l'architecte ? Je veux bien me contenter de la version abrégée.

J'ai résisté à l'envie de l'appeler pendant deux jours, tout de même…

— Nous sommes retournés à son appartement et j'ai fini par passer tout le week-end avec lui. Mais je suis complètement épuisée. Je ne crois pas avoir dormi plus de huit heures durant ces trois dernières nuits, toutes chimiquement arrosées. Et puis je dois avouer que nous avons eu des... euh... rapports sexuels pour le moins exotiques dès notre première rencontre.

Voilà un détail que je ne révélerai pas à Tom. Il n'a pas cessé de pontifier que rien ne valait l'abstinence durant le premier mois.

— Je te donnerai les détails croustillants plus tard, ajoute encore Cathy.

— En fait, je crois que j'en ai assez entendu comme ça.

Sur ce, je vais récupérer le double de la clé de la voiture dans le tiroir de la cuisine.

Les enfants sont très excités qu'on leur ordonne de passer par la fenêtre du salon. C'est exactement le genre de jeu strictement interdit par les parents. J'espère que personne ne regarde – surtout pas les cambrioleurs – car je dois laisser la fenêtre ouverte pour pouvoir revenir une fois Fred déposé à la garderie. Idem pour les voisins dont les enfants fréquentent la même école, car ce n'est pas là un comportement digne d'une maman parfaitement organisée, bientôt élue pour tenir un rôle important dans le fonctionnement de l'établissement et, par conséquent, dans l'éducation de ce pays. Je ne suis qu'à un échelon des plus hautes fonctions...

— Ça, c'est rudement mieux que *Mission impossible*, maman ! lâche Sam en se faufilant par l'ouverture.

Ils se tiennent tous par la main sur la pelouse devant la maison, ils sentent bien que c'est une de ces rares occasions où la famille doit vraiment se serrer les coudes. Intrigués, ils me regardent passer par l'orifice somme toute assez étroit de la fenêtre guillotine. Pour y parvenir, j'ai dû remonter T-shirt et chemisier sur mes côtes afin de réduire l'épaisseur de ma taille. Je me contorsionne de mon mieux, marquant quelques pauses pour rentrer au maximum mon petit bedon récalcitrant.

— Maman, on aurait dû frotter ton ventre avec du beurre, déclare Sam en tirant sur mes bras. Je les ai vus faire ça dans un dessin animé.

— C'était pour permettre aux mamans de passer par la fenêtre ?

— Non, pour aider des phoques échoués sur les côtes écossaises, précise Sam d'un air pensif tandis que je m'étale de tout mon long dans l'allée fleurie.

Plutôt impressionnée par mon sang-froid en ce temps de crise, j'accepte de mettre à fond le CD qu'ils me réclament pour le court trajet jusqu'à l'école. On n'aura que quelques minutes de retard. À une cinquantaine de mètres de l'aire de jeux, ma veine m'abandonne. La voiture crachote, toussote et finit par gentiment s'immobiliser au milieu de la route. Panne sèche. La jauge indique le zéro pointé. Très vite, la circulation s'agglutine autour de nous et les coups de klaxon impatients ne se font pas attendre. Je me retrouve plongée dans une de ces expériences extatiques qui me donnent l'impression d'être l'observatrice de la vie de quelqu'un d'autre.

Je me résous finalement à appeler Tom sur son portable.

— Que veux-tu que je fasse ? Je suis en route pour Milan ! hurle-t-il dans mon oreille.

— Mais qu'est-ce que tu ferais à ma place ?

— Cela ne risque pas de m'arriver !

Les conducteurs à bout de nerfs – y compris Mère-parfaite n° 1, deux voitures plus loin –, commencent à s'acharner sur leur klaxon. Je sors de ma Peugeot et ouvre le capot pour me pencher sur le moteur d'un air prétendument inquiet. J'en titille diverses pièces en haussant les épaules puis crie à la ronde :

— La batterie doit être à plat ! Quelqu'un aurait des câbles de démarrage ?

En temps de guerre, j'excellerais sûrement dans les interventions médicales au front. Pour faire face aux catastrophes naturelles, je serais brillantissime. Pour ce qui est des petites misères quotidiennes, en revanche, je me trouve tout simplement nulle.

Une à une, je débranche les bougies et les nettoie avec un Kleenex. Malheureusement, ce sont les petits détails quotidiens qui définissent désormais ma vie et me perdent. Je fouille fébrilement mes poches à la recherche d'un objet pointu. Vu la situation qui devient de plus en plus critique, j'en arrive même à envisager de percer le moteur. Tout plutôt que d'admettre que je suis en panne d'essence !

Père-au-foyer-sexy apparaît, revenant de l'école d'un pas nonchalant. Je note que son bras n'est plus prisonnier du plâtre. Dès qu'il m'aperçoit, il adopte cette démarche élastique du cow-boy que même les citadins mâles aiment prendre quand ils sentent une rare occasion de montrer leurs capacités viriles.

— Un pépin ? demande-t-il en examinant le moteur.

Il porte même une chemise à carreaux. J'ai envie de lui rappeler que nous sommes à Londres, pas à Brokeback Mountain. Des termes comme joint de culasse, bougie, carburateur… jaillissent de sa bouche. Mais ses mains restent fermement arrimées aux poches de son jean, tellement large que j'aperçois le haut de son caleçon dépasser de la ceinture. Nos deux têtes sont penchées au-dessus du moteur comme au-dessus d'un parent gravement malade.

Mère-parfaite n° 1 arrive et s'incline légèrement en

face de nous, révélant un décolleté parfait, ferme sans être pneumatique.

— Ça ne peut pas être nature[1], dis-je sans réfléchir.

— Qu'est-ce qui n'est pas naturel ? demande Père-au-foyer-sexy.

Mère-Parfaite n° 1 me regarde droit dans les yeux et lance :

— Lucy, je ne dirai que trois mots : Rigby and Peller1.

— C'est un cabinet d'avocats ? demande Père-au-foyer-sexy, perplexe.

Ce ravissant spectacle ne semble pas le troubler outre mesure. Puis il commence à plonger les doigts dans le cambouis, débranche des câbles, dévisse des bouchons. Je ne suis toujours pas convaincue qu'il sait ce qu'il fait. Mais au moins il essaie. Il passe quelque chose de gras à Mère-parfaite n° 1 dont les doigts superbement manucurés sont désormais recouverts d'huile de moteur.

— On dirait un de ces traitements à l'huile de paraffine de chez Micheline Arcier[2], dit-elle en les considérant d'un air perplexe.

Mère-efficace approche. Elle s'efforce de donner à ses traits un air faussement compatissant, les sourcils froncés et la bouche légèrement entrouverte, sans parvenir à cacher sa suffisance sous-jacente.

— Oh, ma pauvre ! s'écrie-t-elle en jaugeant d'un coup d'œil l'attroupement qui continue à se former.

---

1. Boutique londonienne de lingerie de luxe offrant du sur mesure. *(N.d.T.)*

2. Proposés dans cette luxueuse clinique d'aromathérapie de Knightsbridge créée par une Française et approuvée par la Couronne. *(N.d.T.)*

Vous habitez assez près pour venir à pied, n'est-ce pas ?

— En effet, mais dans ce cas je ne pourrais pas porter de talons hauts, rétorque Mère-parfaite n° 1 en claquant d'un air agacé les talons de ses boots Christian Louboutin.

— Comment faites-vous pour conduire avec ça aux pieds ? s'inquiète Mère-efficace.

— J'enfile une paire de chaussons en cachemire pour conduire et je remets mes boots en arrivant.

Sur ce, la directrice débarque pour enquêter sur le bruit et le chaos qui ont gagné la route devant l'école. Aussitôt, elle tente de réorganiser la circulation dans les deux sens.

— Bonjour, madame Sweeney. J'ai reconnu votre auto à cause de l'exposé de l'autre jour ! dit-elle en rejoignant le petit groupe.

— Mais qu'est-ce que tu fais, maman ?! s'écrie Sam en abaissant la vitre.

J'avais oublié que les enfants se trouvaient dans la voiture.

— J'ai retrouvé les clés de la maison à l'arrière, sur le tapis ! C'est super, non ? braille Joe de l'autre côté.

— Formidable, mon chéri !

Notre stéréo, qu'ils avaient mise à fond, retentit dans tout le voisinage.

— Quels enfants adorables, commente sèchement Mère-efficace.

Je sais qu'elle fait mentalement l'inventaire de tous ces incidents déplorables.

— Baisse le son, mon trésor ! dis-je sur un ton faussement enjoué. On ne s'entend plus réfléchir !

— Mais tu n'as pas besoin de réfléchir ! insiste Sam, on ne peut plus rationnel. Il suffit d'aller au garage acheter un bidon d'essence !

Ils me considèrent tous d'un air ébahi. Père-au-foyer-sexy se prend la tête entre les mains couvertes de cambouis.

— Quoi ? Vous êtes tombée en panne d'essence ?

— Voilà ce dont je parlais l'autre jour, lance Mère-efficace d'un ton sarcastique. Ce serait désastreux de l'avoir comme déléguée. Dangereux, même !

— Bon, j'accompagne les enfants à l'école, propose gentiment Père-au-foyer-sexy.

— Merci.

Sam et Joe descendent de voiture en poussant des cris de joie.

— Et moi, je vous conduis au garage, offre Mère-parfaite n° 1.

— Quant à moi, je vais demander aux gens de pousser la voiture sur le bas-côté de la route, annonce la directrice.

— Formidable ! Et moi, il ne me reste plus qu'à préparer mon discours de victoire pour ce soir ! se réjouit Mère-efficace avant de s'éloigner, le nez en l'air, en nous laissant tous plantés là.

— En tout cas, je voterai quand même pour vous, m'assure Mère-parfaite n° 1 tandis que j'attache Fred dans le siège enfant à l'arrière de sa voiture. La vie de cette école sera beaucoup moins ennuyeuse si c'est vous qui décrochez le poste.

Je reconnais là un de ses compliments à double tranchant, mais je suis bien trop absorbée par tout ce qui se passe à l'arrière de sa voiture pour réagir. D'abord, il y a un écran télé sur le dossier de chaque siège et une collection de DVD, tous rangés dans leur boîtier attitré, dans un réceptacle derrière le frein à main. Je remarque aussi, accrochées à chaque siège, des poches transparentes de tailles et de formes diverses. L'une contient des crayons, l'autre du papier. Et puis je repère également une rangée de livres, classés par âge. Tout n'est que lignes droites et symétrie. Très agréable à l'œil. Reposant.

Je m'installe à côté d'elle, sur le siège passager.

— Oh, tout ça c'est l'œuvre de notre nounou ! explique-t-elle en remarquant mon étonnement.

Je ferme la portière et le silence s'abat dans l'habitacle. C'est comme entrer dans un autre univers. Même l'air a une odeur différente. Je prends une profonde inspiration et ferme les yeux. Il n'est pas encore 9 heures.

— C'est un mélange de lavande et de romarin, dit-elle. Je les fais spécialement fabriquer en fonction de mes humeurs. Celui-ci s'appelle « Thé parfumé sur les routes de Marrakech ».

Je pouffe de rire, mais elle ne plaisante pas.

Sur ce, elle me tend une fiole de « Fleurs de Bach » qu'elle a prise dans la boîte à gants. Si elle tirait un ficus en pot ou une assiette de beignets de cette caverne d'Ali Baba, cela ne m'étonnerait pas.

— Tenez, respirez profondément, cela vous détendra, m'assure-t-elle. Même si je doute qu'il existe un antidote contre cette chipie !

Ensuite, nous nous rendons au garage le plus proche. J'achète un bidon d'essence et elle me ramène à ma voiture. Assez simple, finalement. Si seulement quelqu'un m'aidait à m'organiser, tout serait tellement différent !

Plus tard dans la journée, je me retire dans la salle de bains afin de me préparer pour la réunion des parents. Je me demande quelles conséquences aura le désastre de ce matin sur l'élection de ce soir. D'une part, j'ai fourni des munitions à la campagne de dénigrement de Mère-efficace, bien qu'il soit inutile d'ajouter des preuves anecdotiques de mon incompétence. Mais d'autre part, cette mésaventure me rend plus humaine. Une qualité qui, de toute évidence, lui fait défaut.

Quand Tom n'est pas à la maison, c'est moi qui hérite du privilège de me vautrer dans un bain. J'ai passé une éternité à tremper dans l'huile de lavande que Mère-parfaite n° 1 m'a gentiment tendue ce matin en disant : « Vous allez en avoir un plus grand besoin que moi. » J'ai l'impression que ma peau en est imprégnée et, si je devais transpirer, je pense que ce serait plus sucré que salé.

En bas, ma belle-mère, Petra, s'occupe des enfants.

Tom est arrivé à Milan. Il semblait content et plein d'entrain au téléphone, tandis que de mon côté je faisais couler mon bain. Il avait visité le site et les entrepreneurs avaient enfin commencé à creuser les fondations de la bibliothèque. Il a ajouté qu'il était en train de lire une nouvelle, écrite par un auteur argentin, qu'un de ses collègues lui avait offerte.

— C'est vraiment passionnant parce que ça part de l'idée qu'une bibliothèque est un univers formé d'hexagones imbriqués les uns dans les autres et il se trouve que c'est ainsi que j'ai conçu le bâtiment.

J'ai fait un effort pour suivre cette analyse, d'une part parce que je n'avais jamais entendu Tom s'enthousiasmer pour un projet depuis des lustres, et surtout parce que cela pourrait s'avérer utile dans une conversation avec Père-au-foyer-sexy.

Je demande, pleine d'espoir :

— On l'a adaptée en film ?

— Non, répond Tom, surpris par mon attention soudaine. C'est une nouvelle dont le héros est une bibliothèque. Bon, en tout cas, bonne chance pour ce soir, Lucy. Si c'est vraiment ce que tu veux.

Je reste un instant déconcertée, convaincue qu'il fait

référence au pot avec Père-au-foyer-sexy. Je ne sais que répondre.

— Écoute, quoi qu'il arrive, ce sera sûrement mémorable, ajoute-t-il. Bon, il faut que j'y aille. On va faire un raid sur le minibar avant le dîner.

Chaque fois que j'appréhende une situation, je tourne le robinet d'eau chaude avec mon pied et j'attends que tous mes soucis se dissipent dans l'eau bouillonnante. Ma peau est toute fripée et les vergetures sur mon ventre deviennent tellement rouges qu'on dirait du stilton fondu. Cela fait longtemps que je me suis désolidarisée de mon ventre, le confinant à une zone de pénombre crépusculaire, à jamais banni du regard public. Maintenant, je comprends pourquoi les vieilles dames s'ensevelissent dans des sous-vêtements compliqués, avec des fermetures Éclair et moult rubans pour mater ces éléments indisciplinés.

Mes seins s'agitent dans l'eau avec une remarquable élasticité. Je les considère comme de bons amis fidèles, des alliés dignes de confiance auxquels je peux faire appel pour me redonner un peu d'assurance et un sentiment de jeunesse lors d'occasions exceptionnelles. Peut-être ont-ils du mal à accepter le fait de perdre en importance au fil du temps. Le reste de mon corps est en rébellion permanente, toujours prêt à me laisser tomber. Supprimer ou contrôler ces éléments indisciplinés prendrait des années. Une érosion de mon autorité semble plus probable. Occasionnellement, je lutte pour reprendre la main et perdre quelques kilos, mais pour gommer les rondeurs, cela demanderait un niveau de self-control que je n'ai tout simplement pas.

Quand j'émerge enfin du bain, je constate qu'il ne me reste qu'une demi-heure pour me préparer et me rendre à l'école. Je trouve que l'horloge électrique de Tom semble bien solitaire, abandonnée sur la table de nuit, rejetée au profit du réveil en métal cabossé, avec une face de lapin et des oreilles élimées, que Tom a emporté dans ses bagages. À son emplacement habituel, ne subsiste qu'un rond brillant au milieu d'un océan de poussière. J'imagine le vieil engin installé de façon incongrue dans la chambre minimaliste de son hôtel à Milan. Tom ne pensera jamais à le cacher dans le placard lorsque ses collègues viendront dans sa chambre. Ils trouveront sûrement assez touchant qu'un homme d'âge mûr voyage avec le réveil de son fils de huit ans. Surtout ces jeunes femmes célibataires dont il m'a parlé l'autre soir…

C'est l'un des grands mystères de la vie : l'équation *hommes + enfants* donne invariablement quelque chose de plus grand que la somme de ses éléments, magnifiant les qualités des deux, alors que l'addition *femmes + enfants* vous laisse généralement avec des arriérés. C'est systématiquement synonyme de vieillesse, de complications et pas sexy pour un sou !

Cela peut sembler naïf, mais je n'ai jamais pensé que Tom puisse être tenté par une aventure durant ses voyages. S'en inquiéter apparaît tellement futile quand il y a tant de soucis immédiats à gérer. De plus, Tom est tellement absorbé par le projet en cours qu'il considère le reste comme une distraction malvenue. « Le diable est dans les détails », dit-il toujours. Les plans doivent être extrêmement précis, tenir compte des opinions des ingénieurs et des clients, dont les désirs sont bien trop souvent diamétralement opposés. Tom n'est jamais aussi passionné que lorsqu'il est impliqué dans un grand projet comme celui-ci. Il y a quelques années, des vérandas sur deux étages et des conversions de lofts avaient suscité chez lui le même enthousiasme. Mais aujourd'hui, pour un architecte tel que Tom, seule la taille du projet reste un critère déterminant.

Si seulement le rythme quotidien de ma propre vie m'apportait les mêmes satisfactions ! Peut-être une nouvelle responsabilité donnera-t-elle un petit coup de pouce à ma motivation ?

Trois minutes sont déjà passées et une décision s'impose : que porter ce soir ? Le sol est jonché de vêtements et le petit haut noir avec un col en V, que j'avais essayé et retenu, a disparu ! À quatre pattes, en culotte et soutien-gorge noir, je pars à sa recherche et finis par le dénicher sous le lit. J'enfile rapidement le jean que je portais tout à l'heure et décide de me maquiller sur le chemin de l'école.

J'entends Petra qui crie :

— Vous allez être en retard !

Je dévale l'escalier en quatrième vitesse et la retrouve en bas, m'attendant avec les trois garçons, une expression lourde de reproche scotchée sur le visage. Elle désapprouve le fait que sa bru sorte sans son mari, même pour se rendre à une réunion de l'école. Heureusement que je ne me suis pas maquillée !

— Voulez-vous que j'essaie de m'occuper de la lessive ? demande-t-elle. Je compte également repasser quelques-unes de ces chemises. Que fait Tom quand il n'y a pas une seule chemise de prête pour lui, le matin ?

Je lui réponds sans réfléchir :

— Eh bien, soit il la repasse lui-même, soit il s'en achète une nouvelle en se rendant au bureau ! D'ailleurs, ce serait formidable si vous pouviez venir à bout du panier à linge. Cela fait une éternité que je n'en ai pas vu le fond.

— Lucy, je pense que si vous consacriez un jour précis à la lessive et un autre au repassage, tous vos problèmes seraient résolus.

Une théorie intéressante, me dis-je. Mais impossible à mettre en pratique, dans l'immédiat.

— Elle a raison, fait remarquer Sam qui essaie de se montrer utile.

— Je resterai demain matin pour vous donner un coup de main, si vous voulez, ajoute-t-elle en ouvrant la porte pour me pousser dehors, dans la nuit glacée. Bonne chance ! Je trouve louable que vous preniez de nouvelles responsabilités, mais je crains que vous ne vous laissiez dépasser.

Je décide de me rendre à l'école en voiture, non seulement pour ne pas trop boire quand je sortirai avec Père-au-foyer-sexy, mais aussi pour utiliser le miroir afin d'appliquer un soupçon de mascara et de rouge à lèvres dès le premier feu rouge.

Je passe la double porte de l'école et m'arrête dans le couloir pour admirer les autoportraits des élèves de la classe de Joe. En découvrant son dessin, je suis frappée par le contraste entre le sien et celui des autres enfants. Leurs têtes sont énormes, disproportionnées par rapport aux corps filiformes et aux membres dégingandés qui en dépassent. Son petit dessin à lui fait la moitié de la taille des autres. Les détails, en revanche, sont étonnants : taches de rousseur, dents, narines, lèvres rouges et même un grain de beauté qu'il a sur le menton. Il n'est pourtant pas plus menu que ses camarades de classe. Il faut que je parle à sa maîtresse et que j'appelle éventuellement Mark pour lui demander ce qu'il en pense. Les enfants ne sont pas sa spécialité, mais il n'hésite pas à se pencher sur les méandres du subconscient de ses neveux.

Mon téléphone bipe et je découvre un texto d'Emma, exigeant une conversation urgente au sujet d'un nouvel imbroglio dans sa vie amoureuse hyper compliquée. Elle avait certainement oublié l'importance de ma soirée, ce qui me vexe un peu étant donné qu'elle était présente quand Cathy a ajouté une nouvelle couche de stress à un moment déjà difficile.

— Tu sais que je m'apprête à devenir un pilier de notre communauté.

Je chuchote dans l'appareil pour qu'elle comprenne qu'une longue conversation est exclue dans mon nouveau rôle de mère respectable de trois enfants.

— Je suis sincèrement désolée, Lucy. Je ne vois pas comment gérer cette situation, me répond-elle sur le même mode.

Je l'imagine debout, dans un coin de son bureau, le dos tourné à sa table de travail. Bien qu'elle soit installée dans sa propre bulle de verre, la porte est toujours ouverte et elle est convaincue que ses collègues journalistes – qui ne reculent devant aucune indiscrétion – sont également dotés de la capacité innée de lire sur les lèvres.

Je me retire dans les toilettes des enfants situées au bout du couloir, prête à affronter cette discussion « Spécial Crise ». Il fait un froid de canard. Les fenêtres sont entrouvertes, mais cela ne suffit pas à dissiper les odeurs tenaces d'urine et d'eau de Javel. Afin de pouvoir lui prodiguer mes conseils, je me retire dans un compartiment dont les cloisons ne montent qu'à mi-hauteur et m'installe sur une cuvette de WC pour enfants en me servant d'un pied pour bloquer la porte. Dehors, j'entends les autres parents entrer dans la salle de classe pour procéder au vote.

— Lucy, tu te rappelles la fois où je t'ai raconté les fantasmes de Guy qui consistent à faire l'amour avec deux femmes ? murmure Emma.

— Guy, c'est le nom de ton banquier ?

Elle n'avait jamais mentionné son prénom jusque-là.

139

Autre signe qui annonce que leur relation entre dans une nouvelle phase. Elle ignore ma question.

— Pendant quelque temps, il n'en a plus parlé, se contentant de galipettes dans les lieux publics. Mais figure-toi qu'il remet ça sur le tapis !

Je me penche pour mieux chuchoter dans l'appareil :

— C'est typiquement un fantasme de mec de faire l'amour avec deux femmes. Surtout un père de quatre enfants, mais cela ne signifie pas pour autant qu'il ira jusqu'au bout. Tu n'aurais jamais dû accepter, même dans le feu de l'action.

— Je pensais moi aussi qu'il ne s'agissait que d'un fantasme, et je suis entrée dans son jeu. Mais il vient de m'appeler pour m'annoncer qu'il avait pris rendez-vous avec une fille dénichée sur Internet pour qu'elle vienne nous rejoindre à la maison ce soir. Il a dit à sa femme qu'il serait à Paris. D'après lui, elle est vraiment très belle. Que dois-je faire ?

Elle semble terriblement paniquée. Je réfléchis.

— Dis-lui que tu t'es fait faire une épilation brésilienne et que ta peau est irritée. Ça te permettra de gagner un peu de temps et, la prochaine fois, tu le laisses gentiment tomber. À moins que tu changes d'avis. En tout cas, tu devrais te renseigner sur la fille. Peut-être la trouveras-tu à ton goût. Je te rappelle plus tard.

J'éteins mon téléphone et reste un instant sur la cuvette pour rassembler mes esprits. C'est alors que j'entends un bruissement près du lavabo, m'indiquant qu'il y a quelqu'un d'autre avec moi dans les toilettes. Non seulement je ne suis pas seule, mais Père-au-foyer-sexy est en train de retirer son casque de vélo et son T-shirt trempé de sueur, révélant une merveille de ventre musclé et joliment bronzé à moins de deux mètres de moi. Heureusement, au moment où je regarde, sa tête est prise dans le T-shirt. Je laisse échapper un petit cri et me baisse aussitôt, une main plaquée sur la bouche.

Puis je décide de m'accroupir sur la cuvette pour éviter que mes pieds dépassent sous la porte. En moins d'une minute, mes jambes me font tellement souffrir que je suis obligée de mordre mes doigts pour déplacer la douleur qui irradie mes mollets et mes cuisses. Je prie pour qu'on me sauve de cet enfer lilliputien. J'estime ne pas avoir mérité cela. Quand est-il entré exactement ? Avec un peu de chance – qui ne semble pas être de mon côté aujourd'hui –, il n'a dû arriver qu'à la fin de ma conversation avec Emma.

Je jette de nouveau un coup d'œil par-dessus la porte avec l'intention de me baisser aussitôt après, mais il est en train de retirer son bas de jogging pour enfiler un jean. En fait, il se tient devant moi dans le même caleçon gris que ce matin. J'ai le temps de constater que tous ces trajets à vélo lui ont donné de jolies fesses bien rondes et musclées.

En me baissant, je perds l'équilibre et tombe de mon perchoir. Père-au-foyer-sexy approche et ouvre la porte.

— Nom d'un chien, Lucy ! Mais qu'est-ce que vous fabriquez ici ? Ça va ?

Il se penche et me prend le bras pour m'aider à me relever. De l'autre main, il retient son jean. Sa chemise n'est pas boutonnée et mon visage frôle la peau de son torse quand il essaie de m'extraire de l'étroit passage séparant la cloison de la petite cuvette. Dans ce moment très intime, je ne ressens que de la peur et un terrible embarras. Notre relation ressemble davantage à un court-circuit. Aucun courant torride ne passe entre nous.

— Je répétais mon discours de victoire, dis-je en lissant mon jean tout en évitant de fixer son caleçon.

141

— Il était tellement percutant que vous êtes tombée à la renverse ?

Je me glisse hors des toilettes et me dirige vers l'aire de jeux pour respirer un peu d'air frais dont je manquais désespérément quelques minutes plus tôt.

Quand j'entre enfin dans la salle de classe, la réunion est déjà bien commencée. Le seul siège disponible est une chaise d'enfant, coincée entre Mère-parfaite n° 1 et Père-au-foyer-sexy. L'assemblée me suit du regard pendant que je me glisse jusqu'à ma place mais je n'arrive pas vraiment à voir ce qui se passe à l'avant, sur le bureau de la maîtresse.

Père-au-foyer-sexy me considère avec un sourire nerveux.

— Vous avez loupé l'élection, Lucy. Votre adversaire a gagné à un poil près. Résultat : vous êtes nommée secrétaire et moi trésorier.

Il se tourne vers Mère-efficace et ajoute :

— Elle est terrifiante !

Mère-parfaite n° 1 se penche vers moi et me murmure qu'elle a voté pour moi « juste histoire de rigoler un peu ».

— S'il vous plaît ? Puis-je avoir votre attention à tous, lance Mère-efficace en regardant dans notre direction. Lucy, vous seriez gentille de prendre des notes pour le compte rendu !

Sur ce, elle fait passer un stylo et du papier à mon intention.

Puis Père-au-foyer-sexy s'approche de moi et chuchote :

— Ne vous inquiétez pas, Lucy ! J'ai entendu dire que les parties fines à trois, c'était un fantasme typique des mecs. Voulez-vous toujours prendre ce verre ? Après toutes ces émotions, j'en aurais vraiment besoin.

Chapitre 8

« N'aie pas les yeux plus gros
que le ventre. »

Je ne m'attendais pas du tout à ce résultat. Ce n'est pas la soirée que j'imaginais. En fait, ce n'est pas la vie dont je rêvais. À la fin de la réunion, Père-au-foyer-sexy insiste pour quitter l'école tout seul. J'imagine qu'il m'attendra quelque part dans la rue, alors je ramasse mon sac d'un air détaché et bavarde avec d'autres parents avant de partir à mon tour.

Je le retrouve sur Fitzjohn's Avenue, planqué sous un céanothe dont les branches rebelles échappent à la sécurité d'un jardin de banlieue pour former une formidable arche végétale au-dessus du trottoir. En m'approchant, l'éclairage de la rue me permet de reconnaître ses incontournables Converse et je le félicite intérieurement d'avoir déniché un arbre touffu acceptant d'être le complice de notre petite intrigue.

Il avance d'un pas vers moi :

— Lucy Sweeney, je présume ?

Et je ris un peu trop vite, réalisant à la dernière seconde que son patronyme m'échappe. Je sais qu'il s'agit d'un nom de poisson, mais lequel ? Robert Cod ?

Haddock ? Hake[1] ? Un poisson qu'on pêche en mer du Nord, en tout cas.

— Robert Bass[2], me devance-t-il.

Et si je les avais prononcés à voix haute ? Je marque une pause pour réfléchir à une sortie de secours.

— Euh… j'illustre des livres pour enfants.

— Passionnant.

— Ce sont les personnages principaux de l'histoire. C'est une allégorie sur la disparition des poissons en mer du Nord.

— Y a-t-il un méchant ?

— Oui. Crayfish Crawford[3]. Un importateur américain.

Puis je me tais, à la fois effrayée et impressionnée par ma capacité à mentir sur commande. Je sais que la vérité est souvent subjective. Pourtant, j'ai conscience d'être en train de sauter à pieds joints dans les contrées du royaume de la Duperie que je n'avais encore jamais explorées.

Nous marchons tranquillement jusqu'à un pub bruyant en échangeant quelques banalités. Je remarque que nous nous recroquevillons tous les deux dans nos manteaux et baissons sournoisement les yeux vers nos pieds à chaque fois qu'une voiture passe. Le pub se trouve dans un coin calme où des tables et des bancs se partagent le trottoir. Quelques chiens patients aux poils longs sont attachés aux pieds des tables par leurs laisses en cuir savamment nouées. À notre arrivée, ils se lèvent pour nous saluer, pleins d'espoir. Robert Bass ouvre aussitôt la porte et balaie la pièce du regard pour

---

1. Robert Morue ? Aiglefin ? Merlu ? *(N.d.T.)*
2. Robert Bar. *(N.d.T.)*
3. Écrevisse Crawford. *(N.d.T.)*

s'assurer qu'il n'y a pas d'autres parents de l'école. Il semble très à l'aise dans l'art obscur du subterfuge.

Nous manquons d'êtres renversés par la clameur de centaines de conversations simultanées, noyées dans une vieille chanson d'Oasis. La dernière fois que je suis entrée dans ce pub, il y a six ans environ, il offrait encore un repoussant mélange de moquette crasseuse et de murs beiges recouverts d'une généreuse couche de nicotine jaune qu'on pouvait gratter avec l'ongle en laissant des traces blanches. Un nuage de fumée planait en permanence au niveau du plafond et les bancs qui longeaient les murs étaient recouverts de longs coussins défoncés. On n'y trouvait que du tabac à rouler, des tabloïdes et des beignets de crevettes.

Aujourd'hui, un parquet a remplacé l'affreuse moquette brune aux motifs géométriques criards. Des bancs et des chaises en teck accueillent une clientèle plus branchée et, au bar, on sert des chips à base de légumes. L'ensemble est plus moderne et plus sobre, quoique beaucoup moins chaleureux. Les bruits se répercutent sur les murs ripolinés, ignorant où s'engouffrer. Les clients, même ceux qui ont moins de trente ans, sont obligés de porter la main à l'oreille pour suivre leur conversation dans ce brouhaha.

Je repère un couple en train de libérer une table ronde dans un coin et me dirige vers un adorable banc qui doit avoir passé les deux derniers siècles dans une petite église de campagne. Cet objet me paraît aussi anachronique que nous ici. Des saints, en robe aux plis soigneusement sculptés, sont gravés sur le dossier et labourent l'arrière de nos têtes. Il est bas, étroit et terriblement inconfortable, ce qui nous condamne à une proximité physique immédiate. Nous nous appuyons l'un sur l'autre comme deux vieux arbres qui, au fil des années, ont été forcés à pousser dans cette promis-

145

cuité pour se soutenir mutuellement. Le seul problème, c'est qu'une fois dans cette position, nous ne pouvons plus bouger. Quand il croise les jambes, je perds mon équilibre et suis obligée de me pencher sur la table, déplaçant ainsi mon épaule, ce qui le déstabilise à son tour, manquant de le renverser par terre.

Robert Bass déclare qu'il fréquente rarement les bars car il ne supporte pas la fumée. J'abonde dans son sens en poussant mon paquet de John Player au fond de mon sac. En fait, il y a si longtemps que nous ne sommes pas allés dans un pub que nous restons un bon moment à observer les lieux.

— On n'a qu'à dire à Mère-efficace qu'on n'a pas envie de s'impliquer, dis-je, les yeux rivés sur un dessous de verre. C'est complètement absurde. Encore une de ces mères qui n'aurait jamais dû arrêter de travailler ! Elle a beaucoup trop d'énergie à revendre.

— En fait, la directrice m'a pris à part après l'élection pour me dire qu'elle nous serait très reconnaissante de rester dans l'équipe afin de « corriger les excès ». Ce sont ses mots, pas les miens, précise Robert Bass en construisant de son côté une structure compliquée avec les rondelles en carton. Elle pense que cela limiterait les dégâts. D'ailleurs, elle a voté contre votre rivale. C'est vous qu'elle voulait.

Je demande en essayant de dissimuler mon espoir :

— Alors on continue ?

— Oui. Elle veut organiser une réunion chez elle la semaine prochaine pour la fête de Noël. Nous pourrions nous y rendre ensemble.

Il esquisse un demi-sourire, comme pour se retenir de rire. Je n'ose pas lever les yeux vers lui car je sens un courant trop fort qui risquerait de m'entraîner on ne sait où si je le regardais en face. Faute de mieux, je commence à déchirer les bordures de mon dessous de verre.

Je sais qu'il m'observe. Je sens la chaleur de son visage brûler ma joue gauche. Le regarder en face nécessite une rotation d'à peine vingt degrés de ma tête. De petits mouvements sont parfois beaucoup plus significatifs que de grands gestes, surtout quand des gens mariés sont impliqués. Je me tourne vers lui et croise son regard. Nos yeux ne se quittent plus pendant un peu trop longtemps.

— Si nous nous penchons en même temps, je pense que nous arriverons à retirer nos manteaux sans risquer de tomber par terre, suggère-t-il.

Alors nous nous débarrassons de nos gros manteaux et de nos écharpes. Lorsque nous nous rassiérons, nos bras nus se toucheront forcément. Et ensuite, tout peut arriver.

Je propose d'aller chercher à boire et il décide d'appeler la fille au pair pour la prévenir qu'il rentrera tard. Sa femme est encore au travail.

— Elle termine rarement avant 22 heures et, le lendemain, elle franchit la porte dès 7 h 30. Parfois, je ne la vois pas pendant plusieurs jours et nous communiquons par e-mails ou en laissant des petits mots dans la cuisine.

Nulle trace d'amertume. Il énonce un fait, voilà tout. Une véritable relation virtuelle post-moderne.

Le dessous de verre repose en miettes sur la petite table. Il a été coupé en deux, puis déchiqueté en mille morceaux qui volettent sur le sol chaque fois qu'un client passe. Cela me rappelle une époque lointaine où je réduisais ces rondelles en carton en confettis pendant les conversations difficiles.

En me dirigeant vers le bar, je décide de ne pas téléphoner à ma belle-mère. Sans doute est-elle déjà couchée. Même si elle prétend ne jamais dormir avant notre retour, nous ne l'avons encore jamais trouvée debout les rares fois où nous avons dépassé le couvre-feu. De plus, un appel pour un changement minime dans notre organisation risquerait de provoquer une réaction disproportionnée.

Je me fraie un chemin parmi la foule pour accéder au bar, puis j'attends comme les chiens sur le trottoir, pleine d'espoir. Je sautille, agite les bras au-dessus de la tête, me perche sur le rail qui longe le zinc afin de gagner trente centimètres. En vain. Je suis toujours aussi invisible.

Une fille déboule à côté de moi. Elle doit avoir la vingtaine et porte une petite robe argentée avec des bottes sans collant, bien qu'on soit en plein hiver. Le barman vient immédiatement prendre sa commande. À côté de moi, un type téléphone tout en demandant ses boissons. Je jette un coup d'œil vers Robert Bass qui affiche une drôle d'expression. Il semble dubitatif. Je hausse les épaules et poursuis ma quête en restant plantée devant le bar. M'est-il déjà arrivé de déchiqueter un dessous de verre avec autant de frénésie ?

Comment se fait-il que je ne parvienne pas à rassembler les bribes de souvenirs sur ce qui s'est passé hier, alors qu'il me revient à l'esprit, dans le moindre détail, un incident qui remonte à une dizaine d'années ? Onze, exactement. Tom et moi venions d'emménager ensemble dans un appartement de l'ouest de Londres. Un soir, tout au début de notre installation, Tom était rentré très tard, légèrement ivre. Quant à moi, j'étais arrivée à la maison plus tôt que d'habitude. Comme je devais partir pour Manchester aux aurores, mes collègues de bureau m'avaient collée dans un taxi en m'ordonnant de me coucher tôt. Tom m'avait prévenue qu'il sortirait avec des amis. Rien de particulier, en somme. Nos vies étaient tellement trépidantes que nous

nous contentions d'en esquisser les grandes lignes, gardant les détails pour plus tard.

En atteignant le début de notre rue, je remarquai que celle-ci était bloquée par une voiture de police. Suite à un cambriolage près d'Uxbridge Road, nous avons été déviés vers une rue parallèle. Je n'aurais donc jamais dû m'y trouver. En longeant lentement cette rue en taxi, j'aperçus un couple qui s'embrassait, à peine dissimulé par un arbuste. L'homme était assis sur un muret devant une maison et avait attiré la femme entre ses jambes au point que leurs bustes fusionnaient complètement. Avant même de voir le visage du type, je sus que c'était Tom. Dans sa manière de lui caresser le dos, puis la nuque et la poitrine, je retrouvais cette économie de mouvement qui m'était familière. Sa complice se renversa en arrière de plaisir et il l'embrassa.

J'ai demandé au chauffeur de taxi de s'arrêter. Je devais passer un coup de fil de toute urgence. C'était le tout début du téléphone mobile et le mien était tellement grand qu'il cachait une grande partie de mon visage. Je me suis recroquevillée sur mon siège et ai appelé Cathy.

— C'est moi, ai-je murmuré.

Pourtant, il n'y avait aucun risque que Tom m'entende.

— Tu vas bien, Lucy ? s'inquiéta-t-elle.

— Euh, je suppose. Je suis dans un taxi en train d'observer Tom flirter avec une autre femme. Attitude très *très* intime, même, si on considère qu'ils font ça en public à moins de cent mètres à vol d'oiseau de notre appartement...

— Épargne-moi tes commentaires, Lucy ! Décris-moi exactement ce que tu vois !

— Eh bien, il embrasse une femme. Enfin, *je crois*

que c'en est une. L'inverse serait trop épouvantable. Je pense qu'une femme peut être bisexuelle, mais les hommes qui naviguent à voile et à vapeur sont tous homos, à quelques exceptions près...

— Lucy ! Je sais que ce n'est pas facile, mais cesse tes digressions !

Je recommence :

— Donc, il est en train d'embrasser une femme brune aux cheveux courts. Elle porte une minijupe en jean boutonnée sur le devant et des claquettes. Sa tenue ne laisse plus beaucoup de place à l'imagination. Le pire, c'est que ce genre de baiser annonce autre chose de bien plus intime ! Cela dit, c'est le genre de baiser qu'on échange seulement quand c'est encore tout nouveau, tout beau, tout excitant. Leur relation doit juste commencer. Ils sont en partie dissimulés par une haie. Je peux seulement imaginer le reste.

— Tu es sûre que c'est lui ? Avec ta myopie, tu sais...

— Mais oui, évidemment ! Je suis tellement près qu'en descendant la vitre je pourrais presque le toucher.

— C'est horrible. Quelle merde, Lucy !

— En plus de ça, elle incarne tout ce que je ne suis pas et je crois même la reconnaître. Je suis pratiquement certaine de l'avoir croisée à la soirée d'Emma le week-end dernier. Il me semble qu'elles travaillent ensemble.

— Se sont-ils parlé pendant cette soirée ?

— Eh bien, j'ai remarqué qu'il a discuté un bon moment avec la même femme, mais je ne me suis pas posé de question.

— Alors que comptes-tu faire ? Tu veux que je vienne ?

— Non, ne t'inquiète pas ! Je vais trouver une

solution. Je t'en ai simplement parlé pour m'aider à encaisser le choc. Je te rappelle demain.

Pendant quelques minutes, j'ai continué à fixer la haie, sachant que Tom et la femme se trouvaient juste derrière. J'étais terriblement tentée de descendre du taxi et de me planter à côté de la grille du jardin jusqu'à ce qu'ils remarquent ma présence. Je savais pourtant que, si j'entendais vraiment ce qui se passait, je me repasserais la scène en boucle, avec la bande-son en prime, et il me serait alors impossible de revenir en arrière. Entendre quelqu'un faire l'amour en stéréo s'avère bien pire que de le voir en film muet.

Alors voilà ce que j'ai fait, sans jamais en parler à personne : durant les mois qui suivirent, j'ai joué avec aplomb le rôle de la petite amie lésée, certaine de pouvoir recoller les morceaux si j'avais, moi aussi, un secret en guise de compensation.

Au lieu de rentrer à l'appartement, j'ai demandé au chauffeur de taxi de me ramener au bureau et de m'attendre pendant vingt minutes. Tout le monde était encore en train de boire de la piquette dans la salle de conférences du sous-sol, juste en dessous des studios. Nous nous retrouvions là tous les soirs après la fin de *Newsnight*, en compagnie des invités de l'émission, ingurgitant des vol-au-vent ramollis et des sandwichs rassis qui avaient attendu pendant des heures. Mes collègues ne furent pas surpris de me revoir et je sais que l'un d'entre eux s'en réjouissait secrètement.

Maintenant que cet homme est devenu un réalisateur de cinéma relativement célèbre, il me semble injuste de mentionner son nom. Si étonnant que cela puisse paraître aujourd'hui, à cette époque nous étions deux producteurs de la BBC, entretenant le genre de relations professionnelles qui naviguent entre concurrence ouverte et flirt impudent. Cette soirée m'avait particulièrement éprouvée. J'avais rendu l'enregistrement sur les immigrés clandestins découverts morts dans la remorque d'un camion deux minutes avant la diffusion de l'émission, battant cet homme à plates coutures en lui piquant l'ouverture du journal et récoltant ainsi les félicitations de notre direction.

Je suis donc revenue au bureau avec une énergie nouvelle, étrangement euphorique, sans doute suite à la poussée d'adrénaline due au choc de la scène que j'avais surprise quelques minutes plus tôt. L'homme est venu à ma rencontre et nous avons repris la conversation là où nous l'avions laissée moins d'une heure avant. Il devait partir le lendemain pour une semaine au Kosovo.

— Je sais que cela peut sembler un peu direct, mais tu n'aurais pas envie de m'accompagner chez moi ? a-t-il demandé juste après mon arrivée.

Pas de préambule. Nous nous sommes embrassés et caressés du mieux que nous avons pu à l'arrière du taxi qui nous conduisait chez lui, les yeux rivés sur le rétroviseur. Puis nous nous sommes glissés dans sa chambre discrètement afin d'éviter que ses colocataires ne nous voient. Il avait une petite amie – qui par la suite est devenue sa femme – mais à l'époque ils ne vivaient pas ensemble.

Nous avons fait l'amour plusieurs fois, emportés par la passion de tous ces mois de flirt débridé et la certitude que cela ne se reproduirait plus jamais. Puis il m'a déclaré qu'il pensait être amoureux de moi et je lui ai répondu qu'il aimait toutes les femmes et qu'il m'oublierait vite dans la mesure où il retrouverait bientôt sa traductrice kosovare. Il a eu l'air déconcerté parce qu'il ne se souvenait pas de m'avoir parlé d'elle. J'en ai profité pour appeler un taxi.

Quand je suis finalement revenue à notre apparte-

152

ment, Tom était couché, semblant s'être profondément endormi. Sa chemise était soigneusement pliée sur la chaise et, quand je me suis penchée pour sentir sa nuque, l'infect relent d'Opium m'a agressée, toile de fond olfactive de tant de liaisons des années quatre-vingt-dix. Il m'a prise dans ses bras avec effusion et nous avons fait l'amour. Aucun d'entre nous n'a demandé où l'autre avait passé la soirée. Les trois semaines suivantes, j'ai eu peur d'être tombée enceinte, que Tom ne soit pas le père, que quelqu'un découvre le pot aux roses. On ne peut plus angoissée, je me suis juré de ne plus jamais me fourrer dans ce genre de pétrin car, contrairement à Emma qui réussit toujours à gérer des liaisons triangulaires voire hexagonales, j'étais incapable d'assumer. La monogamie, finale-ment, me convenait beaucoup mieux.

Le lendemain, j'ai fouillé les poches de Tom et y ai trouvé un numéro de téléphone gribouillé d'une écriture enfantine sur un bout de papier. Comme il comportait le même préfixe que celui d'Emma, je l'ai appelée, lui ai expliqué la situation et elle m'a donné le nom de la jeune femme en question : Joanna Saunders. Elle m'a appris qu'elle travaillait dans le service consa-cré aux matières premières. Ce jour-là, j'ai compris qu'il n'était pas difficile de haïr une personne qu'on n'a jamais rencontrée.

Emma, qui avait déjà accédé à un poste important et avait gravi quelques échelons de plus dans la hiérarchie que Joanna Saunders, m'avait organisé un déjeuner d'affaires avec ma rivale, en me présentant comme une spécialiste des marchés à terme et une source intéressante d'anecdotes financières.

Je suis entrée dans le pub en affichant un sourire figé que j'avais longuement répété devant un miroir et me suis installée en face d'elle, à une petite table ronde. Avant même qu'elle me tende la main et se présente, j'ai reconnu son parfum. Une infection ! Le cœur au bord des lèvres, j'ai décidé de ne pas y aller par quatre chemins. Dans ce genre de situation, inutile de tourner autour du pot !

— Je suis Lucy, la petite amie de Tom.

Je n'avais jamais vu personne d'aussi surpris. Son visage s'est aussitôt fragmenté en petits morceaux, arborant un nombre incalculable d'émotions en un temps record, au point que je me suis demandé s'il se reconfigurerait de nouveau un jour.

— Inutile de mentir ! Je vous ai aperçus l'autre soir. Alors dites-moi ce qui se passe. Je ne veux pas faire de scène et je suis certaine que vous non plus, dans la mesure où nous sommes cernées par vos collègues.

Histoire d'enfoncer le clou, j'ai agité la main vers Emma qui déjeunait à l'autre bout du pub avec des amis.

Joanna m'a raconté qu'ils s'étaient rencontrés à la soirée d'Emma.

— Désolée, mais je veux des détails.

— C'était la première fois que nous nous voyions.

Je me suis surprise à admirer sa peau, très claire, presque translucide. Ses lèvres pleines et sensuelles aspiraient un Coca light par une longue paille rose. Ses cheveux étaient coupés au carré mais assez ébouriffés et elle n'arrêtait pas de repousser une mèche rebelle. Elle portait un manteau d'un vert petit pois doublé rose bonbon et j'ai dû faire appel à toute ma dignité pour ne pas lui demander où elle l'avait acheté.

— Saviez-vous qu'il avait une petite amie ? ai-je demandé en serrant mon verre de vin si fort que je risquais de le briser.

— Oui, il m'a dit que vous habitiez ensemble et que vous alliez probablement vous marier.

154

J'en restais baba, mais poursuivis :

— Avez-vous couché ensemble ?

— Oui, admit-elle sans lever les yeux. Il m'a appelée quelques jours après la soirée et nous avons pris des verres dans un pub près de chez moi, puis il est venu à mon appartement pour y rester jusqu'à 3 heures du matin.

Je tentais de déterminer le jour où cela avait pu se produire et mourais d'envie de sortir mon agenda pour en avoir le cœur net.

— Combien de fois avez-vous fait l'amour ?

Ma question était un brin maso, mais il y avait quelque chose de rassurant de pouvoir établir tous les faits avec précision, comme si cela permettrait de donner du sens à cette situation.

— Je ne me souviens pas. Voulez-vous vraiment savoir tout cela ?

— Avez-vous fait l'amour l'autre soir ?

— De quoi parlez-vous ?

— Je vous ai vus dans la rue, juste derrière la station de métro.

— Ce n'est pas l'envie qui nous manquait, mais les propriétaires de la maison nous ont interrompus. Tom a d'ailleurs dit qu'il devait rentrer car vous n'alliez pas tarder.

Cette fois, une lueur de défi a traversé son regard, le genre de regard que lance une femme à une autre quand elle sait qu'elle tient des atouts en main.

Là, j'ai ramassé mon sac à main, pris mon mobile et appelé Tom.

— Il y a quelqu'un ici qui désire te parler !

Puis j'ai passé le téléphone à Joanna, devenue livide.

— Allez, à votre tour ! ai-je insisté.

— Salut, Tom. Je... hum... je suis en train de déjeuner avec ta petite amie. Je pense que tu ferais mieux de venir ici immédiatement parce que je ne vois pas comment gérer cette situation.

Dix minutes plus tard, Tom a poussé la porte du pub. Emma l'a accueilli et escorté jusqu'à la table où j'étais installée avec Joanna Saunders. Je lui ai servi un verre de vin.

— Lucy, je pense que nous devrions parler de cela ailleurs, en tête à tête, tu ne crois pas ?

Pâle comme un linge, il se savait coincé.

— Et moi, je crois qu'il vaudrait mieux crever l'abcès ici et maintenant, pendant que nous sommes tous présents. De plus, si d'aventure vous étiez tentés de refaire l'amour ensemble, je tiens à ce que cet instant reste gravé dans vos mémoires et que cela calme vos ardeurs. Les fins heureuses exigent de bons commencements. Et ceci n'en est pas un.

Joanna Saunders s'est tassée sur son siège tandis que moi, je déchiquetais nerveusement mon dessous de verre.

Tom avait l'air désespéré.

— Lucy, je suis vraiment désolé. Ça ne voulait rien dire. Un moment de folie. Ça ne se reproduira plus.

Je n'ai pas pipé mot.

— Tu étais toujours absente, sur tes tournages. Notre couple partait à la dérive. Ne me dis pas que toi, tu n'as jamais été tentée.

— Je l'ai été, mais j'ai toujours su résister. Voilà la différence. Il n'y a pas de zone grise dans l'infidélité.

Je crois que c'est le plus gros mensonge que j'aie jamais proféré et je savais qu'il me faudrait un jour payer l'addition. Je ne voulais simplement pas faire les comptes tout de suite. Or l'instant propice à ce genre de confession ne s'est jamais présenté et, le temps passant, les choses se sont tassées. Semer le trouble n'aurait servi à rien. Et puis je me suis habituée à voir Tom essayer de se racheter. Il est plus simple de jouer le rôle de la victime que celui du bourreau. Et si je n'avais pas eu moi aussi mon secret, je ne le lui aurais peut-être jamais pardonné.

— Qu'est-ce que vous voulez, ma petite ? Vous allez commander à boire ou rester plantée là comme un piquet ?

Le meilleur moyen de se faire servir dans un bar londonien, c'est de prendre un air nonchalant et d'esquisser quelques gestes avec les mains.

— Un verre de vin et deux bières, s'il vous plaît.

Mon efficacité m'épate et je me demande depuis quand on ne m'a pas appelée ma petite.

— Quelle sorte de bière ?

— Qu'est-ce que vous avez ?

— Brune, blonde ou amère.

— Les hommes commandent quoi, d'habitude ?

Il me considère, perplexe.

— Eh bien, c'est une affaire de goût. Adnams, IPA, Stella... ce que vous voudrez. Votre petit ami boit quoi normalement ?

— Ce n'est pas mon petit ami.

J'ai adopté un ton glacial. Il jette un coup d'œil à mon alliance.

— Votre mari, alors.

— Ce n'est pas mon mari non plus.

Il hausse un sourcil interrogateur.

— Le genre d'homme à aimer la blonde ? insiste-t-il patiemment.

— J'ignore quel genre d'homme c'est. Donnez-moi deux bocks de celle-ci, ça ira.

J'accompagne ces mots d'un geste vers le robinet le plus proche.

C'est ainsi que je reviens à notre table en tenant

157

trois verres contre ma poitrine, songeant à l'instant où je vais m'asseoir et où nous nous toucherons. Chair contre chair. L'étroitesse du banc rend le contact inévitable. Je me fais l'effet d'une affamée devant un mets délicieux, repoussant le moment de cette première bouchée, consciente que la suivante ne sera ni aussi bonne ni aussi satisfaisante.

— Merci, c'est très gentil, dit Robert Bass.

Je pose les boissons puis contourne la table pour m'asseoir sur le banc. Je croise les jambes, place mon avant-bras gauche le long de ma cuisse et me laisse aller contre le dossier, me cognant la tête contre le pied acéré d'un des petits personnages sculptés dans le bois. C'est saint Eustache, le patron des situations désespérées.

Robert Bass est occupé avec ses deux bières. Un instant, je crains qu'il se mette à les aligner, à vérifier la distance entre chaque verre, comme le ferait Tom. Non pas parce que les manies de Tom m'agacent, mais parce que je n'ai aucune envie de penser à lui pour l'instant.

On dirait qu'il les arrange au hasard. Puis je me rends compte qu'il les déplace afin de pouvoir les saisir avec sa main gauche. En observant les muscles de son bras droit, légèrement plus développés, j'en déduis qu'il est tout sauf gaucher. Ce qui signifie que l'enchaînement des mouvements qui en résulte, laissant son bras droit parallèle au mien, est prémédité. La subtilité de tout cela m'émerveille.

Un besoin viscéral de contact se fait ressentir, comme si nous ne pouvions seulement nous détendre qu'une fois cet obstacle dépassé. Je sens la chaleur irradier de son bras et du moindre de ses mouvements. J'arrive même à suivre le rythme de sa respiration. J'attends qu'il expire pour que les poils de son bras caressent la peau sensible de mon avant-bras et, chaque fois qu'il s'éloigne de moi en inspirant, j'ai l'impression d'être abandonnée.

Aucun de nous deux ne devrait se trouver ici. Maintenant que je suis installée à cette table, je suis certaine qu'il n'y a pas de place pour ce genre de situation dans un mariage. Boire un verre avec un quasi-étranger dans un endroit essentiellement choisi pour ne croiser personne de notre connaissance... Je me retrouve en eau trouble, m'éloignant irrémédiablement de la berge. Pourtant, cette sensation n'a rien de déplaisant.

— Alors, comment ça se passe, pour le bouquin ?

J'ai posé ma question en tirant sur une grosse mèche que je passe entre mon nez et la lèvre supérieure, une habitude contractée lors des révisions d'examens, durant mes études.

Il faut que j'arrive à trouver d'autres sujets de conversation, mais celui-ci devrait l'occuper un bon moment.

Il baisse les yeux sur sa bière.

— Ne m'en parlez pas ! J'ai surmonté la dernière crise, mais je me suis embourbé dans une nouvelle galère.

— C'est quoi, cette fois ?

— Cela vous intéresse réellement ? Je vous promets de ne pas me vexer si ce n'est pas le cas, dit-il sans attendre ma réponse. J'écris un chapitre sur l'influence des bouleversements politiques en Amérique latine sur le cinéma des années quatre-vingt.

Je reste silencieuse car son bras repose fermement contre le mien et je crains qu'il le déplace si j'ouvre la bouche. Est-il aussi conscient que moi de cette proximité ? Il pourrait songer à des tas d'autres choses... Ce pub surchauffé semble soudain receler d'innombrables possibilités. J'essaie de me concentrer.

— Il y avait aussi quelques films latino-américains très connus comme *La Version officielle* primée aux Oscars et que je dois absolument mentionner. Il s'agit d'une femme qui découvre que son bébé adopté a été volé à sa mère, elle-même enlevée par les militaires. Sans parler des incontournables films hollywoodiens comme *Salvador* d'Oliver Stone, particulièrement intéressant, vu l'implication actuelle du gouvernement des États-Unis en Amérique centrale. Mais faut-il que j'analyse aussi l'approche culturelle et politique des réalisateurs européens qui se sont inspirés des mêmes événements ?

— C'est très intéressant, dis-je plutôt distraitement.

Des silences plombent l'atmosphère et je décide de retourner au bar en quête de chips.

En revenant, je note qu'un siège a été ajouté à notre table. Déjà animée d'un instinct de propriétaire vis-à-vis du territoire que nous nous sommes approprié, je me demande d'où il peut provenir. C'est alors que je remarque une veste en peau de mouton posée dessus.

— Nous ne sommes pas seuls, me confie Robert Bass.

Mère-parfaite n° 1 apparaît et s'installe. Inutile de préciser que son étroit postérieur ne dépasse pas l'assiette du tabouret et qu'elle porte un chemisier blanc dont le profond décolleté met joliment en valeur ses atouts.

— Pour répondre à votre question, je pense que vous devriez inclure les deux. Votre livre s'adresserait ainsi à un plus large public et, étant donné ce qui se passe en Irak en ce moment, cela permettrait de rappeler les cafouillages de la politique étrangère des États-Unis.

Quelle réponse géniale ! Je suis plutôt fière de moi. Il me sourit.

— Alors je le ferai. J'avais besoin de quelqu'un pour corroborer mon opinion. Merci.

— Oh, une rencontre de grands esprits, à ce que je vois ! déclare Mère-parfaite n° 1 en fixant nos bras. Mmmm, ça m'a l'air très sympa, très amical, n'est-ce pas ?

Je fais de mon mieux pour m'écarter de Robert Bass.

— Tiens, je vais commander du champagne ! annonce-t-elle.

— Ils n'en servent sans doute pas au verre dans un pub, dis-je.

Même si ce lieu peut paraître un brin décalé pour nous, au moins nous fondons-nous relativement bien dans le décor. Pour Mère-parfaite n° 1, c'est une autre affaire.

Elle fait un signe de la main pour essayer de commander des boissons, puis offre à la jeune fille à la robe argentée un pourboire pour qu'elle apporte son manteau au vestiaire. Je me ratatine de honte pour elle.

— En fait, j'envisageais de commander une bouteille ! précise-t-elle, tout excitée. Je sais qu'il n'y a rien de particulier à fêter, mais nous devrions compatir à nos malheurs avec classe.

Sur ces mots, elle se lève pour aller au bar.

— La multitude est gage de sécurité, je suppose, soupire Robert Bass.

— Pas pour les moutons, dis-je en indiquant le manteau.

Il éclate de rire.

— C'est en passant en voiture qu'elle nous a vus entrer dans le pub. Sur un coup de tête, elle a décidé de se joindre à nous, m'explique-t-il avec un haussement d'épaules. Elle appuyait vraiment votre candidature pour les élections. Quand Mère-efficace a déclaré que vous étiez du genre à donner un Snickers

à un enfant allergique aux cacahuètes, elle est interve-
nue pour dire qu'on pouvait peut-être vous faire des
reproches mais pas celui d'être une mère inattentive, et
que vous avez changé plus de couches qu'elle n'avait
mangé de tranches de pain.

— C'est sans doute vrai. Ça fait des années qu'elle
suit un régime sans gluten. Et vous, qu'avez-vous dit ?

— Rien.

Je dois sembler déçue car il ajoute :

— J'avais peur qu'on puisse imaginer...

Puis il s'interrompt et je le fixe. Il faut absolument
qu'il termine sa phrase, sinon je risque de passer la
nuit et le reste de la semaine à essayer de remplir
les blancs.

—... imaginer que je...

Mais, comme moi, il est cloué sur place par le
comportement de Mère-parfaite n° 1. Éberlués, nous
voyons la foule s'écarter comme par magie pour lui
permettre d'accéder au bar puis un barman s'empresse
aussitôt de prendre sa commande. Tous ces gens ont
reconnu une créature étrangère à leur milieu. Elle
revient vers nous les mains vides et je compatis.

— Ce gentil garçon s'occupe de tout, déclare-t-elle
en affichant un sourire radieux.

Et, quelques minutes plus tard en effet, le barman
apporte un plateau sur lequel trône une bouteille de
champagne qu'il débouche avec sollicitude. Et un
paquet de cigarettes.

— J'espère que cela ne vous ennuie pas que je me
joigne à vous. Après cette débâcle, j'avais besoin de
me détendre un peu. Avez-vous rappelé votre amie en
détresse ? Elle nous doit à tous un pot. Si vous n'aviez
pas disparu, on aurait fait un malheur !

Robert Bass se tortille sur sa chaise, mal à l'aise,
et un fossé se creuse entre nos avant-bras. Incapable

162

de deviner ce qu'il lui a déjà révélé, j'opte pour une réponse minimum.

— Elle me rappellera plus tard.

Je résiste à l'envie d'entrer dans les détails. Bien que Mère-parfaite n° 1 fasse partie de ces femmes très pudiques sur leur propre vie, elle a le don troublant d'entortiller les gens pour qu'ils se livrent aux pires indiscrétions avant de désapprouver leur incontinence émotionnelle.

Elle n'est pas hostile. En fait, elle se montre toujours polie et attentive. Pourtant, cela m'étonnerait qu'elle s'intéresse réellement à nous ! L'esprit de compétition la démange probablement, mais je ne suis ni riche, ni belle, ni assez mince pour être considérée comme une rivale potentielle. Je ne suis pas très à l'aise avec toutes ces conventions sociales, qui impliquent un protocole compliqué dont j'ignore tout. Pour assurer un look branché, par exemple, dans quelle proportion faut-il mélanger du Top Shop[1], du designer et du vintage ? Je ne saurais dire si elle a les reins solides, n'étant guère plus renseignée sur les méandres de sa vie qu'à l'époque de notre première rencontre, il y a un an. Rares sont en tout cas les manifestations d'une vie intérieure intense. Le script de sa vie est peut-être très sommaire. Pas de temps morts. Pas de doutes.

J'avais l'habitude de me cramponner aux quelques miettes qu'elle me jetait, cherchant les indices susceptibles de trahir une crise profondément enfouie en elle. Mais je me vois mal la bombarder de questions pour m'assurer que les rénovations à la fois drastiques

---

1. Chaîne anglaise de boutiques de prêt-à-porter, très branchée, dont les collections sont partiellement renouvelées toutes les semaines. Le magasin d'Oxford Circus, à Londres, est le plus grand temple de la mode du monde. *(N.d.T.)*

et fantasques de son intérieur reflètent en réalité une remise en question de son bonheur.

Ce soir, je remarque qu'elle porte un bandage sur la paume de sa main gauche. Ses mains sont fines, limite squelettiques, et sa peau tellement translucide qu'on devine aisément leur structure osseuse. On a presque envie de les prendre pour les caresser.

— Comment vous êtes-vous fait cela ?

Allais-je récolter les indices d'un drame caché ?

— C'est un peu embarrassant, confie-t-elle sur un ton de conspiration.

Je me penche vers elle, prête à recueillir les détails les plus intimes.

— Mon mari doit se rendre à Bruxelles pour quelques jours, alors il m'a invitée à dîner chez Ivy. En essayant de casser une pince de crabe particulièrement récalcitrante, mon couteau a glissé et je me suis égratigné la main.

Elle éclate de rire. J'essaie de déguiser ma déconvenue.

— Quelle malchance ! dis-je. Comment s'est passée votre journée ?

— Oh, j'ai abattu un boulot fou, fou, fou !

J'ai déjà remarqué que Mère-parfaite n° 1 répète souvent les mots trois fois. Surtout les adjectifs. J'en ai déjà discuté avec Tom. Tout en concédant qu'un tel tic pouvait être une stratégie efficace pour éluder les questions, il avait refusé de pousser l'analyse plus loin. Il avait simplement déclaré : « Elle a un joli petit cul, c'est tout ce que j'ai besoin de savoir sur cette femme ! »

Donc, elle était très prise… Je veux des détails :

— Mon Dieu, mon Dieu, mon Dieu ! Et qu'avez-vous donc fait ?

Amusé par mes clowneries, Père-au-foyer-sexy réprime un sourire.

— J'ai couru toute la journée pour essayer de mettre certaines choses en route, de tout organiser, de faire avancer les projets, explique-t-elle.

Puis, me voyant toujours insatisfaite, elle continue :

— J'ai pris une leçon de boxe française avec mon entraîneur personnel beau comme un dieu, déjeuné avec une amie et, pour finir, j'ai fait un saut à l'appartement que nous avons acheté pour placer notre argent. Je tenais à vérifier que la décoratrice respectait bien le calendrier.

Ah, je me disais bien… Cette femme mène sûrement une existence assez enviable. Mère-parfaite n° 1 représente peut-être le résultat logique de l'évolution de la femme au foyer des années cinquante. Elle incarne tous ces vieux symboles domestiques : une maison immaculée, des draps empesés et impeccablement repassés, des bambins aux joues roses attablés devant des petits plats mitonnés. Elle paie simplement d'autres personnes pour s'en occuper et les regarde faire, spectatrice de sa propre vie.

Déléguer ! Voilà le maître mot ! Avoir un revenu assez conséquent pour assurer ce style de vie n'est qu'un détail mineur. L'argent ne peut pas acheter l'amour, mais il peut vous procurer du temps et de la jeunesse, ça oui. Un tour à la gym, des expéditions dans les boutiques à la mode, des cures d'aromathérapie. Je pense que je serais parfaite dans ce rôle. Naturellement, cela demanderait quelques sacrifices. Plus de chocolat, par exemple. Enfin, ce ne serait pas cher payé.

— Alors, avez-vous rappelé votre amie ? insiste Robert Bass en se tournant vers moi. Assez étonnante, cette conversation que vous avez eue avec elle. Vous vous faites une drôle d'idée sur ce que désirent les hommes mariés !

J'éloigne mon bras du sien et lui en veux de mettre Mère-parfaite n° 1 au courant des détails de ma conversation dans les toilettes. En partie parce que cela suppose un degré d'amitié avec elle que je n'ai pas encore atteint, mais aussi parce que je connais le plaisir vicieux qu'elle tirera des secrets sordides de quelqu'un d'autre. Ensuite, je commence à me demander si Robert n'a pas manigancé cette irruption impromptue pour éviter de se retrouver seul en ma compagnie.

— C'est assez compliqué, dis-je en essayant de ramener la situation sur un terrain plus sûr.

Comme sujet de conversation, il doit exister un juste milieu entre les ménages à trois et la vie trépidante de Mère-parfaite n° 1, saupoudrée de cours de yoga et d'aspartame.

— Elle sort avec un homme marié.

— Marié-marié ? demande Mère-parfaite n° 1.

— On est marié ou on ne l'est pas, non ? Il ne devrait pas y avoir de nuances dans ce genre de situation.

Mais tout en prononçant ces mots, je ne suis pas certaine d'approuver mes propres théories. Ma boussole morale est sérieusement démagnétisée. Aurais-je perdu le nord ?

— Bon, OK ! Puisque vous voulez tout savoir, cet homme a une épouse, quatre enfants et plus de dix ans de mariage !

— Comme moi, réplique-t-elle en souriant. Et vous. Sauf que vous avez un enfant en moins. Sa femme est au courant ?

Pas la moindre idée.

— Je ne pense pas qu'elle s'en doute. Elle me fait de la peine. Elle doit être tellement débordée avec tous ses gamins qu'elle a été obligée de mettre son mari en veilleuse pour s'en occuper plus tard, quand elle sera moins fatiguée. Il ne vous arrive jamais d'avoir envie d'appeler le numéro d'urgence des personnes disparues pour signaler votre propre disparition ? À l'aide je ne sais plus où j'en suis ! Je me suis mariée, j'ai eu des enfants, j'ai renoncé à mon travail, rendu tout le monde autour de moi heureux puis j'ai disparu. Je vous en prie, envoyez-moi une équipe de secours !

Elle me considère avec étonnement.

— C'est toujours une mauvaise idée de négliger son mari. Les hommes ne supportent pas d'être délaissés. Ils s'égarent. Voilà pourquoi mon mari et moi passons tous les ans deux semaines dans les Caraïbes en tête à tête. Tout le monde devrait suivre notre exemple, ajoute-t-elle d'un ton péremptoire.

— Tout le monde n'en a pas forcément les moyens financiers, intervient Robert Bass avec diplomatie. Ou la possibilité de faire garder les enfants.

— Quand on a des gamins, les maris tombent de plus en plus bas dans l'ordre des priorités. Plus bas que les animaux de compagnie. Plus bas que le poisson rouge, dis-je non sans une certaine lassitude.

Robert Bass ne dit plus un mot. La boucle est bouclée. Nous sommes revenus au point de départ... au poisson.

— Bien sûr, l'infidélité pourrait être vue comme un acte de fidélité envers soi-même, lâche-t-il finalement sans lever les yeux.

— Un peu radical comme concept, non ? dis-je en fixant la bouteille de champagne vide.

— Et si nous allions nous coucher ? Je peux vous raccompagner tous les deux si vous voulez, propose Mère-parfaite n° 1.

Elle nous considère d'un air soupçonneux, comme si elle avait deviné que cette conversation cachait des non-dits dont le sens lui échappe.

Chapitre 9

« Une conscience coupable
n'a pas besoin d'accusateur. »

La Mélodie du bonheur passe à la télé et les enfants se chamaillent parce que Joe veut revoir la scène où les nazis essaient de capturer la famille von Trapp.

J'entends Sam qui lui crie, impatient :

— Joe, rien ne va changer ! Ce sera pareil. Ils réussiront toujours à s'échapper. Même si tu le regardes cent fois, tout se passera chaque fois de la même manière.

— Mais la couleur de leurs uniformes a changé. Ils étaient vert foncé et maintenant ils sont vert clair ! proteste Joe en serrant le poste dans ses bras pour empêcher Sam de l'éteindre.

— Ça, c'est parce que maman s'est assise sur la télécommande et a déréglé certains boutons ! hurle Sam.

— Donc les choses changent ! Je veux le regarder une dernière fois pour voir si les nazis ne les attrapent pas, finalement, insiste Joe en mâchonnant la manche de sa veste de pyjama.

C'est une habitude récente mais tous les poignets de ses chemises et de ses pulls sont déjà en lambeaux.

— Si les nazis les avaient capturés, ce ne serait pas un film pour les enfants et maman ne nous laisserait pas le regarder, affirme Sam en essayant de le calmer avec un raisonnement logique plutôt qu'en utilisant la force brutale. Personne ne trahira les von Trapp.

Fred se cache derrière le canapé. Quand je suis entrée dans la pièce, il jouait sagement avec ses tracteurs. Tout en sachant que les tout-petits trop silencieux fonctionnent comme des bombes à retardement, je décide de courir le risque et d'en profiter pour répondre à la pile de courrier qui s'est formée ces dernières semaines. Je m'occuperai des conséquences plus tard.

Pour éviter de perturber Tom, je rassemble toujours les enveloppes qui s'entassent sur la console de l'entrée et les fourre dans le tiroir du haut de mon bureau jusqu'à ce qu'il soit rempli. C'est seulement là que je m'attaque au problème. Tom n'approuverait pas ma méthode. Pourtant, sa simplicité a ses mérites : elle me permet de censurer tout courrier susceptible de conduire à un contentieux.

Je me demande si je devrais intervenir dans la dispute à l'autre extrémité de la pièce. Dois-je suivre la névrose de Joe et l'autoriser à revenir en arrière ou l'obliger à capituler devant Sam ? Je sais que toute implication dans un éventuel processus de paix me coûtera du temps : faire une partie de petits chevaux, lire des histoires, imiter la voix de Popeye... Je suis invitée à un dîner dans le nouvel appartement d'Emma dans moins d'une heure, alors je les ignore. Si je pouvais disparaître deux heures chaque jour, j'avancerais sérieusement dans mon travail.

Installée à mon bureau, j'essaie d'imposer un semblant d'ordre au chaos des factures non ouvertes, des relevés de banque et autres enveloppes anonymes avant que Tom ne revienne d'Italie, tard ce soir. C'est un véritable pensum. Depuis le verre partagé avec Robert Bass un peu plus tôt dans la semaine, je souffre de bouffées de culpabilité. Je n'ai pas menti à Tom. Mais j'ai économisé la vérité. S'il me demande ce que j'ai fait lundi soir, que répondrai-je ? Que j'ai initié une situation me permettant de m'asseoir à côté d'un homme qui me trouble au point d'avoir la chair de poule chaque fois que nos peaux se touchent ? Que je suis impatiente de revoir ce même homme plus tard dans la semaine ? Que j'aimerais que cette attirance soit réciproque ?

J'avais relégué Robert Bass au rang de fantasme, de distraction salutaire, aussi inoffensive qu'une plante égayant la grisaille de Londres par ses couleurs. Mais je réalise qu'il est malhonnête de le comparer à l'hamamélis qui fleurit notre jardin. Et puis il y a les enfants. Mon esprit s'emballe, ce qui lui arrive systématiquement quand des émotions déplaisantes le prennent d'assaut. J'imagine mes garçons adultes, racontant à leurs petites amies les infidélités de leur mère et les conséquences qu'elles ont eues sur leur incapacité à poursuivre des relations stables et durables avec les femmes, l'inévitable impact sur leurs enfants, sur leurs petits-enfants ainsi que toutes les générations à venir, imprimant durablement cette tare dans leur code génétique.

Ne trouvant pas de solution à ce dilemme, je m'efforce de me concentrer sur ma tâche et forme trois piles de papiers. La première est composée du courrier destiné à Tom, la seconde des factures qui doivent être payées au plus vite et la troisième du courrier dont je m'occuperai plus tard, voire jamais. Celle-ci retourne dans le tiroir. Je me souris, anticipant la réaction de Tom quand il découvrira son courrier si joliment entassé.

Puis la culpabilité reprend le dessus. Et dire qu'un acte si simple lui apporte autant de plaisir ! Sur bien des plans, Tom est facile à contenter. Il aurait été plus heureux en ménage avec une femme d'un tout autre genre que moi. S'il avait épousé sa mère, par exemple.

Dans un tiroir du bas du bureau, je fourre les enveloppes que je ne veux surtout pas que Tom découvre : les frais de retard de paiement, les contraventions et les relevés de comptes de crédit. À ce jour, je me retrouve avec sept cartes de crédit différentes. Il n'y a pas de quoi être fière ! À ma décharge, je dois reconnaître que je suis devenue assez habile pour jongler entre les comptes en traquant les meilleurs taux d'intérêt sur Internet. Après une journée assez fructueuse de chaises musicales entre les diverses dettes, je me surprends en train de faire mon rapport à Fred sur le chemin de retour de l'école : ai transféré Amex sur Visa, Visa sur Master Card et Master Card sur Amex. Je fredonne à haute voix, calant la mélodie sur mon humeur. En ce moment, c'est « Vive le vent »… J'ai l'impression d'être un gros bonnet de la Cité, négociant des dettes sur le marché international. Acheter. Vendre. Attendre.

Les contraventions restent un point noir. La semaine dernière, un huissier a sonné à notre porte pour une assignation concernant un PV que j'avais chopé il y a deux ans. Tom était resté à la maison pour travailler sur les plans d'un nouveau projet. L'huissier – un type plutôt bien bâti – portait un costume mal coupé en polyester. Quand il a sorti un stylo de sa poche intérieure pour me faire signer l'accusé de réception, le frottement contre la doublure a même provoqué de petites étincelles…

Ce n'était pas un homme désagréable, plutôt placide, avec des yeux de cocker. On ne voyait aucune trace de tout ce stress et de cette agressivité que son métier ne manque pas de générer. Son visage paraissait presque serein. Le mien, en revanche, était chiffonné d'inquiétude. Non pas à cause des conséquences de la poursuite judiciaire, mais de la réaction de Tom devant l'étendue de ma forfaiture financière.

Ainsi, quand j'ai entendu ce dernier remonter de la cuisine pour voir qui avait sonné, j'ai persuadé l'huissier de se faire passer pour un témoin de Jéhovah, ce qu'il accepta de bonne grâce. Il semblait parfaitement à l'aise dans son nouveau rôle.

— Quand viendra l'Apocalypse, déclama-t-il en regardant Tom toujours en pyjama, seuls les élus seront sauvés. En tant que pécheur, vous pouvez vous repentir, mais seulement si vous avez réglé vos arriérés de contraventions de stationnement.

Tom eut l'air vaguement amusé et se gratta la tête, ébouriffant sa tignasse noire.

— Il y a certainement des péchés plus graves, dit-il. Et la probabilité statistique pour que l'un des élus soit un contractuel est infinitésimale...

Je repoussai Tom en arrière en chuchotant :

— Il vaut mieux ne pas se lancer dans la discussion, sinon il ne partira jamais. Retourne à ton travail, je vais m'occuper de ça.

Puis je revins à la porte et signai les assignations.

— Cela ne me regarde pas, commença l'huissier, mais je pense que vous devriez mettre un peu d'ordre dans tous ces arriérés, madame Sweeney. Ce doit être très stressant d'avoir à cacher ce genre de chose à son mari.

— Oh, ne vous inquiétez pas, je le fais tout le temps. Les femmes sont très douées pour jongler avec les mensonges.

Il secoua la tête, souleva le rabat de son porte-

172

documents fatigué, fourra les papiers dedans, le rabaissa et me serra la main.

Je sais qu'il me faudra un jour consulter quelqu'un d'aussi rationnel qu'Emma, qui n'a jamais de découvert, pour lui demander conseil. Ou au moins additionner tous les PV et les tickets de cartes bleues afin de déterminer la somme exacte que je dois. Mais je suis incapable d'affronter cette situation. Cela fait si longtemps que j'accumule ces dettes. Je n'arrive même plus à me rappeler quels achats impulsifs ont provoqué ce cercle vicieux catastrophique. Ça fait belle lurette qu'ils doivent être partis à la poubelle.

— Maman, c'est vrai que les nazis ne prendront jamais Maria ? demande Joe du canapé, inquiet.

Je le rassure de l'autre bout de la pièce, espérant mettre un terme à la dispute.

— Oui, elle est bien trop gentille !

— Maman, tu crois qu'un jour je pourrai me faire un costume de nazi avec les rideaux de la chambre ? s'enquiert-il encore.

— Bien sûr, mon chéri, dis-je distraitement en cachant des enveloppes au fond du tiroir, derrière les catalogues de vente par correspondance.

— Il vaudrait peut-être mieux que Joe ne regarde plus ce film, intervient ma belle-mère.

Je ne m'étais pas rendu compte qu'elle était remontée de la cuisine. Je ferme le tiroir un peu trop brusquement et remarque son regard soupçonneux.

— Il ressasse sans arrêt les mêmes choses, quoi qu'il regarde. Même s'il s'agit d'un détail sans importance. C'est juste un enfant très sensible.

Je me lève et m'éloigne du bureau.

— Qui est ce Major Tom dont il parle à tout bout de champ ? Un de vos amis ?

Elle continue à fixer le tiroir du bas, les mains

profondément enfoncées dans les poches du peignoir de Tom. Les lavages récurrents l'ont fait passer de l'orange crado au jaune pisseux. Bien trop grande pour sa frêle silhouette, la robe de chambre oblige ma belle-mère à la nouer dans le dos. Ses pieds et sa tête, encore rouge écrevisse du bain chaud dont elle sort, dépassent comme des morceaux de fraise dégoulinant d'un roulé géant à la confiture.

Petra est arrivée depuis une semaine et ne montre aucun signe de départ imminent. Chaque jour elle s'incruste d'avantage. Comme d'habitude. Il va falloir que j'attende le retour de Tom pour aborder le sujet. Lorsque la situation est sur le point de devenir insupportable – quand par exemple j'ouvre un placard et découvre qu'elle a rangé les pantalons de son fils par couleurs –, je finis par lui demander de partir. Alors elle réalise enfin qu'elle a dépassé les bornes et s'efforce de se tenir à carreau pour le reste de la journée. Mais sa manie de tout vouloir ranger et organiser est plus forte qu'elle.

Petra essaie bien de compenser en me demandant avec gentillesse quel coin de la maison bénéficierait d'un rangement méticuleux. Parfois, elle propose aussi de garder les enfants gratuitement, sachant que je ne déclinerai jamais cette offre. Généralement, cette corruption étouffe dans l'œuf toute vague de panique.

À sa décharge, je dois admettre que le tas de linge atteint désormais la dimension raisonnable d'une colline. Les chemises de Tom sont toutes repassées. Les chaussettes, qui avaient perdu leur partenaire il y a quelques années déjà, sont enfin réunies. Les orphelines restantes ont fini à la poubelle.

— Lucy, je me demandais si nous pourrions déjeuner ensemble la semaine prochaine, lance-t-elle en tri-

174

turant nerveusement son collier de perles tandis que je m'apprêtais à quitter la maison.

C'est inquiétant : Tom est censé rentrer tard ce soir et je ne la vois toujours pas faire ses bagages.

— Mais Petra, nous avons déjeuné ensemble pratiquement tous les jours de cette semaine.

Légèrement paniquée, j'attrape mon manteau pour lui signifier que je suis sur le départ.

— Il faut que je vous parle de quelque chose d'important et je préférerais que nous en discutions ailleurs qu'ici. Peut-être pourrions-nous nous retrouver au magasin John Lewis et en profiter pour faire un peu de shopping pour Noël ? Je dois encore trouver un cadeau pour vos parents. Mais euh… ne dites pas un mot à Tom de cette conversation. Et je regrette que vous ayez perdu l'élection l'autre jour. Ça vaut peut-être mieux ainsi, avec tout ce que vous avez à l'esprit.

Je m'apprête à ouvrir la porte mais reste figée dans mon élan. Le désarroi que j'ai ressenti ces derniers jours au plus profond de mon être a dû remonter à la surface et suinter par mes pores. Je commence sûrement à dégager des odeurs d'incertitude et de doute. Ma belle-mère souffre d'insupportables manies, mais l'intrigue à grande échelle, ce n'est pas son truc. Depuis douze ans que je la connais, c'est la première fois qu'elle cherche à s'ouvrir à moi. Il doit s'agir d'un sujet sérieux car elle déteste les élans du cœur. Heureusement qu'il me reste quelques jours pour préparer une défense plausible.

Plus tard ce soir-là, installées dans l'impressionnant séjour-cathédrale de la nouvelle maison d'Emma à Clerkenwell, nous sirotons un vin exceptionnel en compagnie de Cathy. J'arrive enfin à me détendre. De toute évidence, ma belle-mère a décidé d'intervenir car elle s'inquiète pour son fils. Pourtant, elle déteste entendre la vérité, surtout si celle-ci est trop indigeste ou déstabilisante. J'imagine des couches de duperies entassées les unes sur les autres comme des strates de sédiments, dont les couleurs se mêlent les unes aux autres au cours des années si bien qu'il devient impossible de les examiner individuellement avec précision.

Les murs du loft d'Emma sont d'un blanc presque clinique. Certaines parois coulissent les unes devant les autres pour créer de nouveaux espaces. Tom adorerait ces effets d'optique. Moi, en revanche, je les trouve plutôt déconcertants. Je refuse que mon intérieur soit un hymne à la mobilité. Ainsi, quand Emma montre à Cathy comment le salon peut se transformer en chambre d'amis et doubler de volume, j'en ai presque la nausée.

J'ignore pour qui cet appartement a été construit. Sûrement pas pour des familles ou des dépressifs. Les balcons courent le long des baies vitrées à une hauteur vertigineuse et de grosses jardinières sont plantées de gigantesques graminées qui vous coupent quand vous avez le malheur de les frôler.

Cela dit, c'est un endroit génial pour organiser des fêtes.

Je reconnais certains des objets qu'Emma avait déjà dans sa maison de Notting Hill, y compris deux posters de Patrick Heron[1] et un immense vase blanc garni de fleurs kitch que je lui avais offert pour ses trente ans. L'espace semble les avoir rétrécis. L'ascenseur débouche directement sur le salon, mais il faut se mettre à deux pour ouvrir la lourde grille en

---

1. Peintre anglais (1920-1999) très productif, inspiré d'abord par Matisse et Braque pour le figuratif. Il évolue ensuite vers la peinture abstraite. La majeure partie de son œuvre a brûlé dans un incendie en 2004. *(N.d.T.)*

fer et je me demande comment Emma se débrouille pour entrer et sortir seule de chez elle.

Nous sommes étonnamment silencieuses. Emma se défoule sur une marmite de moules qu'elle gratte avec fureur.

— J'ai passé une journée épouvantable ! lâche-t-elle finalement. J'ai dû appeler les parents de l'un de nos correspondants en Irak pour leur annoncer que leur fils a été tué dans une embuscade. Je n'ai pas envie d'en parler. Ces moules sont odieuses à nettoyer !

— Peut-être devrais-tu utiliser un truc plus grand qu'une brosse à dents, suggère doucement Cathy.

Par rapport aux miennes, les mauvaises journées d'Emma sont toujours très impressionnantes, étant souvent liées à des événements forts de l'actualité internationale, allant du tsunami à la guerre civile, en passant par toutes les autres catastrophes humaines. Difficile de les comparer aux miennes, provoquées par une belle-mère qui range les pantalons de son fils sans demander l'autorisation d'entrer dans notre chambre à coucher.

J'observe la cuisine, remarque la machine à café Gaggia, le mixeur Kitchen Aid et le double lave-vaisselle dont seulement une partie semble avoir servi. Tout est tellement grand... On croirait presque qu'Emma a été transportée à Brobdingnag[1]. Elle est obligée de grimper sur un escabeau pour ouvrir des placards inaccessibles aux simples mortels ou jeter un coup d'œil dans un immense frigo américain. Mis à part quelques bouteilles de vin blanc, du puligny-montrachet, et un sachet de salade ratatinée, celui-ci est vide. Emma paraît plus menue que d'habitude dans son tablier de cuisine. Elle brandit sa cuillère en bois avec

1. Le pays des géants dans *Les Voyages de Gulliver*. *(N.d.T.)*

la même maladresse qu'un bébé tenant une fourchette pour la première fois. D'ailleurs, je ne me rappelle pas avoir jamais pris un repas préparé par ses soins.

— Qu'est-ce que tu nous cuisines ?

— Des moules suivies de coquilles Saint-Jacques poêlées au bacon, dit-elle en fronçant les sourcils au-dessus d'un livre de recettes de Jamie Oliver.

Sur le plan de travail en granit, elle a aligné plusieurs nouvelles casseroles Le Creuset. Pourquoi les gens qui ne cuisinent jamais choisissent-ils systématiquement des recettes que même un chef professionnel trouverait difficiles à réaliser ? Elle balance tout au four et en claque la porte un peu trop brutalement.

— Allons nous asseoir et prendre un verre. C'est harassant d'être une déesse domestique. Je ne sais pas comment tu te débrouilles pour arriver à tout gérer, Lucy !

Elle se dirige vers l'autre extrémité de la pièce et se laisse choir dans un immense canapé. Ses bottes à talons bobines font un raffut d'enfer sur le sol en ciment ciré.

J'ai déjà perdu des heures à expliquer à Emma pourquoi je ne méritais pas le statut de déesse domestique et, l'année dernière, j'ai enfin compris qu'elle tenait à maintenir cette illusion. Tandis qu'elle fait défiler de nouvelles histoires sur l'écran de sa bulle de verre, je sais qu'elle m'imagine en tablier fleuri de parfaite maman en train de sortir du four des cookies confectionnés avec les enfants, qui voudront ensuite les décorer, une opération délicate exigeant des glaçages multicolores et de petites perles argentées.

Emma aime donner à ses amis des traits qui n'ont rien de commun avec la réalité, mais ils sont toujours positifs. C'est ce qui rend cette habitude tolérable. Ainsi, dans son esprit, je suis jolie, mince, mère de trois enfants obéissants, avec un compte en banque bien garni, une maison impeccablement tenue et un mari adorable. Son tableau se compose essentiellement de couleurs vives, car elle ne supporte pas l'idée que l'une d'entre nous puisse mener une existence anémique. Cette manie lui permet d'éviter une confrontation avec les frustrations de la vie. Et il m'arrive de croire à ce mythe moi aussi car il me remonte le moral.

— Et c'est comment de vivre ensemble séparément ?

Je lui pose la question en m'attendant à un compte rendu rose bonbon, ponctué de remarques spirituelles et d'anecdotes tordantes.

— Eh bien, le lit a fini par être livré et c'est une merveille. Parfois je me réveille en pleine nuit et Guy est allongé à côté de moi. Je suis tellement excitée que je ne parviens pas à me rendormir. Je veille à ne pas le déranger car je ne veux pas qu'il parte. Et pourtant, si je ne le renvoie pas chez lui, je suis terrifiée à l'idée que sa femme découvre le pot aux roses. Parfois je me sens comme un canari prisonnier de sa cage, ajoute-t-elle en retirant ses bottes avant de défaire le bouton de son jean. Et on se retrouve toujours dans des hôtels à l'heure du déjeuner, ajoute-t-elle. On a du mal à rompre cette habitude. Je passe trop de soirées interminables à attendre que Guy me téléphone parce que je ne connais personne dans ce quartier. J'évite de faire d'autres projets au cas où il réussirait à s'échapper du bureau et à trouver une excuse pour sa femme. Puis, dès qu'il arrive, j'oublie mon cafard et me lance dans des recettes élaborées que je trouve dans ces bouquins de cuisine. Je bois beaucoup de vin et fais l'amour comme une déesse.

Je lance :

— Cela me semble fabuleux.

C'est ce que je pense et ce qu'Emma désire entendre. Elle n'aimerait pas que l'on s'appesantisse sur l'image du canari prisonnier de sa cage. Mais j'ai relevé une touche d'incertitude dans sa voix. Elle semble vulnérable.

— Mais je ne peux pas m'empêcher de penser que cette relation est condamnée depuis le début à rester un embryon. Elle n'évoluera jamais vers autre chose, continue-t-elle. Nous n'existons que dans les limites de cet appartement. Les rares instants que nous passons ensemble en dehors de ce lieu, nous ne pouvons même pas nous toucher. En revanche, dès que l'occasion se présente, c'est intense et torride. Enfin… Passons à table, ça doit être prêt. Je ne supporte plus le son de ma propre voix.

Nous nous installons dans la cuisine pour déguster le plat qu'Emma nous a préparé. Elle a dressé le couvert avec un arrangement complexe de couteaux, fourchettes et cuillères ainsi que deux verres, un pour le vin et l'autre pour l'eau. Un panier de pain coupé en tranches délicates – qui commencent déjà à durcir – trône au milieu de la table. Il y a quelque chose de poignant dans cet effort, comme si Emma essayait de marquer un nouveau territoire qui ne lui appartient pas vraiment. Tout est emprunté à la vie de quelqu'un d'autre.

Les moules sont encore un peu moustachues et gorgées de sable, les pauvres coquilles Saint-Jacques caoutchouteuses et sèches parce que Emma les a mises au four au lieu de les poêler rapidement. Nous restons donc ainsi, dans un silence de bonne camaraderie. Je mastique une coquille jusqu'à ce que mes muscles demandent grâce. Alors je change de côté. Quand nous comprenons qu'elles ne capituleront pas, nous les avalons avec une rasade de vin rouge comme si nous prenions un gros cachet de vitamines. Cela ne nous empêche pas de féliciter Emma pour ses talents culinaires naissants.

— Inutile de vous forcer, je sais que je suis une cuisinière lamentable, déclare-t-elle en pouffant de rire, comme soulagée de constater que sa vieille réputation a survécu. D'habitude, c'est Guy qui investit la cuisine. Chez lui, sa femme lui interdit d'y mettre les pieds.

La table peut accueillir quatorze personnes, voire seize. Elle est tellement neuve que j'en regrette presque la nôtre, recouverte de taches et de petits sillons gravés par les enfants avec leurs couverts. Elle est peut-être un peu crasseuse, mais au moins elle a une histoire.

Nous nous sommes agglutinées à l'une des extrémités, ce qui donne un sentiment de vide. J'ai du mal à imaginer Emma en train de dîner seule, bien qu'elle doive prendre son petit déjeuner là chaque matin. Lorsqu'on est assis dos à la cuisinière, on a une vue magnifique sur tout Londres. Ça compense.

— Cet endroit serait génial pour organiser des fêtes ! s'exclame Cathy.

— C'est fait pour. Malheureusement, nous ne donnerons jamais de réception ensemble, regrette Emma en posant ses couverts. Nous n'inviterons même pas d'amis communs à dîner ou prendre un pot. Nous ne pourrons jamais traîner en pyjama le samedi matin. Mais j'espère que, durant les vacances de Noël, quand sa femme partira dans leur maison de campagne avec les enfants, on réussira à passer un week-end ensemble. Les résidences secondaires ont du bon. Nous avons vécu des moments merveilleux quand sa femme était dans le Dorset.

Je me mords la langue en me souvenant du conseil de Tom : que chacun mène sa vie comme il l'entend.

— Tu pourrais inviter des gens à dîner. Nous, par

181

exemple. Comme ça, j'amènerais mon nouveau petit ami ! s'enthousiasme Cathy. J'aimerais tellement vous le présenter.

— Ce serait sympa, rétorque Emma. J'arriverais peut-être à convaincre Guy. Mais sa vie est tellement compartimentée. Il tient à me garder pour lui tout seul. Il refuse de me partager. Sortir avec des amis, il le fait avec sa femme, pas avec moi. Je ne suis qu'une fraction d'épouse.

Elle semble inhabituellement tristounette. J'essaie de la rassurer :

— Mais on ne peut pas mesurer la profondeur des fractions, seulement leur taille. Peut-être quittera-t-il sa femme.

— Non, Guy est le genre de type qui préfère jouer la carte de la sécurité. Il ne veut pas d'une femme à carrière : il a même persuadé la sienne de renoncer à son travail dès qu'elle est tombée enceinte. Finalement, j'apporte très peu de nouveauté à son portfolio.

D'un geste nerveux, elle se gratte frénétiquement l'arrière du crâne.

— Il veut le beurre, l'argent du beurre… et le sourire de la crémière par-dessus le marché !

C'est la première fois que nous avons une conversation avec Emma depuis le début de sa liaison avec cet homme, ce qui remonte à plus d'un an maintenant. Jusqu'à ce jour, elle avait toujours montré une certitude assez artificielle et un brin agaçante. Place au doute.

— J'aimerais tellement qu'il me prouve son désir sincère de voir notre relation évoluer. Il paraît tellement satisfait de ce *statu quo* que je le ressens comme une trahison.

La trahison peut revêtir plusieurs formes, me dis-je. Soit elle vous gagne lentement suite à une accumulation d'illusions et de pieux mensonges, soit elle vous tombe dessus brutalement comme un épais brouillard. La perfidie du banquier d'Emma ne réside pas dans ses paroles, puisqu'il ne lui a jamais promis l'impossible. Elle provient de ce qu'il ne dit pas. De ses gestes vides de sens, de sa façon de demander à sa secrétaire d'envoyer des fleurs pour l'anniversaire de son épouse, de sa manière d'effacer les textos d'Emma tous les soirs avant de franchir le seuil de son foyer et d'embrasser ses enfants avec encore l'odeur de sa maîtresse dans son haleine.

Et moi, dans tout cela ? Le verre pris avec Robert Bass peut être considéré comme une broutille à côté de la situation entre Emma et Guy, mais cela reste une trahison. Le temps que j'ai passé à penser à lui, à élaborer des fantasmes, a déjà entamé mon mariage avec Tom. Tel un navire abordant la côte après un long voyage, je me sens de plus en plus heureuse à l'approche de la date de notre prochaine rencontre. Bien sûr, contrairement à Emma et à Guy, mon flirt avec Robert Bass ne sera jamais consommé. Mais ce qui a débuté comme une distraction inoffensive par rapport à mes préoccupations habituelles a désormais investi un espace important dans ma tête. Espace qui serait bien mieux occupé avec des passe-temps dignes d'une mère exemplaire. Comme assembler l'armoire à chaussures en kit que j'ai achetée chez Ikea il y a deux ans et qui repose dans l'entrée à côté d'une pile de chaussures en vrac. Ou apprendre à me servir de la machine expresso que Petra nous a offerte l'année dernière à Noël. Ou encore me lancer dans une épilation sérieuse, la moindre des choses pour une femme frisant la quarantaine...

— Lucy ? Lucy ? Tu m'écoutes ? demande Emma. Qu'en penses-tu ?

Je me rends compte que j'ai raté une partie cruciale de la remise en question d'Emma et culpabilise à mort.

— Je me demande s'il t'arrive de te sentir coupable vis-à-vis de sa femme.

C'est sorti d'un trait et Cathy me considère d'un air choqué, mais je ne saurais dire si c'est parce qu'elle estime la question inappropriée ou seulement hors sujet. En tout cas, elle flotte un instant dans l'air et Emma se gratte de nouveau la tête.

— Le mois dernier, Guy a passé le vendredi soir avec moi et avait totalement oublié qu'il devait sortir dîner au restaurant avec sa femme et des amis. Il avait éteint son téléphone et sa femme n'a pas pu le joindre avant 1 heure du matin, quand il s'est enfin tiré du lit et a découvert tous ses messages. Elle a fini par sortir au restaurant avec leurs amis et leur a menti en prétextant qu'il était parti en voyage d'affaires à la dernière minute. Guy s'est senti assez minable et j'étais ennuyée pour lui. Mais je pense que mon aptitude à culpabiliser est assez limitée, dans la mesure où je n'ai pas d'enfants et où j'ai moi-même vécu une enfance horrible. Guy prétend que c'est grâce à moi s'il reste avec elle, mais je sais que c'est faux. Je ne vais pas sauver leur mariage en déconfiture et j'avoue que je me réjouis souvent à l'idée qu'elle ne se doute de rien. De toute façon, rien ne changera. Il ne quittera jamais ni sa femme ni ses enfants et d'ailleurs, je ne suis même pas sûre de vouloir qu'il le fasse. Les relations qui commencent comme la nôtre se terminent forcément mal. Sa femme mettrait toute son énergie à faire capoter notre relation et ses enfants le haïraient. Et surtout, je refuserais d'avoir leur divorce sur la conscience.

— Une chose est sûre : un bon divorce, ça n'existe pas, intervient Cathy qui nage encore dans le sillage tumultueux du sien, se battant pour des histoires d'argent, le partage des meubles et la garde de Ben.

Le divorce est une recette universelle pour assurer le malheur de tout le monde. L'arsenal des mariages ratés ne contient peut-être pas des armes très sophistiquées, mais cela ne rend pas les batailles moins sanglantes.

— Deux week-ends par mois sans enfant, ça me semble plutôt sympa, dis-je avec désinvolture, espérant remonter le moral des troupes.

— C'est parce que tu ne travailles pas. Confier Ben à son père un week-end sur deux, alors que je ne l'ai pratiquement pas vu de la semaine, me rend physiquement malade. La nouvelle petite amie de mon ex-mari le gâte tellement pour attirer ses faveurs que ça me donne envie de hurler ! Je refuse qu'elle le touche.

— Et comment trouves-tu l'architecte de Tom ? demande Emma à Cathy afin de mettre un terme au sujet précédent.

— Fabuleux. La lumière au bout du tunnel. À tous les niveaux. Ou presque. Il est intelligent, drôle, on fait super bien l'amour, c'est génial. Merci Tom. Le seul aspect négatif dans cette histoire est le type avec lequel il partage la maison. Il se trouve que c'est aussi son meilleur ami.

— Tu veux déjà t'installer chez lui ? Ce n'est pas un peu rapide ?

— Lucy, je ne vivrai plus jamais avec quelqu'un. On se rend bien trop vulnérable. Je suis organisée maintenant. Je gagne bien ma vie, Ben s'est habitué à sa nouvelle école. Je refuse de dépendre d'un homme financièrement.

— C'est un peu extrême mais je dois reconnaître que les architectes ont tendance à vivre une précarité financière chronique.

185

— Ce que je veux dire, c'est que son colocataire semble plus ou moins jaloux de moi.

— Tu crois qu'il y a un truc entre eux ? crie Emma d'une voix étouffée par le frigo où elle cherche une autre bouteille de vin.

Je compte les cadavres sur la table et me rends compte que nous avons quasiment bu une bouteille chacune.

— Je n'ai pas abordé la question avec lui car, même si cela me semble flagrant, je n'ai trouvé aucun signe réel d'une homosexualité latente.

Je demande, intriguée :

— Alors comment sais-tu que son colocataire est jaloux ?

— Eh bien, au début, ça se limitait à de petites choses. Par exemple, il ne lui transmettait jamais les messages et plusieurs fois il a prétendu que Pete s'était absenté alors que je savais pertinemment que c'était faux. J'aurais aimé ne pas lui en vouloir mais, les premières fois où nous nous sommes rencontrés, il s'est vraiment comporté de manière étrange. Pete était dans la cuisine pendant que nous bavardions dans le salon. Il m'expliquait que Pete souffrait d'une phobie pour l'engagement et qu'il ne serait jamais capable de se lier à quelqu'un à long terme. Il l'a comparé à une pie voleuse, toujours à convoiter les petites amies de ses copains, constamment insatisfait de la sienne, laissant une traînée de chagrin dans son sillage.

— Ce n'est pas impossible. Il essayait peut-être de te mettre en garde afin que tu ne t'engages pas trop parce qu'il sait que tu as déjà vécu une mauvaise expérience, intervient Emma.

— J'allais lui laisser le bénéfice du doute, répond Cathy. Puis, l'autre nuit, je croyais avoir une conversation coquine avec Pete et j'ai découvert que ce n'était pas lui au bout du fil.

Intriguée, je demande :

— Mais comment peux-tu le savoir ?

— Je lui ai tendu un piège, répond-elle avec un sourire machiavélique. J'ai raconté une scène comme si elle était vraiment arrivée et il est tombé dans le panneau.

— Une scène de quoi ?

— J'ai prétendu que Pete et moi avions été à une soirée où nous avions fait l'amour avec une autre femme dans la salle de bains. Une fois que je lui ai rappelé la scène dans les moindres détails, il m'a assuré qu'il n'avait jamais connu de meilleure expérience érotique et qu'il voulait recommencer. Je mettrais ma main au feu que c'était son coloc. Qui d'autre pourrait avoir accès au téléphone de Pete au beau milieu de la nuit ?

— Pourquoi les hommes sont-ils autant obsédés par les parties à trois ?

— Je n'en sais rien, soupire Cathy, mais je trouve ça injuste qu'un homme fasse l'amour avec deux femmes !

— Au fait Emma, où en sont les projets de Guy à ce sujet ?

— J'ai suivi ton conseil. Mais pour que ce soit plus plausible, je me suis vraiment fait faire une épilation brésilienne et j'ai effectivement eu une poussée de boutons. Je crois que c'est l'expérience la plus douloureuse de ma vie ! Il a changé de fantasme et rêve de faire l'amour dans son bureau. Ce qui s'avère beaucoup moins compliqué et plutôt excitant car on risque vraiment d'être surpris. C'est ta faute, Lucy ! Avec les textos que tu lui as envoyés...

Puis revenant à Cathy, je demande :

187

— Tu lui connais d'autres frasques, à ce coloc ?

— L'autre soir, je suis arrivée chez eux avant Pete et il a commencé à flirter ostensiblement avec moi.

— Ah oui ? Comment ça ?

Depuis mon pot avec Robert Bass, il me semble très important d'apprendre à reconnaître ce genre de signaux. Mais il n'y a rien de subtil dans ce qu'elle nous révèle :

— Pendant que je débouchais une bouteille dans la cuisine, il est arrivé derrière moi et a glissé son doigt sur ma colonne vertébrale. C'était presque imperceptible, il a commencé en haut et est lentement descendu jusqu'en bas de mon T-shirt. Quand il a atteint la peau, il a retiré son doigt.

Emma et moi restons bouche bée.

— Le pire, c'est que j'aurais dû trouver ça malsain et y mettre un terme tout de suite. Mais je l'ai laissé faire parce que j'ai été réellement tentée. Il est, lui aussi, très attirant. Du style sexy-urbain.

— Ils aiment peut-être partager leurs petites amies ?

— Allez savoir ! Je refuse d'en parler à Pete car cela risquerait de nuire à leur amitié et nous allons probablement rompre d'ici Noël. Je vais me contenter de voir où ça me mène. Le truc, c'est que Pete veut toujours qu'on l'emmène avec nous. On croirait presque qu'ils sont mariés. Ils vivent ensemble depuis huit ans maintenant.

— C'est très intrigant, dis-je. J'essaierai d'en savoir plus par Tom. Il travaille tous les jours avec cet homme et pourtant il n'a jamais mentionné quoi que ce soit à son sujet. Je ne comprends pas.

— Sexuellement, il est ouvert à beaucoup de choses, ajouta Cathy. Il n'est pas inhibé pour un sou et m'emmène dans des endroits bizarres où j'oublie qui je suis.

— Ça doit être assez plaisant, non ?

— Oui, sauf que ce n'est pas de l'amour, rétorque calmement Cathy. Du bon sexe, rien de plus. Par ailleurs, il se trouve que j'ai réellement besoin de savoir qui je suis. Le mieux serait que je mette fin à cette histoire dès maintenant. Malheureusement, mon désir devient insatiable ! Chaque jour qui passe, je perds un peu plus le contrôle de mes sens. Impossible d'imaginer une vie domestique avec ses petites routines pépères. Je ne pense qu'à la luxure.

— Ça ne me paraît pas si désagréable, dis-je. Tu sais, si Père-au-foyer-sexy avait esquissé le moindre geste l'autre soir, je ne sais pas si j'aurais résisté. De sentir son bras contre ma peau était tout simplement divin. Parfois, je me dis que je ne pourrais pas continuer à vivre sans éprouver cette sensation rien qu'une fois de plus avant de mourir.

Emma sembla choquée.

— Oh ! Vous êtes allés prendre un verre en tête à tête ? Plutôt intense, non ?

Je proteste aussitôt :

— Rappelez-vous que c'est Cathy l'instigatrice. Et nous ne sommes pas restés seuls longtemps car une autre mère nous a rejoints.

— Zut ! Sincèrement, je ne pensais pas une seconde que ça se concrétiserait ! se défend Cathy. Je n'ai jamais souhaité compromettre ta relation avec Tom. Si toi tu échoues, quel espoir nous reste-t-il, à nous autres ?

— Peut-être n'y a-t-il d'espoir pour personne.

— Ne pourriez-vous pas revenir en arrière, retrouver un peu de la passion de vos débuts ? demande Cathy.

— Ce serait comme rallumer un feu une fois qu'on l'a éteint. Le problème, c'est que même si c'est le sexe qui engendre les enfants, ce sont les enfants qui tuent le sexe. Nous n'avons jamais une minute à nous. Nous sommes toujours épuisés, complètement à plat. Sans parler de nos libidos qui ne sont jamais synchronisées.

Mes amies ont l'air troublées par mes propos.

— Les femmes aiment faire l'amour le soir et le désir sexuel des hommes est à son top à 8 heures du matin. C'est le contraceptif de Dame Nature !

— Nous n'avons jamais réussi à atteindre ce stade avec nos mariages respectifs, réplique Cathy. Alors tu devrais considérer cela comme une performance.

— Sans oublier que nous ne sommes jamais seuls dans notre lit. Parfois, c'est comme les chaises musicales. Quand nous nous réveillons le matin, aucun d'entre nous ne se trouve dans le lit où il s'est endormi.

— Vous ne pouvez pas remettre vos gamins dans leurs chambres respectives ? s'étonne Emma.

— Si, mais parfois nous sommes trop lessivés pour nous relever et d'ailleurs ils sont futés, ces petits monstres, car ils s'installent à nos pieds sans qu'on les remarque, comme les chiens.

— Et vous avez essayé autre chose ? demande Emma. Le sexe tantrique, par exemple ?

— Ça prend trop de temps. Quoi qu'on fasse, ça ne doit pas dépasser vingt minutes. Mais je vous assure que ça figure en tête de ma liste des choses à faire à long terme.

— Quoi ? insiste Cathy.

— Faire l'amour avec Tom.

— Et qu'y a-t-il d'autre sur cette liste ? demande Cathy, incrédule.

— Régler le problème de mon arriéré de cartes de crédit, trouver une femme de ménage pour s'occuper de la lessive et du repassage. Inventer un travail à mi-temps. Et éparpiller les cendres de ma grand-mère sur son lieu de naissance. J'ai oublié de m'en charger quand nous sommes allés dans le Norfolk.

— Et où sont-elles maintenant ? m'interroge Emma.

— Dans le placard du haut de la lingerie. Un endroit douillet qui sent bon, comme elle.

— Mais tout ce que tu nous as énuméré apparaît comme une priorité, fait remarquer Emma, oubliant momentanément ses propres difficultés. La mort, les dettes, les vêtements sales, l'absence de sexe... Pas étonnant que tu sois dépassée par cette existence. Pourtant, ces problèmes semblent faciles à résoudre, non ?

— Mais si je les résous, que me restera-t-il ? Je risque de découvrir qu'ils servaient à maintenir une certaine cohésion dans mon existence. Sans eux, elle risque de se désintégrer. J'essaie d'être contre-intuitive.

— C'est tellement irrationnel, Lucy, lança Cathy. Tu contrôlerais mieux la situation si tu les réglais, ces fichus problèmes.

— J'aime peut-être les situations incontrôlables, dis-je sans réfléchir.

Quand je vois leurs expressions inquiètes sur leurs visages, je précise :

— Au moins pendant quelque temps, pour me rappeler quel goût ça a.

— Et qu'as-tu mis sur ta liste à court terme ? demande Cathy.

Je leur tends mon agenda et leur indique quelques pages crasseuses à la fin du calepin. Elles sont complètement usées, les coins sont arrachés et l'encre a traversé le papier. On dirait des hiéroglyphes composés de mots étranges écrits avec des stylos de couleurs différentes.

— C'est une espèce de code ? s'enquiert Emma.

Je commence à lire la page de droite.

— Shampooing antipoux, fête anniversaire Sam,

brosse à dents Fred, vaccins rougeole-rubéole-oreillons, frottis, épilation maillot…

Emma se gratte encore la tête. Je viens à son secours :

— C'est à cause du shampooing antipoux. Cela m'arrive aussi. Rien qu'en entendant ce mot, on a envie de se gratter.

— Quel besoin as-tu de te faire épiler le maillot en plein hiver ? demande Emma.

— C'est sur la liste depuis le mois de mai.

— N'essaie pas de détourner l'attention. Je connais ta tactique pour éviter une conversation, insiste Emma en comptant les éléments sur la liste.

Elle s'arrête à vingt-deux.

— Je ne vois pas ce qu'il y a de si compliqué. Il suffirait de te débarrasser de quelques-uns de ces trucs chaque jour et en un mois ce serait terminé. Ça te permettrait d'attaquer la liste du long terme.

— Il y a sans arrêt de nouveaux éléments qui viennent s'y ajouter. J'ai collé une autre liste sur mon frigo, avec des trucs encore plus urgents. Sans parler de tout ce qu'il faut faire au quotidien, comme préparer les déjeuners à emporter, cuisiner de la sauce bolognaise en quantité industrielle, surveiller les devoirs, lancer la lessive…

J'allais mentionner le bazar que j'ai laissé dans le salon quand je remarque qu'elles commencent à s'ennuyer.

En effet, juste avant de partir, j'ai découvert que j'avais payé le prix fort pour les dix minutes passées à trier le courrier. Fred en avait profité pour retirer tous ses puzzles et tous ses jeux du placard pour les charger sur sa collection de camions, mélangeant Monopoly, Scrabble, Cluedo… des centaines, voire des milliers de pièces qui devront être triées en rentrant. Des heures, même des jours de rangement qui n'apparaîtront jamais sur ces fichues listes. Une dévastation à grande échelle, générée en l'espace de dix minutes ! Désespérée, j'avais poussé le tout sous le canapé avant de sortir. Voilà pourquoi j'aurai toujours un train de retard !

Parfois, durant mes insomnies du matin, il m'arrive de dresser mentalement des listes d'objets perdus. Les plus récents sont : un marteau en plastique de la panoplie de Fred, le couvercle des piles d'une voiture télécommandée, un dé des petits chevaux et un pion du jeu de dames.

Je m'imagine en médecin légiste, fouillant chaque centimètre carré de la maison, sous les coussins du canapé, au fond des armoires, à l'intérieur des chaussures en quête du moindre objet à ranger. Mais à quoi bon ? D'abord, je n'en ai pas le temps et puis, même si j'arrivais à mettre un peu d'ordre dans ce chaos, il suffirait de quelques heures pour retourner à la case départ.

L'un des combinés téléphoniques a également disparu, tout comme la clé du jardin. Je ne l'ai pourtant pas encore avoué à Tom car il m'en tiendrait pour responsable. Il ne passe pas assez de temps à la maison pour savoir que les enfants se comportent comme des fourmis déboussolées, transportant sans cesse des trucs d'un endroit à un autre, les dissimulant dans des cachettes invisibles à l'œil d'un adulte.

Si Petra n'avait pas été là, j'aurais lâché un de ces hurlements perçants qui me purgent de ma colère. Sam y fait toujours allusion en voyant ces clips du Comité de protection de l'enfance, qui affirment que les cris sont une des nombreuses formes de maltraitance. Les créateurs de ces clips devraient venir chez nous et nettoyer le carnage !

Alors, quand Fred est venu se blottir sur mes genoux, espérant la clémence, j'ai senti mes yeux rougir et picoter sous l'effort que je fournissais pour contrôler ma fureur. Je précise qu'il avait déjà sévi deux semaines plus tôt. J'imaginais aisément les vaisseaux dans mon cerveau, gonflant sous l'afflux de sang qui l'irrigue, prêts à se déchirer pour provoquer une inondation digne du delta du Nil à la saison des pluies, laissant mes enfants orphelins de leur mère.

Fermant les yeux, j'ai respiré l'odeur de la peau douce du cou de Fred, juste sous les boucles de la nuque que je me refuse à couper car il s'agit là des derniers vestiges du bébé qu'il était. Il a ri parce que ça le chatouillait, tout en me laissant profiter de cet instant de nostalgie. Il sentait un doux mélange de pyjama propre, de savon, de gros poupon sorti du bain et je me suis sentie fondre. Une vague de regret pour le bébé qu'il ne sera jamais plus me submergea et j'ai même cru que j'allais pleurer. Parfois, il s'agit simplement de laisser les jours s'écouler et, tout à coup, venant on ne sait d'où, surgissent ces instants qu'on aimerait préserver à jamais.

— Je pense, Lucy, que tu as peut-être perdu de vue la valeur de cette certitude dans ton existence, intervient Cathy. Ça se fissure peut-être un peu dans les coins, mais tu ne réalises pas ton privilège d'avoir ces points d'ancrage.

Ça me rappelle une conversation avec Polly.

— L'autre jour, ma baby-sitter de dix-huit ans m'a dit que nous étions trop focalisés sur le bonheur en tant que fin en soi. D'après elle, nous sommes insatisfaits parce que nous croyons que le bonheur est un dû. Si nous faisions quelques concessions, nous serions beaucoup plus heureux. Alors je devrais peut-être admettre qu'aucune relation ne répondra jamais à tous mes besoins.

— Doux Jésus ! J'espère que tu la paies bien, lâche Emma.

— Finalement, on devrait peut-être choisir les zones grises et se méfier des extrêmes, fait remarquer Cathy.

— Je me méfie de ceux qui croient trop fort en quelque chose, intervient Emma. C'est à cause d'eux que je vais à l'enterrement d'un jeune soldat la semaine prochaine. Tony Blair et sa certitude d'avoir toujours raison… Nous payons tous pour cela. C'est une dette à long terme.

Elle se lève de table et se dirige vers les trois énormes sofas à l'autre extrémité de la grande pièce. Nous la suivons et nous entassons toutes les trois sur l'un d'entre eux avec une autre bouteille de vin. Alors, nous nous lançons dans un jeu que nous avons inventé il y a des années : tenir des pages de magazines de mode à près de trois mètres et jouer à identifier une paire de Jimmy Choo, par exemple. Bien que je n'en aie jamais possédé moi-même, j'ai toujours battu mes amies à plate couture à ce jeu, et ce soir je gagne encore !

Nous entamons la troisième partie et je mène de loin, malgré mes fidèles lunettes basiques de la Sécu qui limitent sérieusement ma vision périphérique.

— Lucy, voici une énigme particulièrement difficile, annonce Emma en nous présentant une page du *Vogue Spécial Collections*. Je ne dirai pas un mot de plus.

Cathy est partie chercher une nouvelle bouteille à déboucher.

— C'est la paire à l'extrême droite de la rangée du bas, dis-je en repoussant les lunettes sur mon nez pour mieux fixer les neuf paires d'escarpins. Et il y en a une autre, au centre de la rangée du milieu !

— Mais comment tu fais ? demande Cathy, impressionnée comme d'habitude.

— C'est un don mathématique, il y a une relation exquise entre le talon et la semelle, un ratio indéfinissable qui les rend vraiment élégantes. Je n'y arrive qu'avec les Jimmy Choo. Malheureusement, ce talent ne me permettra jamais de faire fortune.

Je m'enfonce de nouveau dans le canapé en tenant mon verre plein en équilibre. Comment mon amour-propre a-t-il pu devenir dépendant de ce genre de prouesses inutiles ?

— Juste par curiosité, Lucy, qu'est-ce que Père-au-foyer-sexy a de plus que Tom ? m'interroge Cathy.

— Je le connais très mal, alors il y a beaucoup de place pour l'imagination. En plus, il doit être fougueux. Irresponsable...

Et là, je me sens malhonnête de tenir de tels propos.

Chapitre 10

« L'espoir est bon pour le petit déjeuner, mauvais pour le dîner[1]. »

Quand je rentre enfin à la maison, il est presque 2 heures du matin. À regret, je compte le nombre de jours qu'il me faudra pour récupérer des excès de la soirée, une équation qui consiste à additionner le nombre de verres de vin consommés puis à soustraire le nombre d'heures de sommeil consécutives que j'arriverai à accumuler.

À ma surprise, Tom est en bas, assis à la table de la cuisine, les yeux fixés au loin sur un portrait de sa mère. La radio est allumée. Il écoute une émission sur un architecte mexicain, Luis Barragán, et ne m'entend pas arriver.

Une maquette de sa bibliothèque de Milan est posée à côté de lui et il a passé un bras possessif autour d'elle, comme un homme poserait sa main sur le popotin de sa nouvelle petite amie. Il porte un pyjama rayé bleu qu'il a dû acheter à Milan. Sa veste est tellement raide qu'elle reste en place quand il bouge son corps. Le col se dresse et Tom a l'air d'être affublé

---

1. Francis Bacon, écrivain et homme d'État. *(N.d.T.)*

d'une collerette. Sa dégaine de courtisan élisabéthain est exacerbée par le fait qu'il ne s'est pas donné la peine de se raser de la semaine. Une bonne barbe a envahi le bas de son visage et il m'est difficile d'en décrypter l'expression.

Du pied de l'escalier, j'observe le portrait et essaie de deviner les pensées de Tom. La coiffure de Petra n'a pas changé depuis que je la connais. Le reste non plus d'ailleurs. La palette de couleurs de ses twin-sets impeccables et de ses mocassins Russel & Bromley est peut-être devenue un brin moins discrète, mais l'impression d'ensemble reste identique.

Ses cheveux sont toujours permanentés chaque semaine, et cela depuis tant d'années qu'ils ne bougent pratiquement plus quand elle se penche en avant. Je ne les ai jamais touchés mais je présume qu'ils doivent être aussi doux qu'une brosse en fer. Lorsqu'il y a un peu de vent, ils demeurent en place tel un champ d'artichauts un matin de givre, inchangés depuis le jour où elle a épousé le père de Tom.

Cependant, sur ce tableau, peint moins d'un an avant son mariage, son visage est entouré de longs cheveux bruns qui tombent en vagues paresseuses encadrant comme une paire de rideaux de magnifiques yeux d'un bleu limpide. Son expression est douce, chaque minuscule muscle facial est détendu. Elle semble langoureuse, rassasiée.

— Qu'est-ce qui ne va pas, Lucy ? Tu me regardes comme si tu voyais un fantôme, dit Tom en interrompant ma rêverie. Je ne suis parti que cinq jours.

— C'est ce tableau de ta mère. As-tu rencontré le type qui l'a peint ?

— C'était un artiste professionnel. Elle a posé pour lui bien longtemps avant ma naissance, tu sais.

Il se lève et pose à contrecœur un bisou sur ma joue.

La barbe me picote et je frotte l'endroit où les poils ont gratté ma peau, puis j'éternue. Peut-être suis-je en train de devenir allergique à mon mari ?

Je m'efforce d'avoir l'air sobre.

— Alors pourquoi lui aurait-il donné le tableau ?

— Je n'en ai pas la moindre idée. Cette croûte a traîné dans le grenier pendant des années. La première fois que je l'ai vue, c'est quand maman l'a apportée ici. Mais pourquoi me poses-tu toutes ces questions ? Je pensais que tu t'intéresserais plutôt à mon projet de bibliothèque, dit-il, passablement vexé. J'espérais te trouver ici à mon retour.

Il fut un temps où nous restions assis en silence et, quand nous prenions la parole, nous disions la même chose. Nous étions synchronisés. Bien sûr, les vieilles horloges n'indiquent jamais l'heure exacte. Peut-être devrais-je me contenter d'approuver Tom plus souvent et puis ce serait plus reposant si nous réduisions les sujets de conflit. Mais quand on est d'accord sur tout, alors la moindre divergence devient encore plus insurmontable.

— J'étais invitée à passer voir le nouveau loft d'Emma. Ta maman a proposé de garder les enfants et j'avais besoin de prendre un peu l'air. Désolée, je ne pensais pas que tu m'attendrais.

— Maman repart demain matin. Elle se comporte assez bizarrement et ne cesse de répéter qu'elle ignore encore quand elle reviendra. J'espère que vous ne vous êtes pas disputées.

— Non, je me suis remarquablement bien comportée.

— Tout a l'air bien rangé. À part ce truc...

D'un geste qui ne présage rien de bon, il montre les rideaux qui traînent sur le rebord de la fenêtre. Même de loin, je vois qu'on a grossièrement taillé dedans.

— Maman a surpris Joe en train de se faire un short dans ces rideaux. Il se trouvait seul dans sa chambre avec de grands ciseaux de couture et prétend que tu étais d'accord.

Puis, en me jetant un coup d'œil interrogateur, il ajoute :

— Il s'est plutôt bien débrouillé et l'a même enfilé pour dormir.

Tom se dirige vers la fenêtre et soulève les deux rideaux avec leurs trous en forme de short. D'étroites lanières de tissu traînent sur la table.

— Ça, ce sont les bretelles pour la culotte tyrolienne ! précise-t-il.

Et nous éclatons de rire. Un peu pompette, je dois m'adosser contre la rampe pour tenir debout.

— Bon, grâce à la fortune que je vais gagner avec la bibliothèque, je pense que nous pourrons nous offrir de nouveaux rideaux. Allons nous coucher. Au fait, désolé pour les élections. C'est peut-être mieux ainsi.

Je songe à mercredi prochain et à la perspective de repasser une autre soirée en compagnie de Robert Bass. Je devrais l'annuler, ça me donne trop la pêche.

Quand nous entrons dans la chambre à coucher, Tom ouvre son armoire et remarque ses caleçons. De jolis petits tas de gris, de blanc et de noir. Ils ont tous été repassés et pliés. Ses chemises sont suspendues dans un camaïeu de teintes. On croirait une palette de couleurs des peintures Dulux.

— Tu as les larmes aux yeux, dis-je sur un ton de reproche.

— Je ne t'ai pas épousée parce que je pensais que tu plierais mes caleçons.

— Et c'est pour cela que moi je t'ai épousé.

J'éclate de rire.

Puis il m'attrape et nous tombons sur le lit où nous

nous embrassons comme des fous. Il me plaque sur le matelas et me baise sensuellement la nuque, juste sous l'oreille. Avec sa barbe et ses cheveux en bataille, il a l'air tellement différent de l'homme parti une semaine plus tôt que j'imagine aisément me retrouver dans la chambre avec un étranger. C'est terriblement excitant. Ses mains glissent déjà dans mon pantalon et mon chemisier est complètement défait. Ses doigts peuvent sembler épais et maladroits. Mais quand la légèreté du toucher qui le rend si doué pour le dessin est appliquée à mon corps, j'ai l'impression de me liquéfier. Tous les architectes ont-ils ce talent ? Il va falloir poser la question à Cathy. Je ferme les yeux et cesse de penser au dilemme Robert Bass.

— Tu m'as vraiment manqué, me chuchote-t-il à l'oreille, essoufflé, avant de se concentrer sur mon sein gauche.

Mais à l'instant où ma famine sexuelle semble avoir une chance d'être enfin rassasiée, Joe entre dans notre chambre en se frottant les yeux ensommeillés. Il tient deux morceaux de tissu facilement identifiables.

— Papa, qu'est-ce que tu fais à maman ? demande-t-il, suspicieux.

Tom s'allonge à côté de moi et laisse échapper un long soupir.

— On faisait du catch, dit-il.

— Eh bien, j'espère que vous n'êtes pas trop brutaux ! lance Joe en employant exactement le même ton que moi. Maman, je peux aussi en fabriquer un pour Sam et Fred ? Comme ça on ressemblera tous aux von Trapp.

Il est à moitié endormi et je le soulève pour l'emmener dans sa chambre où il finit par se rendormir en serrant fort les bouts de tissu dans ses mains de peur que quelqu'un vienne les lui voler durant la nuit. Quand je reviens dans la chambre, Tom dort à poings fermés. Encore une occasion ratée ! Si les parents étaient autorisés à finir leurs conversations, la vie serait tellement différente.

Puis je remarque que Tom, telle une réplique de son fils, serre dans sa main une petite boîte blanche avec un ruban vert. J'essaie d'écarter ses doigts et ouvre l'écrin. À l'intérieur, je trouve une petite carte. « À Lucy de la part de Tom. Pour services rendus. » C'est un collier en argent avec des pierres et de petits pendentifs. Il est tellement joli que je me mords les lèvres et m'efforce de retenir mes larmes. J'essaie de le réveiller pour le remercier mais il est ailleurs, hors d'atteinte. Je remets le collier en place pour lui permettre de me l'offrir une autre fois et pour que je puisse le remercier en feignant la surprise. Le bijou ne réapparaît pourtant pas pendant des semaines.

Décembre commence très mal.

— Madame Sweeney, lance la maîtresse de Joe ce matin quand je l'amène dans sa classe. Puis-je vous dire un mot, s'il vous plaît ?

Quand il s'agit d'enfants, le langage de la peur est universel. Et ce type de phrases provoque la terreur dans les cœurs des parents du monde entier. Elle abat toutes les barrières culturelles et religieuses. La gorge qui se serre, le cœur qui s'emballe, la bouche sèche, les muscles tendus, je m'efforce de marcher plutôt que de courir vers son bureau.

La journée d'une mère de famille est pleine de routines et de répétitions, mais nous savons que le fil maintenant l'ensemble est aussi fin et fragile qu'une toile d'araignée. Nous sommes entourées de désastres en puissance : un enfant qui s'enferme dans le sèche-linge et suffoque, un autre qui meurt en s'étouffant avec une tomate cerise, une fillette qui se noie dans un fossé avec cinq centimètres d'eau de pluie... La vie et la mort rôdent dans notre propre jardin. Chaque fois que je lis une de ces histoires dans le journal, je me promets d'être une mère plus tolérante.

Hier matin, je me suis réveillée et j'ai décidé d'affronter avec sérénité ce terrain miné de désastres matinaux. Quand je me suis rendu compte qu'il n'y avait plus de fromage pour les sandwichs de midi, j'ai improvisé avec de la confiture. Quand j'ai découvert que Fred avait défait tout un rouleau de papier toilette et l'avait jeté dans la cuvette, j'ai enfilé une paire de gants en caoutchouc pour déboucher le coude d'évacuation. Avant 6 heures du matin, il est difficile de se montrer tolérant... Et pourtant... Quand j'ai vu que les enfants avaient installé les oreillers et les couettes de leurs chambres dans l'escalier pour construire un bateau, avec à bord toutes les peluches accumulées depuis huit ans et sur les murs des traces de chocolat provenant de gâteaux chipés dans le placard, je n'ai pas piqué de crise de nerfs. J'ai, au contraire, promis aux enfants que je ne rangerais pas leur bazar pour leur permettre de reprendre leur jeu en revenant de l'école.

Puis j'ai oublié de prévenir Tom que le bateau était toujours là, sur le palier. Il est rentré à minuit, éméché et fatigué après un dîner d'affaires, et a trébuché sur le panda géant, explosant sa lèvre sur la dernière marche de l'escalier. Je l'ai retrouvé allongé, face à face avec le panda, du sang dégoulinant de sa bouche, grommelant quelque chose à propos d'un traquenard. Impossible de faire attention pour tout le monde, à tout instant de la journée.

En arrivant à l'école, je vois la maîtresse en train

de ranger son bureau. M'efforçant de paraître détendue, j'ouvre et je ferme la bouche comme un poisson rouge. Un truc que j'ai appris en observant les présentateurs de la télévision avant de prendre l'antenne. Puis j'aperçois mon Fred qui, profitant de cette diversion inattendue, se précipite dans un coin de la salle. En quelques secondes, sa salopette et son slip Spiderman se retrouvent sur ses chevilles et il fait pipi dans une petite poubelle. Il me regarde et sourit, sachant pertinemment qu'ici je ne peux pas faire d'histoires. Aussitôt, mon seuil de tolérance dégringole dangereusement. Je change légèrement ma trajectoire et me dirige vers l'objet du délit que je fourre discrètement dans mon grand sac, avant de continuer mon chemin, tenant un peu trop fermement mon Fred par la main. Je sens que Père-au-foyer-sexy m'observe et, pour la première fois, son attention n'est pas la bienvenue.

Je m'approche du bureau de la maîtresse. Elle se penche en avant et je l'imite jusqu'à ce que nos fronts se touchent presque. Pourquoi m'a-t-elle convoquée ? Ce doit être catastrophique. Quelques scénarios défilent dans mon esprit : Joe a blessé quelqu'un. Joe a été blessé par quelqu'un. Ils ont officiellement diagnostiqué une névrose obsessionnelle chez lui et ils me tiennent pour responsable. Ma désorganisation est à l'origine de cette fixation. Ils ont découvert un scandale de pédophilie. Ils m'ont surprise en train de flirter avec Robert Bass, qui se trouve à présent dans la salle de classe et aide son fils à sortir les livres de son cartable tout en jetant des coups d'œil furtifs vers moi.

J'imagine la maîtresse disant :

— Nous ne pouvons pas tolérer ce genre de comportement ambigu entre deux parents d'élèves. Quatre heures de colle !

Et ma sale manie de vouloir toujours me placer au

centre de tous les désastres alors que je devrais me contenter d'un rôle secondaire... Ce rendez-vous n'a sûrement rien à voir avec moi, personnellement. Et pourtant, je me retrouve dans la posture d'une adolescente rebelle, le poing sur la hanche, prête à tous les défis.

Je demande néanmoins :

— Devrais-je appeler mon mari ?

— Oh, c'est inutile, voyons ! Il s'agit d'un problème sans gravité, madame Sweeney. Nous avons trouvé ça dans le cartable de votre fils.

Avec un grand sourire, elle me tend le paquet de cigarettes entamé que j'avais dû y cacher en rentrant de la soirée chez Emma.

— Mon mari les a sûrement oubliées.

— Vous n'avez plus seize ans ! plaisante-t-elle. Vous n'avez plus besoin de vous cacher derrière le garage à vélos pour fumer en cachette.

Je souris faiblement. Quand j'ouvre mon sac pour les ranger, je constate qu'elle en fixe étrangement le contenu.

— Est-ce ma poubelle que vous avez là-dedans ? demande-t-elle, inquiète.

— Non, c'est un pot portatif, m'entends-je répondre.

— Il ressemble vraiment à l'une de mes petites corbeilles.

Je comprends qu'elle n'est pas du style à passer sur ce genre de chose. Elle veut toute la vérité, rien que la vérité.

— Je l'ai trouvé dans la cour de récréation en arrivant, dis-je en oubliant les conseils de Cathy consistant à ne jamais donner trop de détails quand on ment. D'après l'odeur et la couleur, on dirait que quelqu'un a fait pipi dedans. Un enfant, pas un adulte... Et le volume d'urine confirme cette hypothèse.

Devant son air consterné, j'ajoute :

— J'allais l'emporter aux toilettes et le nettoyer avant de le remettre dans la cour.

Je me retourne vers l'endroit où était posée sa poubelle et vois Robert Bass avancer en écartant les pans de sa veste pour révéler une poubelle identique à l'autre et qu'il avait dû chaparder dans la classe voisine pour la remplacer. Il me fait signe et la pose.

— Vous voyez bien, votre poubelle est là-bas ! dis-je, triomphante.

La maîtresse se retourne et découvre l'objet en question *in situ*.

— Oh, je suis vraiment désolée ! Je n'avais encore jamais vu un de ces… euh… pots portatifs. Ils ressemblent vraiment à une poubelle. C'est un geste très citoyen de votre part, madame Sweeney. Nous avons besoin de parents comme vous à l'école.

Je quitte la classe en m'éventant avec un paquet de lingettes. Robert Bass me suit dans le couloir.

— Merci, dis-je en agrippant la main de Fred. Sans vous, j'étais dans de sales draps.

— Je vous en prie. Je me demandais si vous accepteriez de m'emmener en voiture à la réunion de ce soir.

— C'est le moins que je puisse faire, m'entends-je dire.

Toute résolution de l'éviter fond sur-le-champ. C'est la première fois que Robert Bass prend l'initiative. Je justifie ma faiblesse en me disant qu'il serait grossier de lui refuser cette faveur après le service qu'il m'a rendu. C'est vrai, après tout ! Quel mal y a-t-il à le conduire à une réunion dans la maison de Mère-efficace pour discuter de l'organisation de la fête scolaire de Noël ? La promiscuité forcée qu'offrent les autos me rappelle l'adolescence. Une image de manœuvres maladroites, de frein à main labourant le ventre de Robert Bass tandis qu'il se penche vers moi pour m'embrasser me vient aussitôt à l'esprit avec une précision déconcertante. Puis je pense à l'état de ma voiture : les trognons de pommes pourris sur la moquette côté passager, la poignée poisseuse de la boîte à gants et le chocolat fondu sur les sièges. Je décide de ne pas la nettoyer, estimant que ce capharnaüm freinera à merveille notre tentation.

— Ce serait génial, Lucy, dit-il. En attendant, surveillez vos petits bonshommes !

Puis il éclate d'un rire tellement tonitruant que les gens commencent à nous regarder.

Après avoir déposé Fred à la garderie, je me mets en route pour déjeuner avec ma belle-mère. C'est une de ces journées d'hiver où le ciel est d'un bleu brillant et le soleil d'autant plus bienvenu qu'il s'est absenté pendant des semaines. Assise dans un bus en direction de John Lewis, sur Oxford Street, j'appuie ma joue contre la vitre froide et ferme les yeux pour me protéger des rayons trop éblouissants. En dépit de la conversation qui m'attend, je ressens une certaine satisfaction. En ce milieu de matinée, le siège à côté de moi est libre et le chauffeur négocie les virages en douceur. Ma tête ne cogne donc pas contre la fenêtre à chaque manœuvre. Être seule représente le même luxe pour moi qu'une séance chez Micheline Arcier pour Mère-parfaite n° 1.

Ma belle-mère croit en John Lewis comme d'autres croient en Dieu. Selon elle, rien n'est digne d'être possédé si cela ne se trouve pas entre les murs impassibles de ce grand magasin. Quand Selfridges a été entièrement rénové, ses croyances ont été confortées. Hormis quelques déceptions quand ils ont modernisé leur rayon de meubles et ajouté de nouvelles lignes de prêt-à-porter, son histoire d'amour avec John Lewis a toujours été marquée par la fidélité et la constance. Mis à part une brève liaison avec Fenwicks, peu après notre mariage.

En entrant dans le magasin, je traverse le rayon mercerie. Il n'y a rien de plus rassurant que ces rangées de pelotes de laine et de bobines de fil de couleurs différentes. Des boîtes à couture avec des dessins de chatons et de chiens sont accrochées sur le mur. Je m'imagine, le soir à la veillée, installée sur le canapé à côté de Tom, en train de broder en sirotant une petite liqueur, toutes pensées de Robert Bass bannies pour laisser place à une dévotion sans faille à ma famille.

Le tricot et la couture ont été réhabilités en tant que passe-temps acceptables pour les mères modernes. Peut-être arriverais-je à remettre aussi la tapisserie au goût du jour ? Je pourrais me repentir de mes péchés et confectionner de la layette pour la paroisse locale. Assise sur une chaise en face des machines à coudre, je ferme les yeux et respire à fond, parfaitement détendue.

— Lucy, Lucy !

Je lève les yeux. Ma belle-mère secoue doucement mon épaule.

— Étiez-vous endormie ? demande Petra.

— Non, je méditais.

Elle porte ce que j'appellerais son plus beau manteau, un truc bleu marine en laine avec des boutons dorés et des épaulettes rembourrées qui rappellent indéniablement les années quatre-vingt. Sur le col, elle a épinglé une petite broche allongée avec un ruban à chaque extrémité. Elle sent le savon et l'eau de toilette Anaïs Anaïs.

Nous montons l'escalator et je me tiens juste derrière elle. Droite comme un i, les talons serrés, les pieds tournés vers l'extérieur, elle se tient tel un grenadier. Au self, nous commandons toutes les deux une salade de crevettes avec des tranches d'avocat et du pain aux céréales. C'est l'évolution naturelle du cocktail aux crevettes, me dis-je tandis que nous nous dirigeons vers une table près de la fenêtre, avec vue sur Marble Arch. Nous touillons nos cappuccinos un peu trop vigoureusement en regardant le petit square en contrebas. L'introduction de ce nouveau rite qu'elle appelle « un café exotique » est un changement qu'elle semble apprécier.

— Vous vous êtes sans doute demandé de quoi il s'agit, commence-t-elle tout de go.

Elle porte toujours son manteau, boutonné jusqu'en haut, et cela me rappelle tellement Tom que je dois résister à l'envie d'éclater de rire. Il doit exister un gène du boutonnage.

— Je crois savoir, dis-je en espérant la prendre au dépourvu avec une attitude déterminée. J'ai remarqué que vous m'observiez.

Elle me considère d'un air surpris.

— Je sais. Ça fait une éternité que je voulais vous avouer quelque chose. Mais je n'ai cessé de remettre ça au lendemain et maintenant j'en arrive au point où mon silence risque de provoquer encore plus de dégâts.

— Ce n'est pas toujours facile d'être marié, dis-je, décidant de prendre le taureau par les cornes car je n'ai pas le temps de tergiverser : dans deux heures, je dois récupérer Fred à la garderie. Chacun passe par des phases différentes. Une compatibilité parfaite n'existe pas.

— En effet. Souvent, ces détails qui nous attirent chez quelqu'un finissent par devenir les plus difficiles à supporter. Une bonne entente, ça se travaille.

Sa bouche est remplie de cappuccino et elle met une éternité à l'avaler. Quand elle lève enfin les yeux, une fine ligne de mousse décore sa lèvre supérieure.

Je hoche la tête.

— Très juste. Il n'est pas toujours facile d'être tolérant.

— Vous êtes très intuitive, Lucy. À dire vrai, le mariage repose sur une série de compromis et les femmes sont de meilleurs caméléons que les hommes. Vous pouvez considérer cette qualité comme le fardeau inhérent à notre sexe. Pourtant elle s'avère utile dans la mesure où elle permet d'aimer beaucoup de gens différents.

— Cela ne rend pas la chose plus facile.

Dix minutes plus tôt, il m'aurait semblé inconcevable d'avoir ce genre de conversation avec ma belle-mère et je m'efforce d'intégrer ce changement inattendu aux paramètres de notre relation. Elle, en revanche, semble l'avoir adopté sans difficulté.

— Mais je pense que si on arrive à faire des compromis pour une personne, on y arrive avec d'autres, continue Petra. L'idée que les gens courent le monde en quête de leur âme sœur m'a toujours paru absurde. D'après moi, nous sommes capables de trouver beaucoup de personnes attirantes et, si l'occasion se présente, nous devons l'exploiter.

Elle se laisse aller contre le dossier de sa chaise, l'air plutôt soulagée, comme si elle avait cherché ces mots depuis des mois, répétant cette conversation dans son lit jusque tard dans la nuit. Quant à moi, je suis épatée par son franc-parler et je ne sais que répondre. Je ne m'attendais pas à ça. Elle n'a pas toujours été d'accord avec moi au cours de ces dix dernières années, mais je suis surprise qu'elle veuille se débarrasser de moi aussi facilement. C'est comme si elle me donnait l'autorisation d'avoir une liaison. Je suis même un peu vexée de constater qu'elle considère notre mariage avec autant de légèreté.

— J'ai toujours cru que vous étiez une inconditionnelle de la monogamie, Petra.

Le choc de la conversation m'a fait élever la voix et, en me retournant, je vois que des douzaines de paires d'yeux sont fixées sur nous. Cela n'est pas l'endroit idéal pour ce genre de discussion. Ni le public adéquat. Ces gens ne sont pas des adeptes de la télé-réalité. Ils lui préfèrent sûrement les émissions plus calmes sur le jardinage ou la cuisine.

J'ai l'impression qu'elle a tiré le tapis sous mes pieds. Toutes les hypothèses que j'avais élaborées au sujet de ma belle-mère sont remises en question. Elle doit connaître le problème des infidélités conjugales, mais de là à envisager que les parents de Tom aient pu avoir un mariage du genre union libre...

— Bien sûr que je crois à la monogamie ! s'écrie-t-elle, l'air un peu choquée par le tour que prend notre conversation.

— Mais vous parlez d'aimer plusieurs personnes. De manière platonique ? Sans relation sexuelle ?

Elle semble gênée.

— Oh, je pense que le sexe n'est pas exclu, bien que la libido diminue avec l'âge.

Elle ouvre le bouton du haut de son manteau et commence à éventer son visage empourpré avec un menu. Puis elle reprend :

— Je crois que je me fais mal comprendre.

— Je vous trouve plutôt inhabituellement explicite.

Autour de nous, les clients s'efforcent de garder les yeux fixés sur leur assiette, mais je sais qu'ils essaient surtout de suivre notre conversation parce qu'ils ont arrêté de mâcher et que leurs joues sont gonflées comme celles des hamsters.

— En un mot, Lucy, ce que j'essaie de vous dire, c'est que j'ai rencontré un homme que j'ai aimé autrefois, il y a des années, et je compte m'installer à Marrakech pour vivre avec lui.

Suis-je déconcertée parce que cette conversation, en fin de compte, la concerne elle et non pas moi ? Ou suis-je choquée d'apprendre que ma belle-mère est tombée amoureuse de quelqu'un et s'expatrie au Maroc ? Je la fixe pendant une éternité et laisse s'installer un silence embarrassant.

— S'agit-il de l'homme qui a peint votre portrait ?

Elle rougit.

— C'est bien lui. J'ignore comment je vais annoncer cela à Tom. Je connais cet homme depuis des années. Durant mon mariage avec le père de Tom, nous ne nous sommes jamais revus. Il m'a écrit une ou deux lettres, mais je ne lui ai jamais répondu. Je suis toujours restée fidèle à mon mari. Puis, il y a deux ans, il est venu à Londres et m'a téléphoné. Nous avons déjeuné ensemble. Il a douze ans de plus que moi et je n'en avais que vingt à l'époque où nous sommes sortis ensemble. L'occasion d'être heureuse s'est présentée il y a quarante ans et je l'ai refusée… je ne veux pas la laisser passer une nouvelle fois.

— Mais pourquoi ne l'avez-vous pas épousé autrefois ?

— Parce que je ne pouvais pas compter sur lui. Il buvait trop. Il m'aurait trompée et nous aurions vécu dans l'indigence. Rien n'importait plus que sa peinture. Je n'en ai jamais parlé au père de Tom. À l'époque, ça n'aurait pas pu coller. Maintenant si.

— Mais ne vous êtes-vous pas demandé comment cela se serait passé ?

Elle avait dû faire appel à une volonté incroyable pour étouffer sa passion pour l'artiste et s'engager dans une nouvelle relation avec le père de Tom.

— Bien sûr que je pensais à lui ! Et il y a des

instants que je n'ai jamais réussi à oublier, mais je me suis adaptée à quelqu'un d'autre. Voilà ce que j'essayais de vous expliquer tout à l'heure : il est possible d'aimer plus d'une personne. J'ai aimé le père de Tom, un homme plus aimable, vraiment. Et il m'a aimée. Il m'a apporté la stabilité dont j'avais alors besoin. Jack aurait provoqué chagrin et douleur, ce qui aurait tout détruit.

— S'est-il marié ?

— Deux fois. Et il a six enfants, dont un hors mariage. Il prétend que si j'étais restée avec lui, cela ne se serait pas passé ainsi. Mais je sais qu'aucune femme au monde n'aurait pu lui apporter tout ce dont il avait besoin. Il aimait les femmes intelligentes et je n'ai jamais été brillante ni pleine d'esprit. Il était attiré par les femmes dangereuses. Il appréciait les gens en souffrance parce qu'il les trouvait excitants. J'étais trop quelconque. Naturellement, j'ai bu et fait la fête, mais pas autant que lui. Le seul appétit que nous partagions était celui de nos corps.

Une rumeur semble courir à travers le restaurant et je me sens soulagée, car cette diversion tombe à pic. Je ne souhaiterais pas qu'elle approfondisse le sujet.

— J'aimerais que vous l'annonciez à Tom, Lucy. Moi, je m'en sens incapable.

— Je pense que vous devriez vous en charger. Il sera moins bouleversé que vous ne vous l'imaginez. Il comprend le besoin d'être aimé et la peur de se retrouver seul. Nous le comprenons tous. Pourquoi ne passeriez-vous pas ce soir ? Je vais à une réunion de délégués de parents.

— Si vous êtes sûre que c'est la meilleure solution.

— Oui, dis-je en songeant au peu que nous savons sur nos proches. Vous allez nous manquer.

Elle sourit.

— Le baby-sitting ? Le nettoyage ? Sans parler de mes ingérences ? Ça me manquera à moi aussi. Vous viendrez nous voir à Marrakech, c'est une ville très excitante. Les enfants adoreront.

— Allez-vous vous marier ?

— Non, simplement vivre ensemble. Dans le péché. Je partirai pour le nouvel an, comme ça je passerai Noël avec vous tous. Si cela convient toujours à vos parents.

— Absolument. Ils en seront ravis.

Je mens.

— Et si nous allions faire un peu de shopping ? J'aimerais vous offrir un petit cadeau. Maintenant que je vends la maison, je me sens riche. Si nous remplacions ce jean par quelque chose de plus joli ?

— À dire vrai, j'ai eu un mal fou à y entrer, dans ce jean ! Et « joli » n'est pas trop mon style. Mais c'est gentil à vous. Si nous cherchions plutôt des cadeaux pour les enfants ?

Nous nous dirigeons vers le rayon jouets. Le mélange de guirlandes lumineuses, les tonnes de plastique aux couleurs criardes et le nombre incalculable de cadeaux qu'il me reste à acheter pour Noël me donnent la nausée. J'aimerais m'asseoir seule dans mon coin pour digérer ce que Petra vient de me révéler, graver cette conversation dans ma mémoire pour tenter d'en assimiler la signification profonde. Soulagée par sa confession, ma belle-mère désire au contraire passer à des choses plus futiles.

Le soir même, je laisse Tom et sa mère dîner ensemble et me retrouve en route pour chercher Robert Bass chez lui, un exemplaire humide de *The Economist* négligemment posé sur le siège passager. J'espère redonner une note plus intellectuelle à notre relation et, en le feuilletant dans mon bain, j'ai décidé d'orienter la conversation vers la politique internationale et d'autres sujets moins dangereux. Cela peut sembler un peu calculateur, mais dorénavant il va me falloir reprendre le contrôle des événements plutôt que de me laisser porter par eux.

En voyant le journal si humide, et les pages coller les unes aux autres, Robert se dira sûrement que je l'ai lu dans mon bain, donc nue. Hum ! Ça risque de le faire songer à des choses d'une autre nature, plus intimes encore… Les hommes s'emballent facilement. Il suffit de lâcher un mot comme « beurre » pour qu'ils pensent aussitôt au *Dernier Tango à Paris*.

Bien que je me rende chez lui pour la toute première fois, le chemin est déjà gravé dans ma mémoire. Il y a quelques semaines, j'ai passé un quart d'heure devant l'ordinateur pour essayer de tracer l'itinéraire le plus logique jusqu'à l'école. J'ai le plan, agrandi au maximum, sur les genoux.

Devant sa maison, j'attends dans la voiture qu'il apparaisse. C'est un bâtiment classique de l'époque victorienne avec une porte d'entrée bleue fraîchement repeinte. Par-dessus un muret blanc, je peux voir dans la cuisine qui se trouve en contrebas. Quelqu'un fait la vaisselle. Une femme, les cheveux coupés à la garçonne, récure négligemment des casseroles. Elles ne sont sûrement pas encore propres, me dis-je, quand elle les empile sur l'égouttoir en équilibre précaire. J'aperçois Robert Bass qui s'approche d'elle et pose une main sur son épaule osseuse. Elle se retourne pour l'embrasser sur les lèvres. Elle porte un jean cigarette et des bottes Ugg. Sa femme, sans doute. À l'arrière-plan, je repère la silhouette d'un petit enfant en train de jouer par terre avec un train. Secouée, je m'affaisse sur mon siège. Je n'avais encore jamais vu son épouse. Je m'étais imaginé quelqu'un de très différent de moi, le style femme d'affaires très apprêtée, en tailleur Armani. Une créature froide et hautaine, au sourire carnassier arborant une coiffure impeccable, vaporisée de laque. Au lieu de cela, on m'impose cette image de femme douce et attirante. Bien sûr, de près, il doit y avoir les inévitables rides en pattes-d'oie, un brin de relâchement au niveau du ventre et une ombre dans le regard, signifiant que tout n'est pas rose dans sa vie. De loin pourtant, elle offre une silhouette fort enviable. Je l'observe avec tellement d'attention que je ne remarque pas que Robert Bass est sorti de la maison. Il ouvre la portière de la voiture et s'installe sur le magazine.

— Lucy, c'est vraiment très gentil.

Nous démarrons et, chaque fois qu'il bouge, *The Economist* glisse un peu plus sur le côté, pour finalement tomber par terre. Il se penche et je pense qu'il va le ramasser. *Que nenni.* Au lieu de cela, il soulève une liasse de papiers pour examiner autre chose.

— Qu'est-ce que c'est ? dis-je en essayant de me concentrer sur ma conduite.

— Du beurre.

Il me considère avec un air espiègle. J'ai dû sursauter car il ajoute aussitôt qu'il n'a encore jamais rencontré personne atteint d'une telle phobie du beurre.

Je sais qu'il pense à Marlon Brando. J'aimerais lui signaler que je n'y connais rien en psychologie masculine, mais le moment est mal choisi.

— Votre voiture m'étonnera toujours, Lucy.

— Certains ont une résidence secondaire, moi j'ai ma voiture. Cela ne vous ennuie pas que je m'arrête pour prendre de l'essence ?

— Excellente idée, vu votre récente débâcle.

Il farfouille dans les CD qui se trouvent dans la boîte à gants.

— Pourquoi sont-ils mélangés comme ça ? Bon…
je ne dis plus rien.

— Pour répondre à votre remarque précédente, certaines choses sont bien pires que de tomber en panne
d'essence sur le chemin de l'école.

— Certaines, mais pas toutes.

En sortant de la voiture pour payer l'essence, je le
trouve agaçant. Non seulement à cause de ses critiques
blessantes mais surtout à cause de sa jolie femme.

Je fais patiemment la queue, toujours obsédée par le
souvenir de son épouse dans la cuisine, et fouille mes
poches en quête de ma carte de crédit. Celle de droite
est percée et je finis par trouver la carte dans l'ourlet.
Derrière moi, les clients commencent à s'impatienter.
Tout semble bien se passer jusqu'à ce que la caissière
parle d'un « petit problème » sur un ton qui signifie
généralement le contraire. Elle annonce, en se penchant
sur sa caisse de manière à attirer l'attention de tout
le monde, qu'elle doit appeler le directeur, puis elle
conseille aux clients suivants de prendre une autre file.

— Je crains que nous soyons obligés de retenir cette
carte, annonce le manager en question, le torse gonflé
d'importance. Elle a été déclarée volée.

— Écoutez, je peux tout vous expliquer, dis-je en
réalisant mon erreur. Je croyais avoir perdu cette carte
et l'ai donc déclarée volée. Mais voilà que je viens de
la retrouver dans la doublure de mon manteau. C'est
mon nom qui est inscrit sur la carte. Je m'appelle
Sweeney, Lucy Sweeney. C'est simple, non ?

Je souris pour lui inspirer confiance, mais il me
considère d'un air soupçonneux.

— Nous devons suivre des procédures bien précises.
De plus, vous risquez de vous débiner sans payer. On
les connaît, les gens dans votre genre !

— Et quel est mon genre ? Vous croyez qu'elles

sont nombreuses, les mères en cavale ? Vous pensez sans doute qu'il s'agit d'une rébellion de mamans distraites qui se shootent avec un doux mélange de manque de sommeil, de soucis d'argent et de paniers de lessive en retard ! C'est normal qu'elles se défoulent de leurs frustrations en se lançant dans des fraudes minables de cartes de crédit ! Vous avez raison, faites-le-leur payer bien cher : ces mères offrent des cibles tellement faciles !

Je m'arrête dans ma diatribe parce que tout le monde me regarde et j'aperçois Robert Bass qui suit la scène derrière la baie vitrée.

— De toute façon, nous attendons l'arrivée de la police, continue le manager en me fixant d'un air plus inquiet.

De pire en pire... Et ce n'est pas fini. Robert Bass entre dans la boutique en se passant les mains dans les cheveux, exaspéré.

— Nous allons être en retard, dit-il.

— Est-ce votre complice ? demande le directeur en le détaillant de la tête aux pieds.

— Si on veut, déclare Robert Bass un brin crispé. Que se passe-t-il, Lucy ?

Je lui explique la situation.

Ils nous font asseoir derrière le comptoir sur un banc en bois.

— Je le trouve un peu plus confortable que celui du pub, fais-je remarquer, tentant d'insuffler un peu de légèreté dans cet incident désastreux.

Il est assis à côté de moi, la tête entre les mains, ébouriffant nerveusement ses cheveux fins.

— Je vous promets que tout va s'arranger, dis-je en agitant ma main dans l'air, pas loin de son épaule.

— Taisez-vous et gardez vos mains sur les genoux ! ordonne aussitôt le directeur. Vous pourriez être armée.

Une demi-heure plus tard arrive un policier vêtu d'un gilet pare-balles. Sûrement pas à cause de nous. Il somme le directeur de ne pas lui faire perdre son temps et d'appeler la banque. Celle-ci lui annonce que j'ai déjà perdu onze cartes cette année, lui conseille de détruire celle-ci et de nous laisser partir.

Nous retournons à la voiture en silence.

— J'ignore comment votre mari arrive à supporter tout ça, dit faiblement Robert Bass.

Il incline le siège aussi loin que possible et ferme les yeux. Une scène que je m'étais imaginée maintes fois plus tôt dans la journée, mais pas dans ces circonstances.

— De l'extérieur votre vie a l'air routinière, mais à l'intérieur ça bouillonne et pétarade comme dans un État anarchique d'Amérique centrale. Rien n'est prévisible. Et votre mari réussit à faire face à tout ce chaos ?

— Oh, mais je ne lui dis pas tout.

— Alors vous devez être la reine des secrets.

Et il ne pipe plus un mot jusqu'à ce que nous arrivions chez Mère-efficace.

Quand je coupe le moteur, il laisse échapper un soupir de soulagement.

— Lucy, inventez une excuse, c'est votre spécialité. Moi, je ne m'en sens pas l'énergie.

Mère-efficace ouvre la porte et nous accueille dans une de ses tenues du style décontracté-chic qui m'épatent toujours.

— Vous avez pas mal de retard ! C'était à prévoir. Bon, de toute façon, j'ai imprimé l'ordre du jour, ça ne devrait pas durer trop longtemps.

— Désolée. On a eu un imprévu.

Elle nous précède jusqu'à la cuisine et nous demande si nous voulons boire quelque chose. J'acquiesce et m'apprête à demander un verre de vin blanc quand elle me montre un tiroir de thés « pour toutes les occasions ». La soirée s'annonce longue.

Je me tourne vers Robert Bass.

— Qu'est-ce qui vous ferait plaisir ? « Rêves sublimes », « Vigueur nouvelle » ou « Restons zen » ?

— Le dernier me semble parfait, répond-il faiblement.

Une étagère chargée d'ouvrages sur l'éducation des enfants attire mon attention : *Les Sept Habitudes des familles très efficaces*, *Élever les enfants de A à Z*, *Aller à l'école : comment aider votre enfant à réussir*.

— À quelle philosophie d'éducation adhérez-vous, Lucy ? demande-t-elle.

J'improvise :

— Celle du « culte de la lenteur ». Cela fait partie du mouvement slow-town, slow-food, etc. Pour que les enfants deviennent des adultes libres et épanouis.

— Oh, fait-elle pour masquer sa surprise. Je n'en ai jamais entendu parler.

Sur le mur à côté du réfrigérateur, un panneau aussi grand que moi répertorie les activités hebdomadaires. Pendant que l'eau bout, je l'inspecte de plus près : maths méthode komon, violon méthode Suzuki, échecs, yoga pour enfants.

— Ça doit être difficile de gérer tout cela, dis-je en montrant le tableau.

Elle sourit d'un air entendu.

— Tout est dans le grand O ! Tout en découle.

Mon esprit s'emballe…

— Le O ?

— O pour organisation, bien sûr !

Euh… où avais-je la tête ?

Elle fait démarrer la réunion sur les chapeaux de roues.

— Commençons avec les missions de chacun...

Voilà ce qui arrive quand des femmes qui réussissent professionnellement arrêtent de travailler. Elles ne savent plus comment s'occuper. Des mamans McKinsey[1], trop de temps, trop d'énergie, trop peu d'intuition, me dis-je en essayant d'afficher un intérêt enthousiaste.

— Je tiens à ce que mon mandat laisse le souvenir d'une rigueur intellectuelle appliquée aux événements scolaires, insiste-t-elle.

Robert Bass paraît interloqué.

— Pour la fête de Noël, avant la distribution des cadeaux, je propose un petit récital de chants de Noël à l'ancienne, poursuit-elle.

Elle nous distribue les partitions des trois comptines qu'elle a choisies.

— Ne pensez-vous pas qu'il s'agit avant tout de s'amuser ? intervient Robert Bass en parcourant les textes. C'est un tantinet vieillot et compassé, non ? Les gamins n'ont que cinq ans et vont être excités par l'arrivée du Père Noël. Et puis je ne vois pas comment ils pourraient apprendre ces chants d'ici là.

— Exactement. Voilà pourquoi c'est nous qui les chanterons, rétorque Mère-efficace.

Il avale son thé de travers.

— Mais je ne sais pas chanter, moi ! proteste-t-il faiblement.

— Aucune importance puisque personne ne vous reconnaîtra. Vous serez tous les deux en costume.

Comme nous la considérons avec stupeur, elle ajoute en nous désignant tour à tour :

— Mais oui ! Papa Noël et son petit elfe !

---

1. Société de conseil créée en 1926 intervenant au niveau de la direction générale et prônant l'efficacité, le travail en équipe, la performance et la compétitivité. *(N.d.T.)*

— Pas question, grogne Robert Bass.

— Je m'attendais à plus de protestations de la part de Lucy, mais pas de la vôtre ! lâche froidement Mère-efficace.

En fait, je suis fascinée par le spectacle de Robert Bass qui roule les manches de sa chemise jusqu'au coude. Ah, décidément, les avant-bras… Mère-efficace reste de marbre.

— Tout cela a l'air merveilleux, dis-je, rêveuse.

— Traîtresse, articule-t-il en silence à l'autre bout de la table.

Je suis assez déconcertée. Mais c'est au moment de lui proposer de le raccompagner à la fin de la réunion, une heure plus tard, que je prends la juste mesure des dégâts provoqués par cette soirée.

— Non, merci Lucy. Je pense que c'est plus sûr comme ça.

Dans un autre monde, il ferait allusion au danger que représente notre attirance mutuelle. Hélas, la vérité est plus prosaïque : je provoque chez lui un trouble qui n'a rien de sexuel.

Deux semaines plus tard, c'est donc avec une certaine surprise que j'arrive à l'école pour la fête de Noël et que je trouve Robert Bass déguisé en Père Noël, agitant avec enthousiasme une flasque par la porte des toilettes des petits.

Depuis ma déconfiture de la soirée chez Mère-efficace, mes fantasmes le concernant s'étaient dégonflés comme une baudruche. N'avait-il pas décliné mon invitation à le raccompagner ? Inutile de me complaire dans l'illusion qu'il me trouve secrètement irrésistible. Mon béguin pour lui est ridicule et sans la moindre réciprocité. La raison reprend ses droits.

— Vite ! J'ai réussi à lui échapper ! lance-t-il sur

un ton théâtral en parlant de Mère-efficace. Un petit remontant ? Je l'ai préparé moi-même. C'est entièrement bio.

Il s'assure que personne ne regarde avant de me tirer par le bras dans les toilettes. Puis il s'adosse contre la porte qu'il a pris soin de fermer, descend sa fausse barbe blanche sous le menton et avale une gorgée de gin à la prunelle.

— Ne devriez-vous pas vous calmer un peu ?

Je le sens plus déchaîné que d'habitude.

— C'est la seule manière d'arriver à supporter cette femme. Elle est déguisée en Reine des Fées, entièrement couverte de lumières clignotantes comme Oxford Street, bafouille-t-il.

Il m'en offre une gorgée et je l'accepte par solidarité. La température de mon corps augmente aussitôt de quelques degrés.

— Vous devriez retirer votre manteau, Lucy, suggère-t-il en prenant une nouvelle rasade. Ça ne doit pas être si dramatique, là-dessous.

Oh, que si ! Sous un long manteau que m'a prêté Tom, je porte un prétendu costume d'elfe, confectionné à la hâte par notre chère Mère-efficace. Bien qu'elle m'ait fièrement confié qu'elle s'était inspirée d'une tenue de patineuse, je la soupçonne d'avoir été surtout motivée par une envie de m'humilier au maximum. Une petite robe en feutrine verte plissée, froncée à la taille, qui me fait des fesses énormes.

Nerveuse comme tout, je demande :

— Qu'en pensez-vous ?

— Ha ! Ha ! Ha ! Je ne regrette pas d'être venu ! Vous ressemblez à un adorable fruit trop mûr, une reine-claude, glousse-t-il en reculant jusqu'à se cogner dans le lavabo. Hi ! Hi ! Hi ! Il y a sûrement un côté positif à cette affaire, non ?

Je ne l'ai jamais vu dans cet état. Quand nous sommes allés ensemble au pub, il ne m'avait pas semblé aussi porté sur la bouteille. Je prend l'initiative de l'aider à se relever.

— Désolé, je n'ai rien mangé de la journée.

J'essaie de nous ramener vers un semblant de normalité :

— Comment avance le bouquin ?

— Affreux ! Je suis coincé. C'est nul. Et j'ai laissé passer deux dates de remise.

Quelqu'un tambourine à la porte.

— Père Noël ? C'est la Reine des Fées. Je vous ordonne de sortir d'ici ! Êtes-vous avec l'Elfe ?

— Non ! crie-t-il. J'arrive. Je me rajuste.

Il remonte sa barbe. L'orifice, qui devrait lui dégager la bouche, se retrouve sur son oreille droite.

Furieuse, je souffle :

— Pourquoi avez-vous menti ? Si on sort ensemble, ils croiront qu'on a commis quelque chose d'illicite !

— Passez par la fenêtre, propose-t-il en me noyant dans son haleine saturée de gin.

L'ouverture est étroite mais je grimpe, la tête la première. C'est la deuxième fois en moins d'un mois que je me retrouve à jouer les passe-murailles même si je n'ai rien appris de ma dernière expérience.

Tout se passe bien jusqu'à ce que mon popotin reste coincé. La robe est remontée au niveau de mes épaules et je sais que seule une paire de collants bruns en laine soustrait mes fesses à la vue de Robert Bass. Je me tortille comme un ver pendant qu'il me pousse de son mieux. En d'autres circonstances, on penserait que j'en tire du plaisir. Je lève les yeux et aperçois Mère-parfaite n° 1 qui remonte la rue.

— Je préfère ne pas poser de questions, dit-elle en tirant sur le bras que je lui tends.

— Il faut qu'on la roule un peu sur le côté ! crie-t-elle à Robert Bass, prenant vraiment son pied devant un tel défi.

— Attention ! Le bouchon va sauter ! hurle-t-elle, tout excitée.

Robert Bass me manipule pour me positionner dans l'axe demandé et j'arrive à me laisser glisser sur le trottoir.

Ma dignité est en confettis.

Je me justifie aussitôt auprès de mon saint-bernard :

— On s'exerçait. C'est la même ouverture que la cheminée.

Un peu plus tard, ce soir-là, j'analyse la situation. Une certaine familiarité est entrée dans l'équation. On est plus près de *Laurel et Hardy* que de *Love Story* et, pendant un bref instant, l'idée que nous devenions de bons amis comme l'avait suggéré Cathy deux mois plus tôt commence à prendre forme. Je me sens soulagée. Je pourrai désormais accepter le collier de Tom en toute bonne foi si celui-ci devait réapparaître.

Chapitre 11

« Il faut être reçu sept ans
dans une maison
pour se permettre de toucher au feu. »

Le soir de Noël, quand mon père nous ouvre la porte avec un bonnet de laine vissé sur la tête, je sais que les jours à venir vont demander beaucoup de diplomatie. C'est un de ces trucs afghans, très coloré, avec des oreilles de cocker. Est-ce une manœuvre pour provoquer Petra, qui fronce aussitôt les sourcils devant ce genre de rébellion vestimentaire ? En fait, il y a de fortes chances qu'il l'ait mis pour se protéger du froid dans leur ferme, au bord des collines du Mendip. Je le serre dans mes bras, bien fort, en signe d'affection. Et aussi pour calculer le nombre de couches de vêtements qu'il porte. Une bien meilleure indication sur ce qui nous attend en terme de température que n'importe quel thermomètre.

— Ne va pas t'imaginer que je ne vois pas clair dans ton jeu, Lucy, me murmure-t-il à l'oreille. La réponse est trois, sans compter ma veste.

Le sujet du « chauffage dans la maison » de mes parents est plus vieux que moi. Le consensus général admet que le bâtiment est mal isolé, que les radiateurs sont inefficaces et le double vitrage parfaitement insuffisant, parce qu'ils l'ont acheté une bouchée de pain dans les années soixante-dix. Mes parents ont la réputation d'adorer les bonnes affaires.

Ici, les vastes cheminées à l'ancienne, qui promettent tant de chaleur avec leurs banquettes de pierre de part et d'autre du foyer, soufflent du froid et aspirent de la chaleur sans le moindre remords. Au fil des ans, j'ai souvent vu des gens entrer dans le salon, retirer leurs manteaux et leurs pulls en voyant des bûches crépiter sur le feu, puis passer le reste de la soirée à se recouvrir discrètement pour éviter d'offenser mes parents. Ces derniers ont fini par se délecter de ce spectacle et il paraît qu'ils adorent parier sur celui qui craquera le premier.

Une cheminée qui promet convivialité et confort sans offrir la moindre chaleur provoque une cruelle déception. Un peu comme un mariage sans amour. Son existence maintient au moins une illusion de réconfort. Nous avons donc appris, depuis longtemps, à nous entasser sur les deux canapés du salon, de grosses bêtes avachies aux imprimés géométriques qui datent de notre enfance. Au cours d'un rituel d'improvisation devenu une tradition, ma mère a placé deux oreillers sous les coussins d'assise pour compenser la faiblesse des vieux ressorts usés. Même ceux qui sont pourvus de fesses rebondies font la grimace lorsqu'ils se laissent tomber dessus un peu trop lourdement.

Tom a surnommé « guerre froide » le point de vue très presbytérien de mes parents sur le confort, hérité de leur enfance sous la Seconde Guerre mondiale. Ils n'ont jamais entièrement abandonné l'idée du rationnement. Même si mon père jure qu'il ne coupe pas le chauffage pour la nuit, durant tout l'hiver, après les infos de 22 heures, la chaleur disparaît mystérieusement des radiateurs à renfort de gargouillis et de bruits de ferraille, transformant la moindre expédition nocturne aux toilettes en un véritable calvaire.

Notre dernière visite remonte à près de six mois et je regarde mes parents avec une certaine impartialité. Je note que mon père paraît un peu plus vieux et miteux. Ma mère lui a coupé les cheveux et quelques longues mèches oubliées tombent sur son col élimé. Quand il lève un bras pour m'embrasser, je remarque un trou énorme dans son pull. De longs poils noirs jaillissent de ses narines et de ses oreilles tels des buissons mal taillés.

Il a mis une cravate pour faire plaisir à Petra, qui estime qu'un homme n'est pas vraiment habillé s'il n'en porte pas. Ajoutée au bonnet, on penserait qu'il a plutôt essayé de l'irriter. Bien sûr, une fois que je lui dirai qu'elle s'enfuit à Marrakech pour vivre avec un ancien amant, il n'éprouvera plus le besoin de l'agacer. C'est le genre de décision qu'il approuve même si lui ne s'y engagerait jamais. Comme moi, il aime vivre par procuration.

Tom se prépare à l'une des vigoureuses poignées de main de mon père. Par précaution, il a gardé ses gants en cuir. Comme il dépasse mon père d'une demi-tête, il lui pose la main gauche sur l'épaule dans une vaine tentative d'affaiblir sa prise.

Ma mère rôde dans le jardin. Pour des raisons que je n'arrive pas à saisir, elle engage toutes sortes de bras de fer avec Petra. Je remarque que le parquet de l'entrée est ciré, mais quand je déplace une assiette en porcelaine sur le rebord de la fenêtre pour poser les clés de la voiture, un rayon de soleil pénètre par la vitre et souligne des couches ancestrales de poussière. Elle aura changé les draps dans la chambre d'amis mais oublié de nettoyer la salle de bains. Le cellier sera comme toujours envahi d'un fouillis de vieux journaux, de récipients en plastique qu'elle hésite à jeter et de sacs-poubelle noirs remplis de linge sale qui n'ont pas bougé depuis notre dernière visite.

Comme elle a rencontré mon père alors qu'elle enseignait à l'université de Bristol et qu'elle occupe toujours un poste à mi-temps dans le département d'anglais, elle a une excuse pour cette anarchie. Moi, en revanche, j'ai choisi une autre voie, et ne peux donc pas avancer cette circonstance atténuante.

Quand j'ai abandonné mon travail peu après la naissance de Joe, ma mère a piqué une colère noire. Elle refusait de croire que je quittais mon métier adoré pour rester à la maison avec mes enfants.

— Tu vas devenir une « femme d'intérieur », avait-elle déclaré avec une horreur à peine dissimulée en fermant la porte du cellier afin d'éviter que Tom nous entende.

Il n'y avait pas d'abat-jour sur le plafonnier et le courant d'air qui passait sous la porte faisait doucement balancer l'ampoule. Des ombres dansaient sur les murs, me donnant le tournis.

— Une « maman à plein temps » serait un terme politiquement plus correct.

Je savais que cette conversation serait difficile car ma mère avait beau clamer haut et fort ses idées libérales à la moindre occasion, elle avait une conception bien précise sur la manière dont mon frère et moi devions mener nos vies.

— C'est Tom, n'est-ce pas ? lança-t-elle. Il tient à ce que son repas l'attende sur la table quand il rentre. Il veut que tu deviennes comme sa mère, prisonnière de ses twin-sets.

Depuis qu'elle met son polo en laine sous une robe longue aux imprimés criards que les mauvaises langues appelleraient un caftan, je ne prête plus attention à ses commentaires sur la garde-robe de Petra.

— Nous cuisinons rarement le soir, à moins que ce soit lui qui se colle aux fourneaux. Contrairement à d'autres hommes, Tom se rend plutôt utile et il sait que je suis assez handicapée dès qu'il s'agit de tâches ménagères. Il sait que c'est génétique.

— Critiquerais-tu la manière dont je m'occupe de ma maison ?

Je ne pus m'empêcher de rire. Malgré son mépris souverain pour tout ce qui touche à la vie domestique, elle se met toujours sur la défensive dès qu'on fait allusion à une éventuelle déficience sur ce front-là.

Je pense qu'elle s'est sentie personnellement visée quand j'ai pris cette décision, la considérant comme un affront personnel : ma mère voulait continuer à travailler quoi qu'il arrive. J'ai eu beau lui expliquer que mon emploi du temps avec mes treize heures de boulot par jour, parfois jusqu'à minuit, était moins compatible avec l'éducation des enfants que ses brèves absences pour donner une conférence occasionnelle, elle refusait de lâcher le morceau.

Revenir avec mari, enfants et belle-mère en prime dans la maison où l'on a grandi est une expérience pour le moins déboussolante. D'une part, il y a cette espèce de familiarité rassurante de l'environnement et la répétition de certains rituels. Savoir, par exemple, qu'il faut emporter un trombone dans la salle de bains pour pouvoir retirer le bouchon de la baignoire. Être réveillé à 6 heures du matin par mon père qui se prépare son thé dès potron-minet sur un petit réchaud installé dans sa chambre. Prévoir exactement quelle force exercer pour que la chasse d'eau du rez-de-chaussée fonctionne correctement.

D'autre part, les souvenirs se bousculent en vous

sans prévenir, rivalisant pour gagner la première place, vous forçant parfois à capituler. Bien qu'ils soient souvent insignifiants, on a parfois un sentiment d'impuissance quand ils se mettent à s'infiltrer dans votre esprit sans crier gare. Rien de tout cela ne perturbe Tom, les enfants ou Petra qui observent tout ce cirque d'un œil critique.

Durant cette visite-ci, cependant, les souvenirs de mon enfance se heurtent à un événement survenu bien plus récemment, durant la fameuse expédition scolaire à l'aquarium, la dernière semaine du trimestre. Tant de choses ont changé en si peu de temps que tout le reste semble remonter à Mathusalem. Depuis cette sortie de classe, ma petite insomnie de 5 heures du matin est devenue une expérience bien plus oppressante. Au lieu de me donner une occasion de divaguer gentiment sur des sujets anodins du genre : où partir en vacances, comment persuader Emma de renoncer à Guy… je suis désormais écrasée par une anxiété qui s'insinue dans le moindre petit muscle, nerf ou tendon de mon corps. Seul avantage ? J'exploite désormais cette énergie nerveuse en me levant dès 6 heures du matin pour nettoyer, ranger et astiquer ma maison sans relâche. Tom commence d'ailleurs à se méfier. Incroyable que la vie puisse changer à ce point en si peu de temps !

On entend un gros fracas dans le couloir et mon père fait une grimace. Je préviens l'assemblée que je vais monter m'occuper des enfants qui, aussitôt la porte d'entrée franchie, se sont précipités dans l'escalier pour se réfugier dans la chambre qui appartenait jadis à mon frère Mark. Arrivée sur le palier – au lieu de me diriger vers la pièce où se trouvent les enfants –, je tourne à droite pour me faufiler dans mon ancienne chambre. J'ai besoin de me retrouver seule pour digérer les événements de la fin de ce trimestre, même si ce n'est que dix minutes. Et il me faut convenir d'une stratégie pour affronter mes prochaines rencontres avec Robert Bass.

La pièce est restée un autel à la gloire de Laura Ashley, avec ses rideaux fleuris et son papier peint assorti. La seule concession à mon statut de femme mariée est le petit lit double qui trônait autrefois au milieu de la chambre d'amis. Je m'allonge et, avant même que ma tête se pose sur l'oreiller, je comprends que le matelas trop mou sur-élèvera nos pieds par rapport à nos têtes et que nous nous réveillerons chaque matin avec une horrible migraine. Tom se croira encore atteint d'une tumeur au cerveau. Si je survis à cette semaine, au moins saurai-je que les vaisseaux dans ma tête sont solides !

Je me glisse entre les draps froids, tire à moi trois lourdes couvertures en laine et un couvre-lit avec un imprimé Laura Ashley différent de celui des rideaux. Leur poids me rassure et lentement mon corps se détend. Pour la première fois depuis cette expédition à l'aquarium, catalyseur de cette angoisse, la tension m'abandonne. Sous moi, je sens le contact d'une autre couverture en laine rêche. Soit. Mettons qu'une semaine de contrition permettra peut-être d'évacuer en partie ma culpabilité.

Je devrais profiter de ces rares moments de solitude pour me concentrer sur Noël, pour emballer les cadeaux que j'ai achetés pour Tom pendant ces courses folles où je carburais à la culpabilité ou pour aider maman à préparer le dîner du réveillon, un défi qu'elle parvient rarement à relever. Au lieu de cela, je reste allongée là, ressassant inlassablement les mêmes histoires, cherchant les indices qui auraient dû me préparer à ce qui est arrivé.

La sortie scolaire au London Aquarium a commencé

sur une note plutôt déprimante quand j'ai vu Mère-efficace embarquer dans le bus avec *Le Guide de la vie aquatique* sous le bras. La maîtresse de Joe lui jetait un regard sombre. Elle est assez douée pour exprimer toutes les émotions qui la submergent en une seule mimique, avec une préférence pour un subtil mélange de mépris, de rejet et d'impatience quand ça concerne Mère-efficace.

— J'ai préparé un petit questionnaire pour que les enfants ne s'ennuient pas pendant le voyage, annonça-t-elle à l'avant du bus, à côté du chauffeur, en agitant des feuilles de papier. Je pensais qu'on pourrait aussi en profiter pour répertorier tous les élèves qui souffrent d'allergies, au cas où les goûters se mélangeraient durant cette sortie. J'ai également acheté une trousse de premiers secours assez complète, y compris de l'adrénaline.

Puis elle a fait quelques pas dans l'allée du bus et s'est installée à côté de moi. Joe est passé à l'arrière pour rejoindre ses amis. Avec plaisir, j'ai pu constater qu'en dépit de ses inquiétudes, il était très entouré. Pourvu que Mère-efficace ne commence pas à me parler du passage de son fils dans la meilleure maternelle du coin, en vue de sa future carrière chez Goldman & Sachs. Même si j'ai péché, je ne mérite pas ça !

Robert Bass est arrivé juste derrière elle. En notant que le siège à côté de moi était déjà occupé, il a haussé les épaules. J'ai perçu un brin de soulagement dans son expression mais, à la lumière de ce qui s'est passé plus tard, je me trompais. Si Mère-efficace n'avait pas accaparé ce siège, j'aurais pu évaluer son humeur avec plus de justesse, savoir s'il aurait choisi distance ou promiscuité, ce qui aurait certainement changé le cours des événements suivants. Quelques jours s'étaient écoulés depuis notre dernière rencontre qui, d'après moi, avait introduit une nouvelle intimité dans notre relation.

Mère-efficace a ouvert son sac, rangé les feuilles dans un dossier puis lissé le bas de son pantalon à la coupe impeccable.

— Je suis très inquiète au sujet des maternelles...

Devant nous s'était installée une horde de Mères-parfaites, y compris Mère-parfaite n° 1 qui discutait avec ses voisines du nombre exact de domestiques qui devraient l'accompagner aux Antilles pour Noël. Elle se demandait si un cuisinier à mi-temps ou à plein temps serait le plus rentable. Apparemment, je ne méritais pas de participer à ce genre de débat, même si j'aurais penché pour la deuxième option.

Les soucis sont très relatifs. Moi, je m'inquiétais de savoir si une bouteille de vin m'attendrait en rentrant, si Tom aurait découvert mes cigarettes cachées au fond de mon armoire et si je n'avais pas emporté les deux jeux de clés de la voiture. Et encore... s'il n'y avait eu que ça !

Et dire qu'il restait encore une heure de trajet avant d'arriver à l'aquarium...

— Celle où nous avons obtenu une place ne semble pas se préoccuper de la manière dont les enfants tiennent leurs crayons, continuait Mère-efficace. Je n'ai pas allaité mon enfant pendant un an, renoncé à mon emploi et préparé des petits plats bio pour qu'il finisse dans une garderie de bas étage !

J'ai sûrement paru troublée, car elle a ajouté :

— L'allaitement augmente le QI de six points en moyenne.

— Vous devriez peut-être vous détendre un peu, vous amuser, prendre du recul. C'est dommage de se prendre la tête avec tous ces détails.

— Je refuse que mes enfants restent sur le bas-côté de la route, cracha-t-elle.

— Inutile de s'inquiéter pour des choses qui échappent à notre contrôle.

Elle me regarda fixement et lâcha :

— Comme on fait son lit, on se couche, Lucy.

— Pourquoi voudriez-vous avoir quatre enfants surdoués et névrosés qui rivalisent entre eux ? Est-ce là une recette de bonheur et d'accomplissement ?

Et cette fois, elle n'a pas pipé mot.

Puis mon téléphone a bipé. Robert Bass m'envoyait un texto.

Culotté !

« Lucy, il y a un siège libre à côté de moi. »

Je me retourne et, deux rangées plus loin, il me fait un signe de la main.

J'aurais dû me méfier de cette ouverture mais les répercussions de la décision de Petra d'aller s'installer à Marrakech m'avaient beaucoup préoccupée durant les semaines précédentes… Bien que Tom ait accepté ce choix avec un calme tout relatif, il s'était peu à peu convaincu que l'artiste en question n'était qu'un paumé qui se ferait entretenir grâce aux fruits de la vente de la maison de sa mère. J'essayais de le persuader de laisser une chance à ce type avant de le juger. Curieusement, tandis que mes sentiments envers Robert Bass s'estompaient, mon inquiétude pour Petra augmentait.

Et si elle avait mal évalué la situation ?

Ainsi, lorsque s'est présenté le seul moment interactif de ce voyage d'étude, j'étais à des kilomètres de Robert Bass.

— Qui veut chatouiller les raies ? s'est soudain écriée la maîtresse de Joe.

Je lève aussitôt le bras.

— Moi !

Elle me jette un coup d'œil circonspect.

— Je pense qu'il vaudrait mieux donner la priorité aux enfants, madame Sweeney. Et ensuite nous les emmènerons manger leur pique-nique pour permettre aux parents de souffler un peu.

Donc, quand les enfants se sont éloignés pour déjeuner, je me suis perchée en haut des marches qui entouraient l'aquarium géant des raies et j'ai trempé la main gauche dans l'eau. Elle était étonnamment glacée. Le froid me brûlait la peau mais mon désir de toucher un de ces étranges poissons plats l'emportait sur tout le reste. Je remuais mes doigts pour les réchauffer et essayer d'attirer l'un de ces spécimens comme j'avais vu d'autres visiteurs le faire. Chaque fois qu'ils s'approchaient suffisamment pour que je puisse les effleurer, ils changeaient de direction en me montrant leur ventre blanc, leur bouche en portemanteau grande ouverte. Ma manche était trempée jusqu'au coude, mais cela m'était égal. Dans ma tête, établir un contact physique avec ces créatures bizarres était inextricablement lié à mon état d'esprit du moment. Si je réussissais à en toucher une, tout s'arrangerait. Pour toujours. Finalement, une espèce de patriarche s'est approché de moi. Il était immense et sa peau semblait marquée par les accidents de la vie. Il a pointé le nez hors de l'eau, tel un dauphin. Pour passer à côté de mes doigts, repasser encore, les frôlant avec curiosité et délice. Puis, les nageoires presque à la verticale, il s'est arrêté avant d'agiter doucement sa queue pour se stabiliser dans le courant. Là, j'ai pu le caresser comme un chat, sentant sa peau douce et fraîche au bout de mes doigts. Puis j'ai eu l'impression qu'une autre main approchait de la mienne, sous l'eau. Quelle barbe ! Moi qui avais patiemment attendu de communiquer avec ce vieux loup de mer… et voilà que quelqu'un essayait de s'incruster dans cet instant magique !

Cette main, cependant, ne cherchait pas à toucher le poisson. Malgré la distorsion apportée par l'eau, je voyais bien que cette main était plus grande que la mienne. Avec un certain détachement, je la regardais s'approcher. Puis elle a effleuré mes doigts et une voix a dit :

— Le problème, Lucy, c'est que je crois ne plus être capable de me contrôler.

J'ai levé les yeux. Bien sûr, je savais que c'était Robert Bass. Sous l'eau, il a caressé ma main pendant quelques secondes qui me semblèrent une éternité. J'étais sincèrement ennuyée d'éprouver cette excitation familière. J'étais si près de son visage que je pouvais examiner les cicatrices d'une ancienne varicelle qui le vieillissaient et lui seyaient à merveille. Il m'a longuement fixée dans les yeux et j'ai bien cru qu'il allait m'embrasser. Puis il a simplement retiré son bras de l'eau et s'est éloigné. Perplexe, je l'ai suivi du regard en essayant de comprendre ce qui venait de se passer. Puis j'ai remarqué que Mère-efficace m'observait depuis un banc, dans un coin sombre à l'autre extrémité de la pièce. Ses manches descendaient jusqu'aux poignets et ses bras étaient croisés en signe de désapprobation. Elle n'avait pu voir ce qui s'était produit sous l'eau, mais notre échange de regards et notre proximité physique ne laissaient aucun doute.

Maintenant, je ne m'inquiète pas, je culpabilise. J'essaie de rationaliser, de me dire qu'il ne s'est réellement rien passé. Ce n'est pas moi qui ai pris l'initiative de la scène, ni répondu de manière évidente à son geste. Et pourtant, je dois bien admettre que j'ai joué un rôle dans l'enchaînement des situations ayant débouché sur ce sac de nœuds. Mes fantasmes inavouables et mes propos légers ont certainement accéléré les choses…

Maintenant, j'ai peur d'avoir mis le feu aux poudres… Dans mes rêves les plus fous, je n'aurais jamais imaginé que mes sentiments puissent être réciproques ou que nous soyons tentés d'y répondre. Mais c'était sans compter la mauvaise synchronisation de nos penchants. La soirée catastrophique chez Mère-efficace avait sérieusement calmé mes ardeurs, ce qui n'avait sans doute fait qu'attiser l'intérêt de Robert Bass à mon égard. Bref, j'avais oublié comment réagissaient les hommes quand on leur bat froid. J'avais découvert – un peu tard certes – qu'il n'y a rien de plus innocent et efficace qu'un désir non partagé.

Je voulais Robert Bass dans mes fantasmes, pas dans la réalité.

Cela m'ennuie beaucoup, car l'incident de l'aquarium est survenu au moment même où j'avais retrouvé une certaine sérénité. Sérénité qui s'est bien évidemment évanouie à l'instant même où il m'a touchée. Nous avons franchi un nouveau pas et mes rêves d'hôtels dans Bloomsbury s'en trouvent bien entendu réactivés, ce qui m'affole au lieu de me distraire. Un lit défait, une bouteille vide sur la moquette, une odeur de cigarette… une image d'un mièvre affligeant !

— C'est ainsi que commencent les liaisons, m'affirme Cathy quand je l'appelle avec mon portable pour lui demander conseil, toujours cachée sous le couvre-lit Laura Ashley pour éviter qu'on m'entende du couloir. Si tu as peur de succomber, éloigne-toi ! Même s'il fait seulement ça pour s'amuser, tu prends un risque énorme.

— Je vais essayer de l'éviter.

Je lui raconte l'un de mes derniers cauchemars où mon ventre tient le rôle principal :

238

— Père-au-foyer-sexy était allongé sur le lit tout nu et je me tortillais pour sortir de mon jean trop serré. Puis, quand il a vu mon ventre, il s'est mis à hurler.

— Alors garde cette image en tête si jamais tu te sentais tentée. Tu peux même mettre une croix sur ton énième régime si tu veux sauver ton mariage.

— Et si mon ventre provoquait la même révulsion chez Tom ?

— Il a eu le temps de s'y habituer, lui.

J'entends des bruits de pas derrière la porte. Ma mère montre sa chambre à Petra et j'en profite pour me glisser hors du lit et rejoindre les enfants. Je les entends toujours sauter de leur lit sur le parquet mais ne m'en préoccupe pas. Au moins ne prendront-ils pas froid en s'activant ainsi. Je leur avais donné le bain et mis leur pyjama avant de prendre la route car je savais qu'il n'y aurait jamais assez d'eau chaude pour tout le monde ici. Pour mes enfants, partager l'eau d'un bain était inimaginable.

J'ouvre la porte de la chambre de mon frère. Les murs sont grenat, peints par Mark durant sa terminale. Il avait en effet lu quelque part que le rouge inclinait à la passion. Il s'était dit que cela lui offrirait un environnement idéal pour exercer ses talents de séducteur sur les filles, essentiellement mes amies. Dans le coin, est niché un lavabo ovale avec un petit placard en bois dans les mêmes tons que la pièce.

Je l'ouvre et y découvre un flacon de Old Spice renversé qui a taché l'étagère. Il renferme également des bouteilles de shampooing entamées, une brosse à dents aux poils hérissés, un pot de gomina, quelques vieux numéros de *Playboy* – remontant certainement à la fin des années soixante-dix – que je retire pour les poser sur l'armoire, mais aussi, chose bizarre, d'anciens exemplaires de *Jackie*, un magazine que mon frère avait dû me subtiliser pour approfondir ses connaissances en psychologie féminine.

Il y a au mur un poster fané de Bo Derek et, à l'endroit où se dressaient si fièrement ses seins, des traces d'usure qui les font presque disparaître. Sam n'en est pas moins impressionné.

— Des seins, dit-il en montrant le portrait.

Puis il pointe le doigt vers une autre affiche au dos de la porte. Les enfants ont accroché trois grandes chaussettes rouges pour les friandises de Noël, juste sous une jeune femme photographiée de dos, vêtue d'une petite jupe de tennis assez relevée pour dévoiler son adorable popotin tout nu.

Devant cette image, je souris en me rappelant une querelle entre Mark et maman au sujet de ce même poster. Ce devait être pendant l'été 1984, au pire de la grève des mineurs. Nous étions installés dans le salon en train de regarder les informations à la télévision, où défilaient des scènes plutôt impressionnantes de bagarres violentes entre la police et les grévistes du sud du Yorkshire.

— Pourquoi accroches-tu tous ces posters de femmes à moitié nues dans ta chambre ? avait demandé ma mère tandis que les policiers se précipitaient vers les mineurs en brandissant leurs boucliers en plastique.

— Qu'aimerais-tu voir sur mes murs, maman ? avait répondu mon frère, toujours plus tenace que moi lors des disputes.

Moi, j'avais la fâcheuse tendance à me rallier trop vite à l'opinion des autres.

— Je ne sais pas… Que penserais-tu du Nicaragua ? Du mouvement anti-apartheid ? Quelque chose de plus profond, peut-être ?

Un policier frappa un manifestant derrière la tête

avec sa matraque et nous lâchâmes tous un petit cri d'effroi.

Puis Mark lui a répondu :

— Les héros du syndicalisme ne m'excitent pas vraiment, maman.

— Tu devrais retirer ce poster. Il révèle un manque de respect pour les femmes, a-t-elle insisté.

— Mais j'ai énormément de respect pour elles.

— Tu ne t'intéresses absolument pas à ce qui se passe dans leur tête, tu te focalises uniquement sur leur corps.

Mon père a levé le nez de son journal et dit :

— C'est normal, c'est un adolescent.

Ce commentaire a surpris tout le monde. De tempérament plus réservé et moins loquace que ma mère, il avait appris, dès le début de leur mariage, qu'il était plus prudent de garder ses commentaires pour lui-même quand elle montrait une conviction soudaine pour une nouvelle cause.

— Et moi qui pensais que tu croyais à la liberté d'expression, maman !

Mon frère sentait la victoire proche et, en effet, maman n'a plus dit un mot, s'est levée et a battu en retraite dans la cuisine.

La porte s'ouvre et la femme à moitié nue disparaît momentanément, jusqu'à ce que Tom la referme brusquement derrière lui. Devant le problème de chauffage, il adopte une attitude de révolte, saisissant la moindre occasion pour attirer l'attention sur le froid, ce qui finit par être un peu agaçant. Mais il fait face et ne quitte ni son bonnet ni ses gants. Cependant, au fil des jours, il deviendra de plus en plus aigri et l'humour cédera la place à la critique amère.

C'est l'hiver le plus froid depuis 1963. Le sol est couvert de neige et, depuis plus d'une semaine, la température fait la une des informations. Une aubaine pour ceux qui aiment les chiffres, comme Joe, qui inscrit chaque jour les hausses et baisses du thermomètre sur une courbe, encouragé dans ses efforts par son père.

— Je voulais vérifier que vos orteils n'étaient pas encore gelés, plaisante-t-il en alignant les enfants pour une inspection. Regarde, Joe ! On dirait que celui-ci a déjà commencé à noircir, non ? dit-il en amenant le pied en question au niveau de ses yeux.

Puis, quand il remarque son regard inquiet, il essaie de faire marche arrière, mais c'est trop tard.

— Oh, non… pleurniche Joe. Mon orteil va tomber cette nuit ?

— Et ensuite, on pourra le disséquer, maman ? demande Sam.

Je m'empresse d'intervenir :

— Papa plaisante. La température doit descendre en dessous de zéro pour que les pieds gèlent.

— Le thermomètre du couloir indique onze degrés dans la maison, annonce Tom.

— Super ! Je vais ajouter ça à ma courbe, rétorque Joe, reprenant du poil de la bête dès qu'on parle chiffres.

Fred tire sur le bras de Tom et montre le poster, tout excité.

— Fesses, papa. Elle, pas de slip. Comme moi.

— Papa, tu trouves qu'elle a des fesses sexy ? demande Sam, pensif.

En voilà un qui regarde trop souvent Christina Aguilera.

— Sam, que signifie le mot sexy ? réplique alors Tom, essayant comme d'habitude de dévier le sujet.

Il utilise la même tactique qu'avec moi, pendant nos discussions.

— Je ne sais pas vraiment. Je pense que c'est comme les fruits. Si des fesses ressemblent à une pêche, elles sont sexy. Enfin, je crois.

Les enfants s'installent toujours dans cette chambre et ne s'en lassent jamais. Même s'il n'y a qu'un lit d'une personne, ils préfèrent tous s'allonger sur le sol, entremêlés tels des chiots dans leur panier et, comme il fait généralement très froid, j'encourage cette habitude. Fred, à qui il faut lire des histoires pendant une éternité, se retrouve en sandwich au milieu.

— Regarde, maman, je peux voir mon haleine ! dit-il maintenant avec fierté.

— Tu fumes, ajoute Sam. Comme maman.

Je proteste aussitôt.

— Mais je ne fume pas !

— Alors pourquoi tu caches des cigarettes dans tes bottes ? demande Sam.

— C'est seulement pour les occasions spéciales. Mais d'abord, pourquoi fouilles-tu dans mon placard ?

— Je ne fouille pas, c'est Mamy qui me l'a dit.

— Je n'en reviens pas que tu sois aussi sournoise, Lucy ! s'exclame Tom.

— Ça fait partie du plaisir. Estime-toi heureux que je cultive un certain sens du mystère.

— Est-ce que le Père Noël saura qu'on est ici ? s'inquiète Joe en sentant couver une dispute. Il risque de penser que personne ne vit ici tellement il fait froid. Tu crois qu'il a ces espèces de lunettes pour détecter la chaleur ?

Sam sort du placard le vieux tourne-disque de Mark, fouille dans les vieux vinyles et extirpe David Bowie de la pile. Avec Tom, je m'installe dans le lit de Mark et tire la couverture jusqu'au nez pour écouter *Scary Monsters*. Quand Joe commence à mâchouiller ses manches pendant les chœurs, je demande à Sam de soulever délicatement la tête de lecture pour la reposer un peu plus loin, sur un autre morceau. Puis je leur dis que je reviens dans vingt minutes pour éteindre la lumière. Je suis décidée à tout raconter à Tom, absolument tout. Mais quand je reviens, ils sont tous endormis, y compris Tom.

Chapitre 12

« Un peu d'étude fait un faux savant. »

Durant les jours qui suivent, des allégeances se font et se défont à une vitesse alarmante. Il n'y a pas de déclaration de guerre officielle, seulement une tension sous-jacente qui explose de temps à autre en joutes verbales. Mon frère Mark, qui est arrivé tard hier soir sans sa petite amie, annonce qu'il adore ce genre de réunions familiales parce qu'elles lui fournissent une flopée de patients en janvier.

Le jour de Noël, quand je descends à la cuisine, je sens un air frisquet qui n'a rien à voir avec la météo. Petra se tient au centre de la pièce, devant la grande table en pin, et se démène pour mélanger dans une jatte le glaçage destiné à recouvrir un gâteau de Noël. Je sais que cette pâtisserie a commencé la journée revêtue d'un glaçage industriel lisse et parfait alors j'essaie de comprendre ce qui se passe.

Tom est à l'autre bout de la cuisine, occupé à se servir une bonne dose d'antalgiques puissants que mon frère lui a donnés pour combattre sa migraine matinale.

— Ne bois pas trop d'alcool avec ceux-là, recommande Mark.

— Répète-moi les symptômes classiques de la

tumeur au cerveau, demande Tom entre deux gorgées d'eau.

— Maux de tête, souvent pires le matin, vertiges, nausées… énumère Mark sans même lever le nez du journal de la veille.

— Crois-tu que je devrais aller consulter un spécialiste ? persiste Tom.

— Non, c'est le lit. Comme d'habitude. Chaque fois que tu viens dormir ici, tu crois avoir une tumeur au cerveau. Pourquoi ne te rends-tu pas plutôt utile en rangeant les épices par exemple ? C'est une excellente activité de déplacement. Le genre d'ergothérapie que je prescris tous les jours.

— Si ça continue, tu voudras bien me prendre un rendez-vous pour un scanner cérébral ? insiste Tom.

— Je peux te recommander quelqu'un en neurologie, mais nous savons tous les deux que les migraines cesseront dès que tu ne dormiras plus dans ce lit. Évite simplement toute activité qui pourrait provoquer un afflux brutal de sang dans la tête ! ajoute-t-il en éclatant de rire.

Je me demande si Mark se montre plus rassurant quand il s'occupe de ses patients. Enfin, comme il vient juste d'être promu chef du service de neurologie d'un grand CHU londonien, il ne doit pas être si mauvais que cela.

Petra lui jette un regard désapprobateur, répondant ainsi aux attentes de Mark. Pourtant, elle semble toujours bien disposée envers mon frère. Quand elle lui adresse la parole, elle prend toujours cette voix fluette de petite fille qui frise la tentative de séduction.

— Parlez-moi un peu de votre aventure africaine, Petra, lance Mark avec indulgence. Quand pourrons-nous faire la connaissance de votre amant ?

Il prononce « a-mant » lentement, en insistant bien sur ce mot.

Petra porte le même twin-set qu'hier, d'un rose pâle guimauve. Elle ignore la question et pique un fard. Je jette un coup d'œil inquiet vers Tom qui a du mal à admettre que sa mère puisse avoir un amoureux.

Fred est allongé sous la table, dans le panier du chien, et lèche avec délectation une cuillère en bois. Ma mère informe Petra qu'elle a fait ce gâteau quelques semaines plus tôt mais je sais qu'elle ment. J'ai trouvé l'emballage dans le cellier hier soir. Tôt ce matin, elle a dû retirer le glaçage d'origine pour donner du crédit à sa duperie.

— Vous savez, en ajoutant une petite cuillère de citron dans le mélange, le glaçage sera plus facile à poser, déclare Petra de sa voix saccadée.

— J'ai toujours préparé mon glaçage avec de l'eau et du sucre glace, rétorque ma mère avec assurance, de l'autre bout de la table. Continuez à tourner jusqu'à ce qu'il s'assouplisse.

— D'après moi, plus on le bat, plus il devient ferme, proteste Petra sans pour autant lâcher le fouet.

Cette tâche exigeant un effort physique indéniable, ma belle-mère retire la couche supérieure de son twin-set. Je remarque qu'elle serre les talons de ses chaussures et oriente ses orteils vers l'extérieur dans un geste de défi. Seuls ceux qui la connaissent depuis des années peuvent le déceler.

— Alors, Petra, où comptez-vous vivre ? demande Mark.

Tom et moi avons mis des mois avant de rassembler assez de courage pour poser une telle question. J'admire l'aisance de Mark dans cet interrogatoire pour le moins direct. Depuis le fameux déjeuner chez John Lewis, un froid s'était de nouveau installé entre nous.

Car, bien qu'elle ait réussi à parler de ses projets à son fils, elle s'était contentée des grandes lignes, sans lui fournir le moindre détail. Et le sujet n'avait plus jamais été abordé depuis, si ce n'est pour régler des problèmes pratiques liés à la vente de sa maison.

On dirait que la seule façon de rendre la culpabilité tolérable est d'éviter toute discussion, même superficielle. Peut-être craint-elle qu'un échange plus approfondi la fasse changer d'avis.

— John possède un riad dans la médina, répond-elle. Mais il a également acquis une maison dans les montagnes de l'Atlas et nous allons passer une partie de l'année là-bas, quand la chaleur deviendra trop insupportable à Marrakech. C'est là qu'il aime peindre. Il possède également une demeure à Santa Fe[1]. Il est américain, vous savez, et assez célèbre aux États-Unis.

Tom et moi échangeons un regard car nous l'ignorions. Elle arrête un instant de battre la pâte et se tourne vers la fenêtre pour contempler le paysage recouvert de givre qui se décline dans une variété de tons pâles. Un troupeau de moutons nous observe du fond de la prairie qui borde notre jardin. Parfois, ils se mettent à bêler comme s'ils médisaient sur nous. Rien de tel qu'un public pour atténuer les pires débordements familiaux, me dis-je, ravie que les moutons puissent jouir, eux aussi, d'un petit extra pour Noël.

Ces révélations auront-elles des conséquences positives ou négatives sur la situation ? Il m'est difficile de décrypter l'expression de Tom qui se tient sur un escabeau, à droite de la cuisinière, ignorant le silence entre nos mères. Au lieu de cela, il suit le conseil de

_____

1. Très jolie ville du Nouveau-Mexique où vit une importante communauté d'artistes connus dans tous les domaines : peinture, cinéma, écriture... *(N.d.T.)*

Mark et range les épices de maman par ordre alpha-bétique.

— Crois-tu que je devrais placer le poivre noir à P ou à N ? demande-t-il à Petra.

— Je pense qu'il vaut mieux le mettre à P, entre poivre gris et poivre vert.

Ce genre d'échange correspond à une profonde communication entre eux.

C'est sans doute cette intransigeante croyance à la routine domestique qui a permis à Petra de supporter la mort du père de Tom. Même durant les moments les plus pénibles, dans les premiers jours qui suivirent sa crise cardiaque, elle n'a pas baissé la garde. Je me souviens du matin où, deux semaines après le décès, Petra nous avait demandé de la rejoindre dans la maison où ils avaient vécu durant quarante ans pour l'aider à trier les vieux vêtements de son mari. L'opération nous semblait un peu prématurée. Mais juste après ce terrible coup de téléphone survenu un dimanche aux aurores, Petra s'était montrée insupportablement digne dans sa façon de vivre la perte de son époux. Pas de crises d'hystérie. Pas d'apitoiement sur son sort. Pas d'excès de sensiblerie.

— Elle ne pleurera pas devant nous, avait dit Tom. Ce n'est pas son style. Elle réserve tout ça pour quand elle se retrouve seule.

Ainsi, un matin, je la surpris de bonne heure dans la cuisine en train de pleurer silencieusement tout en repassant les sous-vêtements de son mari qu'elle avait sans nul doute lavés la veille, une fois que nous étions couchés. Ses épaules se soulevaient et de grosses larmes tombaient sur le linge blanc. D'ailleurs, comment parvient-elle à garder son linge si blanc ? Il faudrait qu'elle me confie son secret car le mien grisaille sans scrupule. Et puis comment s'y prend-elle pour pleurer en silence avec tant de grâce ? Je pensais à mes propres effondrements, une mixture salée d'eau, de morve et de crachats qui me donnent un air enflé et cramoisi. Dans ces cas-là, j'ai besoin d'un mouchoir d'homme pour nettoyer tout ça. Petra, en revanche, tamponnait délicatement le coin de ses yeux avec une petite chose brodée de roses.

Dans un coin, trônaient trois gros sacs-poubelle en plastique noir remplis de chemises que son mari avait portées pour travailler. Pour cet homme, mettre des chaussettes de couleur avec ses costumes et ses cravates rigoureusement sobres était le comble de l'audace. « Les comptables sont censés être insipides, disait-il toujours. Personne ne voudrait d'un comptable excentrique. » Il y avait plusieurs de ces vestes, témoins d'une époque où l'on choisissait une tenue style détendu-chic pour ne pas avoir à deviner ce que porteraient les autres invités : blaser avec de gros boutons de cuivre, veste sport plus décontractée ou costume de ville ? Dans un coin, une paire de grosses bottes Wellington étaient étalées sur le carrelage.

— Ça va ? lui ai-je demandé en lui prenant le coude, attendant qu'elle pose son fer à repasser.

— Ce n'est pas facile, Lucy.

— Pourquoi repassez-vous ces vêtements ?

— Je ne peux tout de même pas les envoyer tout froissés aux œuvres de bienfaisance, avait-elle rétorqué d'un air choqué. Si je faisais cela, le monde s'écroulerait.

Durant cette période sombre, Petra continua à laver les draps une fois par semaine. Ses sous-vêtements étaient toujours repassés. Et le congélateur restait bourré de plats préparés maison, emballés en portions pour une personne et non plus deux. Ils étaient rarement consommés.

Je me raccroche à cette image qui suscite mon empathie envers elle. Mais celle-ci fut sérieusement compromise quand j'ai ouvert mon cadeau de Noël hier soir. Elle nous a offert – à ma mère et à moi – un exemplaire de *What not to wear* de Trinny et Susannah[1] qu'elle nous a tendu avec beaucoup d'enthousiasme :

— Je me suis dit que je devrais vous les donner maintenant. Ils vous seront utiles pendant ces périodes de fêtes.

Ma mère avait considéré le livre d'un air interdit. À part les infos, elle ne regarde plus la télévision depuis le début des années quatre-vingt. Trinny et Susannah étaient pour elle de parfaites inconnues.

Maintenant, ma mère se dirige vers nous. De toute évidence, elle n'a pas encore consulté l'ouvrage. Son look de Noël consiste en un curieux ensemble : une jupe dont l'ourlet défait pendouille à l'arrière et une combinaison qui dépasse de son chemisier déboutonné et de sa jupe. Le chemisier en question, un spécimen rayé qu'elle portait déjà à l'époque où je vivais encore à la maison, est boutonné de travers. Tout est de guingois.

Plus cheval de trait que pur-sang, me dis-je en la comparant défavorablement à Petra. Ma mère s'est même maquillée. Mais elle manque de pratique et utilise sûrement des produits achetés une bonne dizaine d'années plus tôt. Le fond de teint, très épais, s'accumule dans les rides de son front et autour de ses

_____

1. *Ce qu'il faut éviter de porter.* Trinny Woodall et Susannah Constantine sont deux présentatrices produisant des émissions, des DVD et des livres sur la manière dont il faut ou ne faut pas s'habiller en fonction de sa silhouette, des circonstances… Véritables bibles en la matière ! *(N.d.T.)*

yeux. Ses lèvres sont peintes d'un orange criard et ses joues irradient d'un rouge framboise.

L'insouciance que témoignait ma mère envers son apparence personnelle était jadis considérée comme une excentricité attachante. Désormais, elle paraît tout juste vieille et débraillée. J'éprouve soudain l'impérieux besoin de la protéger des regards impitoyables. Ce sentiment nouveau m'indique que l'équilibre de nos rapports est en train de s'inverser et qu'il va bientôt me falloir prendre soin d'elle. Le poids de ce qui m'attend me coupe le souffle.

Mes sentiments envers ma mère sont assez carrés car elle est généralement facile à vivre. Pas de chantage affectif. Pas d'attitude de passivité agressive. Pas de critiques sur ma façon d'élever les enfants. Rien, hormis son inévitable incrédulité devant le fait que sa fille ait choisi de quitter sa carrière pour élever ses petits. Son système de croyances a à peine évolué depuis mon enfance et, au cours des années, ses convictions ont toujours été prévisibles. Pour la plupart, elles appartiennent à une autre ère. Ses idées féministes lui viennent de Betty Friedan[1]. Son allégeance au parti travailliste tient plus du traditionnel Neil Kinnock[2] que de Tony Blair, bien plus moderne. Je sais qu'elle espérait me voir grandir avec l'aiguille de ma boussole pointant fermement vers les mêmes valeurs qu'elle, mais pour ma part rien ne m'a jamais semblé certain. Croire mordicus en quelque chose m'apparaît presque une imprudence. Paniquée à l'idée

---

1. Féministe modérée américaine, fondatrice du mouvement NOW. Auteur de *La Femme mystifiée*, qui vise à réévaluer la place de la femme dans la société. Elle est décédée en 2006. *(N.d.T.)*

2. Député britannique à la Chambre des communes, membre plutôt modéré de l'Internationale socialiste et vice-président de la Commission européenne de 2000 à 2005. *(N.d.T.)*

que sa progéniture l'enchaîne à la cuisine et menace des libertés fraîchement acquises, elle avait passé la majeure partie de notre enfance à nous fuir. Comme si tout allait bien se passer à condition qu'elle continue à bouger. Elle avait peur de se laisser piéger par ses pulsions maternelles. Elle était souvent présente physiquement, mais son esprit était ailleurs, dans un livre la plupart du temps. D'ailleurs, mon frère met son incapacité à s'engager dans des relations à long terme sur le compte de cette distance émotionnelle.

— Tu te comportes comme un patient en thérapie, blâmant ses parents pour ses propres insuffisances au lieu de prendre ton destin en main, lui ai-je dit au cours de notre dernière dispute à ce sujet, peu après qu'il eut mis fin à une relation de deux ans.

— Si je me comporte comme un patient en thérapie, c'est peut-être parce que je suis en train d'en suivre une ! Toi, tu n'as simplement pas encore atteint l'état de conscience nécessaire pour réaliser à quel point notre enfance a été gâchée.

— Tous les parents ont des défauts. Des parents parfaits, ça n'existe pas. Ils devraient juste essayer d'être des parents acceptables.

— Toi, tu as lu du Donald Winnicott[1] ! dit-il d'un ton accusateur.

— Je ne sais pas de quoi tu parles.

— C'est la théorie de la mère suffisante de Winnicott. Ça commence par une adaptation presque totale de celle-ci à son bébé. Et, avec le temps, elle s'y

---

1. Pédiatre et psychanalyste anglais (1897-1971) à l'origine des théories sur le narcissisme primaire, l'objet transitionnel et le principe de la mère acceptable qui ont eu un impact important sur les parents de l'époque. (N.d.T.)

adapte de moins en moins, graduellement, selon la capacité croissante de l'enfant à se gérer lui-même.

— Alors, bravo Winnicott ! Ce sont des gens comme toi qui ont ébranlé les mères. Vous avez créé une espèce de pyramide, avec des experts en haut et des parents en bas. Voilà pourquoi ces pauvres femmes ont été jetées en prison, accusées à tort d'avoir tué leurs bébés, à partir de preuves bancales fournies par un scientifique obscur qu'elles n'ont même jamais rencontré. C'est un peu le système Guantanamo appliqué aux mères : elles sont coupables à moins qu'elles parviennent à prouver leur innocence.

Cela dit, je ne nie pas que ma mère a des défauts. Mais il n'y avait pas un sujet que je ne puisse aborder avec elle, même adolescente. Elle était douée d'un bon sens pratique et ne portait aucun jugement. Contrairement à la famille de Tom, il y avait peu de cachotteries dans la nôtre. Après notre mariage, je m'étais en effet démenée pour décrypter des conversations et interpréter des regards, comme une gamine lors de son premier séjour linguistique en France, pour finalement comprendre au bout de quelques années que ce qu'on disait signifiait justement le contraire de ce qu'on pensait. Chez nous, les discussions se terminaient tard dans la nuit, autour de bouteilles à moitié vides qu'il fallait débarrasser le lendemain matin. On arrivait rarement à une conclusion, après de véritables incontinences verbales, surtout de la part de ma mère, car mon père avait une approche plus rationnelle, moins intuitive du débat. Tout pouvait devenir l'objet d'une discussion. Aucune censure. Mon frère se montre moins indulgent que moi vis-à-vis de notre enfance, mais c'est sans doute parce que je sais, moi, à quoi sont confrontées les femmes.

— Vous voulez peut-être essayer ? demande soudain Petra d'un ton pincé.

Elle tend la cuillère en bois à ma mère, l'agitant devant elle comme une épée. Le glaçage qui la recouvre est devenu aussi dur que l'expression du visage de Petra. Elle défait le bouton du haut de son cardigan. Les hostilités vont commencer.

Ma mère, pas du genre à décliner un défi, se bat pour faire bouger la masse blanche, se servant de toute sa force qui n'est pas des moindres. Cette masse a la consistance et l'allure d'un casque de Viking. Elle remue à peine et ravive sa vindicte. Si la volonté de ma mère n'arrive pas à ébranler le glaçage, alors rien, si ce n'est un pic à glace, n'y réussira.

— Je vais le trancher en deux et poser la partie inférieure sur le gâteau, annonce ma mère sur un ton de défi en m'indiquant le tiroir des couteaux.

J'obtempère. Je veux qu'elle gagne cette bataille, parce qu'elle a vraiment peu de chances de réussir. Le tiroir des couteaux est lourd et difficile à ouvrir. Quand j'y parviens finalement, j'y trouve mille trucs hétéroclites. Tout sauf un couteau.

— C'est depuis le début des années quatre-vingt qu'on n'en a plus, m'informe mon père sans m'apporter la moindre aide.

Il lève les yeux vers moi puis retourne à son journal, ignorant complètement le drame qui se joue autour de la table de sa cuisine. Petra se penche par-dessus mon épaule et jette un coup d'œil dans le tiroir. Je l'imagine en train de dresser l'inventaire de son contenu. De vieilles factures, des jeux de cartes incomplets, des bouchons, des capuchons en plastique, une notice nécrologique du *Guardian*, des douilles rouillées de diverses tailles, des bouts de ficelles aux couleurs variées, des grains de riz, des flocons d'avoine et d'autres débris, impossibles à identifier, qui se sont accumulés là au fil des années.

Dehors, les moutons bêlent très fort, comme s'ils commentaient cet étalage. Ils sentent que la tension monte.

— Voulez-vous que je trie tout ça ? s'empresse de proposer Petra.

Sans attendre de réponse, elle sort le tiroir et se lance dans cette opération délicate.

— Comment les enfants feront-ils pour poser les rennes et le Père Noël sur le glaçage ? Il est aussi dur que du béton et personne ne pourra mordre dedans, lâche-t-elle en alignant les objets par catégories. Pourquoi ne me laisseriez-vous pas recommencer de zéro ?

— Parce que j'ai toujours procédé de cette façon ! proteste farouchement ma mère.

Je doute qu'elle ait jamais réalisé un glaçage de sa vie et je n'en reviens pas qu'elle ose proférer un tel mensonge. La cuisine n'est simplement pas son domaine et les deux femmes seraient bien plus heureuses si l'on permettait à Petra de prendre en charge tous les préparatifs culinaires de Noël.

— Et si je m'occupais des pommes de terre grillées ? propose alors Petra qui, pour l'instant, se montre plus diplomate que ma mère. Si vous les parsemez de semoule plutôt que de farine avant de les enfourner, elles seront plus croustillantes.

Sur ces mots, Petra se dirige vers la corbeille à fruits. Avant même qu'elle l'atteigne, je sais qu'elle ne résistera pas à l'envie de balancer aux ordures la pomme blette que j'ai remarquée sur le dessus.

Sans un mot, ma mère va dans le cellier et je lui emboîte le pas.

— Je ne les supporte plus ! siffle-t-elle.

Je ferme la porte pour qu'on puisse avoir une discussion en tête à tête.

— Ils traversent un moment difficile, maman. Plus

ils sont angoissés, plus ils rangent. Essaie de voir le bon côté des choses. Ce n'est pas contre toi. Petra tire une grande fierté de ses capacités domestiques, elles font partie intégrante de sa personnalité. Toi, tu as tellement d'autres choses dans ta vie ! Alors montre-toi généreuse !

— Ce n'est pas facile de les avoir ici tous les deux en même temps.

Elle s'assoit sur un tabouret et, de la pointe de ses chaussures, elle heurte un piège à souris. Un « clac » vengeur retentit dans le petit réduit.

— Je pensais que sa décision de s'installer au Maroc la décoincerait un peu, ajoute-t-elle. Je n'arrive pas croire qu'elle se soit lancée dans une aventure pareille tout en restant obsédée par la consistance d'un glaçage.

— Elle tire du réconfort à répéter ces rituels, tout comme toi quand tu donnes chaque année ces confé-rences sur D. H. Lawrence[1]. Tu adores voir l'expres-sion des personnes qui t'écoutent changer quand tu prononces le mot « chatte ». D'après moi, c'est juste-ment parce qu'elle plaque tout pour partir au Maroc que tu t'énerves ainsi sur cette histoire de glaçage. Pour que Petra reste conforme à tes attentes. Tu lui en veux de cet élan tardif de liberté, alors tu essaies de la renvoyer à ses fourneaux. De toute façon, elle a raison, pour le glaçage.

— Pourquoi serais-je jalouse ?

Je suis surprise qu'elle emploie ce terme. Je n'avais jamais songé que ma mère puisse envier le style de vie de Petra.

— Depuis que tu la connais, c'est la première fois qu'elle entreprend une aventure plus excitante que les

_____

1. Romancier, poète et peintre anglais. Il est l'auteur de *L'Amant de lady Chatterley*, *L'Étalon*, *Amant et Fils*... *(N.d.T.)*

tiennes. Tu n'es pas habituée à la voir jouer le beau rôle.

Cette explication semble la satisfaire et je sens qu'elle va passer à autre chose.

— Bon, et toi, Lucy ? Quand comptes-tu reprendre un travail ?

— Mais j'en ai un. M'occuper des enfants est un travail à temps complet.

— C'est dur et mal rétribué.

— Tout à fait d'accord avec toi. Mais je pensais, vu tes opinions politiques, que tu serais la dernière personne au monde à juger le mérite de quelqu'un sur le montant de son salaire. Ce n'est pas parce que je ne gagne pas d'argent que ce que je fais n'a pas de valeur.

— Je n'arrive pas à croire que ma propre fille ait choisi d'être une femme au foyer, lance-t-elle avec un curieux rictus comme si ce mot avait un goût amer.

— En fait, maman, une partie du problème vient des féministes comme toi. En idéalisant les femmes qui travaillent, vous avez complètement dévalué la vie domestique. Vous êtes indirectement responsables du schisme actuel entre les mères actives et les autres.

Elle affiche une moue perplexe.

— Fred est entré à la maternelle maintenant, insiste-t-elle. Ça te laisse plus de temps libre.

— Oui, mais il y a les vacances. Sais-tu combien je devrais gagner pour payer une nounou ?

Cet argument ne l'ébranle pas.

— Ce que je veux dire, c'est qu'il est temps que tu recommences à te servir de ta cervelle.

— Ça, c'est un autre problème. Ma cervelle comme tu dis, je m'en sers, mais dans d'autres domaines. Et puis ce n'est pas moi qui ai quitté mon travail, c'est lui qui m'a lâchée. Si on me proposait un job à temps partiel compatible avec l'éducation de mes enfants, je l'accepterais.

— Quel gâchis !

Je reconnais là son zèle pour envenimer une discussion.

— Maman, savais-tu que les mères de famille sorties du monde du travail pendant plus de cinq ans trouvent moins facilement du boulot que des immigrés d'Europe de l'Est qui ne parlent pas notre langue ? Tu n'as pas lu cet article, la semaine dernière ? Personne ne veut nous embaucher, en tout cas pas dans la branche susceptible de m'intéresser. Voilà un dilemme dont toi et tes copines féministes devriez débattre au pub !

— Mais est-ce que tu te sens épanouie ? Cette vie t'apporte-t-elle des satisfactions ?

Au moins essaie-t-elle de se pencher sur le bonheur des autres, de les comprendre.

— En fin de journée, j'ai souvent le sentiment de n'avoir rien accompli. Un jour réussi consiste à avoir pu maintenir un *statu quo* : accompagner trois enfants à l'école et les y récupérer sans catastrophe majeure, préparer trois repas, coller trois enfants sous la douche et raconter une histoire à chacun pour les aider à s'endormir. Quand je compare ce quotidien à celui d'avant, ça me paraît un peu absurde, surtout que je n'ai pas l'impression de progresser en efficacité.

— Mais tu as l'air d'être à l'aise avec les enfants. Contrairement à moi qui n'ai jamais réussi, soupire ma mère.

Quelque chose dans ma poche se met à biper.

— Qu'est-ce que c'est ? demande-t-elle avec méfiance.

— Le Tamagotchi de Joe.

Je sors le petit engin et appuie sur quelques boutons avant d'ajouter :

— Il faut le nourrir. Je lui ai promis de m'en occuper pendant qu'il regarde son dessin animé.

Dans le coin du cellier, je remarque une forme assez volumineuse recouverte de papier d'aluminium.

— C'est quoi, ça ?

— Oh, doux Jésus ! C'est la dinde ! Cette bonne femme m'a tellement agacée que j'ai oublié de mettre la volaille au four.

Elle retire la feuille et dévoile la chair nue et fripée de la bête en question. Sa couleur et sa texture sont assorties à son bras. Je l'entends grommeler dans sa barbe :

— Zut et rezut ! Elle a encore gagné !

— Pourquoi te mets-tu en compétition avec Petra ? Tes désastres culinaires ne sont un secret pour personne. Ce n'est pas comme si on s'attendait à déguster du « trois étoiles ».

— C'est difficile à expliquer. J'essaie sans doute de me mesurer à elle et je réalise qu'elle me surpasse largement sur le plan domestique. Et puis je me demande si j'ai fait ce qu'il fallait pour mes enfants.

— Bien sûr. Ils ne sont qu'à moitié barges, donc pas plus que la moyenne... Un résultat tout à fait convenable. De quoi t'estimer satisfaite.

La porte s'ouvre sur Mark qui entre en grignotant des chips.

— Je suppose qu'on va déjeuner tard ?

— Encore des critiques ! grommelle ma mère en saisissant l'énorme dinde avant de quitter le cellier.

Mark s'installe sur la chaise que ma mère vient d'abandonner et pose aussitôt le pied sur un autre piège à souris.

— Merde ! Ça fait mal, ces conneries ! grogne-t-il en se frottant l'orteil.

Il porte une paire d'épaisses chaussettes tricotées main que Petra lui a offertes pour Noël. La tapette pendouille au bout de son pied.

— Comment vas-tu, Lucy ? J'ai à peine eu l'occasion de te parler. Tu m'as l'air un peu préoccupée, non ?

Il retire sa chaussette pour évaluer les dégâts.

— Est-ce un jugement professionnel ou essaies-tu seulement de dévier mon attention pour éviter des questions embarrassantes sur l'absence de ta petite amie et de tes cadeaux de Noël ?

Mark prend un air coupable.

— Ils sont restés à Londres.

— Les cadeaux ou la petite amie ?

— Les deux. Mais pas au même endroit. Et c'est significatif. Pour les garçons, j'ai quand même acheté des bricoles plutôt épouvantables à la station-service. Mais ne parlons pas de moi.

— Je suis pourtant certaine que tes histoires sont plus intéressantes que les miennes !

— Veux-tu que je te dise ce que je pense de Joe ? demande-t-il soudain. Je te promets que je n'essaie pas d'éviter les sujets bizarres. Je me dis seulement que c'est peut-être ça qui te préoccupe.

Je me radoucis. Mark s'est toujours montré présent et disponible pour mes enfants.

— Oh, ce n'est que l'une des nombreuses choses qui encombrent mon esprit. Alors raconte-moi…

— Je crois qu'en dépit de certaines tendances névrotiques, les répétitions et les rituels indiquent rarement une névrose obsessionnelle.

— Mais alors, d'où vient son inquiétude au sujet de *La Mélodie du bonheur* et sa peur de rétrécir ?

261

— C'est un signe d'anxiété, d'un profond désir que tout reste inchangé, prévisible, inscrit dans la routine de sa vie.

Il s'est levé et se promène dans le cellier, soulevant les couvercles de diverses boîtes pour savoir ce qui s'y trouve.

— Quant à son envie de rétrécir, c'est plus compliqué. D'après moi, il aimerait se retirer du monde pour se réfugier dans un endroit où tout est rationnel et sûr. C'est un enfant très sensible qui deviendra sans doute quelqu'un de créatif.

— Tu penses que c'est ma faute ? Que mon chaos permanent l'a rendu névrosé ?

— Non, il vaut mieux que tu sois un peu désordonnée que trop directive. Derrière un enfant anxieux se cache souvent un parent névrosé. Être une bonne mère consiste à bien doser son dévouement. Trop et l'enfant suffoque, trop peu et il perd pied.

— Je devrais consulter quelqu'un, à ton avis ?

— Il faut surtout que tu acceptes le fait qu'il soit le fils de son père.

Mark jette à la poubelle un récipient rempli de riz et d'asticots qu'il a trouvé sur une étagère. Quelque chose bipe de nouveau dans ma poche et je sors le Tamagotchi. Mais il dort. Alors je prends mon téléphone de la poche arrière de mon jean pour consulter ma messagerie. Quand je m'aperçois qu'il y a trois textos de Robert Bass, tous envoyés le matin même, je suis sidérée. Ils disent tous :

« Envie de faire l'amour. Où es-tu ? »

Cela est loin d'être la continuation logique de l'approche amorcée à l'aquarium. De surprise, je laisse tomber mon téléphone et il glisse sur le sol crasseux jusqu'aux pieds de Mark.

— Il vaut mieux que maman ne serve pas ce riz à Petra, lâche-t-il en se baissant pour ramasser l'appareil.

Je me précipite mais il me devance. Il ne peut résister à l'envie de jeter un coup d'œil à l'écran, puis il brandit le téléphone en l'air pour me narguer, profitant lâchement de notre différence de taille. Il n'a jamais su respecter la vie privée des autres. Adolescente, je devais cacher mon journal intime sous les planches du parquet de ma chambre pour l'empêcher de le lire.

L'expression de son visage s'assombrit aussitôt. Il plisse les paupières pour relire le message afin de s'assurer qu'il n'a pas mal compris. Ensuite, il joue avec les fonctions pour connaître l'identité de l'expéditeur.

— Putain, mais c'est qui ce Père-au-foyer-sexy ?

— Je ne sais pas.

— Tu le connais forcément puisque son numéro est enregistré sous ce nom ! C'est un de ces hommes qui viennent chez les nanas pour passer l'aspirateur à poil moyennant quelques billets ?

L'idée me paraît tellement grotesque que j'éclate de rire.

Puis, comme je suis tellement nerveuse à cause du message inattendu de Père-au-foyer-sexy et de la découverte de mon frère, je ne parviens plus à me calmer. Chaque fois que je tente de reprendre mon sérieux pour m'expliquer, je pique un nouveau fou rire. J'ai l'impression de me retrouver dans la peau de la petite sœur, ce qui ne m'est plus arrivé depuis longtemps. Depuis que je suis devenue celle qui s'est mariée et a fait des enfants, alors que lui s'était transformé en Don Juan, incapable de se décider sur la fille à épouser.

Ensuite le téléphone sonne et Mark, surpris, le laisse tomber par terre. Nous le considérons un instant en silence, puis je le ramasse pour répondre.

— Lucy, c'est moi, annonce Robert Bass. Écoutez, je suis vraiment désolé. Je voulais envoyer ces textos à ma femme mais j'ai dû composer votre numéro par erreur. J'espère que vous ne pensiez pas que... euh...

Il bafouille, s'enlise...

J'essaie de masquer mon soulagement et rétorque :

— Pour être honnête, je préfère une approche plus subtile.

Nouveaux bafouillages, puis il rit doucement et ajoute :

— Je devais sans doute penser à vous et...

Il a raison et je ne peux m'empêcher de me sentir un peu flattée.

Silence.

— Allô ? Allô ! Vous êtes là ? dis-je.

J'entends la voix de sa femme au loin :

— À qui est-ce que tu parles ? À qui est-ce que tu penses ? Tu ferais mieux de me le dire car tout ce que j'ai à faire, c'est regarder ton téléphone.

La communication est interrompue. J'ai à peine le temps de réfléchir à ce que ça implique car mon frère me toise, les mains sur les hanches.

— Tu as une aventure ? demande-t-il.

Quand nous étions plus jeunes, l'attitude de mon frère vis-à-vis de mes petits copains passait de dédaigneux si le béguin n'était pas partagé, à discrètement protecteur quand je m'embarquais dans une nouvelle amourette. Il partait du principe que tous les hommes étaient d'impénitents dragueurs. Comme lui.

« Je me comporte ainsi à cause de ma mère féministe et de toutes ces filles au pair qui ont dormi chez nous. Je suis engagé dans une espèce de vengeance œdipienne, avait-il l'habitude de dire. Souviens-toi d'une chose, Lucy : les hommes sont de bons baratineurs, mais de mauvais épouseurs ! »

Puis, par pure bêtise, je libère une place sur le rebord de la fenêtre pour m'y asseoir entre des bocaux de café vides et des bouteilles de lait entamées afin de lui raconter en détail la saga Robert Bass.

En lui narrant l'histoire du début à la fin, je me rends compte du ridicule, mais il m'écoute sans m'interrompre. Finalement, je conclus :

— Il n'y a vraiment rien de grave. Il ne s'est rien passé.

— Tu le trouves attirant ?

— Oui, plutôt, dois-je admettre.

— Alors c'est grave parce que, de toute évidence, tu lui plais.

— Tu crois vraiment ?

— Ne sois pas aussi naïve, Lucy. Penser le contraire reviendrait à se voiler la face. Tu te doutes bien qu'une aventure pourrait facilement naître de cette attirance réciproque. Franchement, tu me surprends !

— Tu penses que je traverse la crise de la trentaine ? Je croyais que c'était l'apanage des hommes.

Il rit.

— Non, tu t'es déconnectée de Tom et, au lieu de réparer ce court-circuit, tu essaies de te connecter avec quelqu'un d'autre. Mais tu ne trouveras pas les réponses avec cet homme. Elles sont en toi.

— Ne pourrais-je pas avoir une petite aventure puis laisser tout ça derrière moi ?

— Les femmes sont nulles pour ça ! Et je ne le leur reproche pas. L'incapacité des femmes à séparer les émotions du sexe ne représente pas une faiblesse, mais une force. Cela favorise la communication et la compréhension mutuelle. Je n'ai jamais compris pourquoi les femmes considéraient les coups d'un soir ou les beuveries comme un signe de progrès social. Les hommes feraient mieux de se comporter un peu plus comme les femmes. Enfin, tout cela est bien compliqué…

— Alors qu'est-ce que je devrais faire ?

— Dis-le à Tom. En partageant avec ton mari tes fantasmes, tu minimiseras les risques de leur donner une réalité. Et si tu refuses de lui en parler, c'est moi qui le ferai. Vous êtes peut-être aussi différents que le jour et la nuit, mais dans l'ensemble, votre relation fonctionne bien et la vie signifie bien plus qu'une recherche du plaisir à court terme, surtout maintenant que vous avez des enfants. Voilà pourquoi nous sommes tous aussi malheureux. Nous sommes obsédés par les petits coups rapides, quelques lignes de coke pour améliorer une soirée, une galipette bien cochonne avec une femme mariée. Et c'est finalement ça qui nous éloigne de ce que nous sommes réellement. Ça détruit notre âme au lieu de l'élever. Sais-tu quelle catégorie de la population je croise le plus dans mon métier ? Les adolescents qui ont passé tellement de temps à surfer sur des sites porno qu'ils sont parfaitement incapables d'établir une vraie relation sexuelle ou émotionnelle avec les femmes. Si tu pensais que les hommes de ta génération étaient tordus, alors tu devrais jeter un coup d'œil sur ces gamins. Grandir avec *Playboy* était l'innocence même.

La réaction de Mark me secoue, non à cause de son contenu, mais parce que, en général, il se garde bien de s'inscrire dans un quelconque système de croyance de peur de ressembler à ma mère.

— Je ne vois pas en quoi cela me concerne. Écoute, je tâcherai de l'éviter, d'accord ?

— J'essaie simplement de te dire qu'il faut que tu sois l'auteur de ton propre destin, Lucy. C'est l'un de tes pires défauts : tu laisses les choses survenir autour de toi comme si tu n'avais aucune influence sur leurs conséquences.

— C'est pour ça que je mange autant. Plus je mange, plus je grossis et ensuite il me sera impossible d'avoir une liaison avec qui que ce soit !

— Ce n'est pas exactement ce que je voulais dire, mais on peut l'interpréter comme un pas dans la bonne direction.

Mon téléphone bipe. Il le regarde de nouveau avec méfiance. Cette fois, il s'agit d'un message d'Emma. Elle nous invite, Tom et moi, à venir dîner avec Guy dans sa nouvelle maison. Elle prétend que son amant a finalement accepté parce qu'il culpabilisait de ne pas avoir passé une seule minute avec elle à Noël.

— C'est Emma, dis-je. Elle veut nous présenter son petit ami.

Tiens, cette info semble éveiller l'intérêt de Mark.

— Une relation sérieuse ? demande-t-il, dubitatif. Je croyais que la spécialité d'Emma consistait à se prémunir de toute émotion.

— Ils ont pourtant emménagé ensemble.

— Alors pourquoi ne l'avez-vous pas encore rencontré ?

Il sourit d'un air entendu et ajoute :

— Ah, je vois ! Il est marié, hein ? C'était inscrit dans son destin : trouver quelqu'un d'inaccessible.

— Je crois qu'il tient beaucoup à elle.

Puis je change de sujet car Emma et mon frère, c'est assez compliqué. Je me lance :

— Maman estime que je devrais reprendre le travail.

— En voilà une idée ! Qu'y gagnerait ta famille si on t'envoyait en reportage en Irak ?

— Et que gagne-t-elle si je reste coincée à Londres en jalousant mes collègues qui peuvent partir en voyage au pied levé ? Peut-être me sentirais-je plus impliquée dans ce qui se passe dans le monde ?

— L'existence humaine est faite de la somme de nos relations. Nous voulons tous rester en relation les uns avec les autres et nous ne cesserons jamais d'aimer. Regarde Petra. Elle fera l'amour plus souvent que nous tous, et elle entre dans la soixantaine, la sexetaine comme on dit. L'âge du Viagra...

La porte s'ouvre. C'est Tom.

— Quel dommage de parcourir tous ces kilomètres pour passer son temps dans l'arrière-cuisine ! dit-il. Je suis à la recherche de deux poulets. Nous avons décidé d'abandonner la dinde et de la manger demain.

Je ramasse le téléphone sur le rebord de la fenêtre et l'enfonce profondément dans ma poche arrière en me disant qu'il me faudrait effacer ces messages à tout prix dès que j'aurai un instant.

Plus tard, ce soir-là, je suis allongée à côté de Tom, bien résolue à lui confier ce que j'ai raconté à Mark durant la journée. Nous lisons tranquillement les livres que nous nous sommes offerts pour Noël. Tom est plongé dans un ouvrage sur l'architecture d'Alain de Botton et moi dans une biographie de Mrs. Beeton[1] par Kathryn Hughes. Et devinez quoi. Notre Mrs. Beeton est tout autant une imposture domestique que moi ! J'aurais dû le filer à Petra.

Il fait tellement froid que j'ai boutonné mon pyjama en pilou jusqu'en haut. Nous avons tous deux enfilé d'épaisses laines polaires et Tom porte les chaussettes tricotées main par sa maman. Il a eu la bonne idée

---

1. Isabella Mary Beeton, auteur du XIXe siècle, est célèbre pour ses ouvrages sur la cuisine, le parfait entretien d'une maison, etc. *(N.d.T.)*

de surélever la tête du lit avec des livres pris sur mes étagères. Pour la première fois, nous avons nos pieds plus bas que nos têtes...

Les enfants sont dans leur chambre, endormis dans leur duvet au milieu de la pièce, leurs cadeaux préférés éparpillés tout autour. Joe enlace son kit de peinture pour débutants. Je me tourne vers Tom et prends une profonde inspiration. Aussitôt, il lève la main pour signaler qu'il veut prendre la parole en premier. Il marque soigneusement sa page avec une carte postale, puis cale son livre au centre de la table de nuit, le déplaçant plusieurs fois afin de le disposer exactement au centre. Je pose le mien à l'envers sur mes genoux, grand ouvert, ce qui ne manque pas de provoquer chez lui une grimace.

— Tu vas casser les côtes ! gronde-t-il en m'arrachant Mrs. Beeton des mains.

Il place le rabat à la fin du second chapitre et met délicatement le livre fermé sur la couette.

— Je sais ce que tu vas dire et je m'en veux, commence-t-il. J'ai été complètement absorbé par ma bibliothèque. Obsédé, même. J'oublie que de s'occuper des enfants est un travail compliqué car tu ne peux pas t'offrir le luxe de te concentrer sur un seul sujet. Je sais aussi que ma manie de l'ordre t'irrite au plus haut point, mais quand je me trouve auprès de ma mère, je vois bien que c'est sans issue, que je ne changerai jamais. C'est inscrit dans mes gènes. Ton frère prétend que mes bâtiments révèlent ce qui se passe dans ma tête. Remarque, tu aurais connu pire si tu t'étais mariée avec John Pawson[1] !

---

1. Architecte et designer anglais contemporain dont le style minimaliste et épuré à l'extrême est inspiré de sa formation au Japon. *(N.d.T.)*

— Mais tu as toujours été comme ça. Même à l'époque où tu aménageais des lofts, tu étais toujours absorbé par ton boulot. Tu es resté l'homme que j'ai épousé, le problème doit venir de moi.

— Il faut simplement qu'on passe plus de temps ensemble. J'ai du mal à ne pas me laisser posséder par cette bibliothèque. C'est le projet le plus prestigieux dont j'aie jamais été chargé et il me bouffe la vie. La moindre chose qui m'en distrait m'horripile.

Alors je me rends compte qu'il ne se doute de rien. Tom s'imagine être le seul responsable de tout ça, un sentiment noble dans la mesure où il n'essaie pas de se défiler, de rejeter la faute sur moi. Pourtant, je lui en veux de ne chercher les réponses à nos problèmes qu'en lui. Il se contente d'un examen superficiel alors que j'ai besoin de minutieusement gratter toutes les couches pour arriver au cœur du problème.

Je m'apprête à lui expliquer qu'il se trompe, que j'ai perdu mon équilibre, que je vois d'où je viens mais pas où je vais, et que j'ai besoin de lui pour me retrouver, quand il glisse la main sous son oreiller pour en tirer un cadeau. Il me le tend en souriant. J'adopte alors ce que j'espère être l'expression d'une surprise délectable et ouvre le paquet, m'attendant à découvrir le collier. Au lieu de cela, je tombe sur une petite culotte Spanx. Je la déplie. Elle a la couleur et la texture d'une peau de saucisson et assure probablement une fonction similaire. L'entrejambe comporte un gros trou pour faire pipi.

— Je l'ai dénichée à Milan, dit-il fièrement. La dame de la boutique m'a assuré que même Gwyneth Paltrow en porte. Cette culotte magique lisse la peau d'orange et tous les bourrelets.

Je gémis très fort et disparais sous la couette.

— Je t'ai également choisi autre chose, ajoute-t-il

en me confiant une petite boîte couleur crème que je reconnais. J'attendais le moment opportun pour te l'offrir. Je l'ai fait fabriquer pendant que j'étais à Milan.

J'ouvre l'écrin et serre vite Tom dans mes bras : c'était une pression terrible, insupportable, de continuer à prétendre que je n'avais jamais vu le collier. Mais nous sommes tellement couverts de vêtements que nous ne tenons que des couches de polaire entre nos doigts. La brutalité de cet élan ébranle le lit qui tombe de ses cales de livres et nous atterrissons sur le sol dans un grand fracas. Ce serait génial de faire l'amour là, tout de suite. Mais parfois il fait vraiment trop froid.

Demain, je porterai mon nouveau collier. Demain, je raconterai tout à Tom au sujet de Robert Bass.

Chapitre 13

« L'enfer est pavé de bonnes intentions. »

De retour à Londres. Le nouvel an arrive et s'enfuit. Glisse. Je trouve qu'il ne se passe pas grand-chose à ce moment précis de l'année. Je prends donc quelques résolutions afin de planifier l'avenir incertain qui s'étend devant moi. Je ne comprends pas pourquoi les gens s'acharnent à vouloir fêter le début d'une nouvelle année. Comment peuvent-ils être sûrs que celle-ci leur apportera du mieux par rapport à celle qu'ils viennent de vivre ? Passé la trentaine, c'est un peu téméraire de s'imaginer que l'avenir sera plus prometteur que ne l'a été le passé. Les choses iront probablement de mal en pis : réchauffement de la planète, un risque accru de grippe aviaire, davantage de morts en Irak... Et une plus forte probabilité que j'aie une aventure avec Robert Bass, mutilant ainsi mon mariage à jamais, offrant à mes enfants l'occasion de me blâmer pour toujours et de m'enterrer sous une avalanche d'honoraires de psy.

Afin de combattre tout cela, j'ai décidé d'insuffler un peu de rigueur dans cette nouvelle année. Cela m'aidera à surmonter les sentiments qui me submergent et à mettre un peu d'ordre dans ma vie. D'ici fin décembre, les découverts de cartes de crédit, les moisissures dans ma voiture et toute autre trace de négligence domestique ne seront plus qu'un mauvais souvenir.

En me réveillant à 5 heures ce matin – et en dépit de toutes mes bonnes résolutions –, je suis tout excitée à l'idée de revoir Robert Bass. Surtout après ces trois semaines d'éloignement imposées par les vacances de Noël.

Je dresse aussitôt l'inventaire de ce que je pourrais porter, essaie des jeans avec de petits hauts sexy, tout en sachant que je finirai inévitablement attifée de la même tenue qu'hier.

Une crise de garde-robe est un luxe qu'on ne peut pas s'offrir un matin de rentrée des classes.

Dépitée, je m'autorise quelques-uns de mes fantasmes préférés, dont une étreinte torride contre un mur abrité dans les environs de Greek Street. Sous prétexte qu'il fera bientôt jour trop longtemps pour se permettre ce genre de fantaisie, je m'accorde un autre petit délire du même style.

Mais ça suffit ! Dans l'intérêt de ma nouvelle phase de rigueur, je m'efforce d'imaginer des sujets de conversation neutres, au cas où… et je commence avec la fonte des glaciers au Groenland et l'avantage tout relatif des filles au pair polonaises par rapport aux autres nationalités. Non que nous ayons assez d'espace pour loger une personne en plus, mais c'est un sujet qu'il est toujours bon de maîtriser.

Quand Tom se réveille, il me propose gentiment d'accompagner les enfants à l'école. Inutile de dire que je dois fournir un effort considérable pour cacher ma déception.

— Je pensais que tu sauterais de joie.

— Oh, c'est super ! Ça m'avancera beaucoup, dis-je sans grande conviction.

— Décidément, les femmes sont parfois difficiles à cerner !

Il sort du lit et jette un coup d'œil suspicieux aux vêtements éparpillés par terre.

— Tu te fais belle pour accompagner les enfants, maintenant ? Deviendrais-tu une Mère-parfaite ? À moins que tu essaies d'impressionner quelqu'un ?

— Je tâche de prendre au sérieux mon rôle de mère.

— Oh, s'il te plaît ! Tu ne vas pas nous piquer une crise, tout de même…

Je ne lui ai toujours pas confessé mon béguin. Pourtant, j'ai prétendu le contraire devant Mark. Sincèrement, c'est déjà un pas dans la bonne direction, non ? J'en parlerai à Tom plus tard. Cette semaine, promis.

Je me demande si Mère-efficace se laisserait aller à ce genre de turpitude. Elle posséderait certainement assez de self-control pour s'interdire ce style de fantasme, l'enfermer à double tour dans une petite boîte étiquetée et le ranger dans l'un de ces tiroirs super organisés de sa cuisine.

Il y a des femmes qu'on imagine aisément en train de faire l'amour. Tenez, Mère-parfaite n° 1 par exemple. Bien que ne connaissant pas son mari, je peux parfaitement me l'imaginer avec son coach personnel, s'évertuant avec enthousiasme à adopter des positions sexuelles audacieuses pour plaire à ce jeune homme de vingt-deux ans à la forme physique éblouissante. Je peux même l'envisager dans les bras de sa nounou, voire de Tom… Le cas de Mère-efficace est plus délicat. Son obsession des microbes, de la propreté et de l'ordre l'éloigne sûrement de ce genre de préoccupation.

J'essaie de revenir à mes résolutions du nouvel an.

Primo : devenir une de ces mères auprès desquelles on demande conseil sur l'éducation en général et les écoles huppées en particulier. Secundo : ne jamais oublier d'aller chercher les enfants à l'école. Tertio : m'épiler régulièrement sans oublier les sourcils, qu'il faudrait teindre, d'ailleurs.

Quand je lui ai fait part de ma stratégie hier soir, Tom a accueilli les deux premières résolutions avec bienveillance. Mais la dernière n'a pas suscité autant d'enthousiasme.

— Je ne vois pas ce que cela changera.

Je lui ai montré une photo de Fiona Bruce[1] arrachée dans un magazine.

— Tout est dans les sourcils, lui ai-je dit. Si je ressemblais à ça, les gens me prendraient vraiment au sérieux. Et moi aussi par la même occasion.

Il a eu l'air sceptique. Bien sûr, je n'ai pas pipé mot au sujet de ma résolution n° 4 : cesser d'avoir des pensées déplacées (et vaines) au sujet de Robert Bass et éviter de me retrouver seule avec lui.

Finalement, je décide de me concentrer particulièrement sur la troisième résolution et je m'arrête à la pharmacie pour acheter un kit de teinture après avoir déposé Fred à la garderie.

Je me renseigne auprès de la jeune femme derrière le comptoir :

— Est-ce que ça peut rater ?

— Pas si vous suivez le mode d'emploi, répond-elle paresseusement en fermant le magazine pour me regarder.

« Ma mère a couché avec mon petit ami », « J'ai découvert que mon frère était mon père », « Mon père s'est enfui avec ma sœur »… annoncent les gros titres

---

1. Présentatrice de la BBC. *(N.d.T.)*

en couverture. Les incestes classiques sont tellement dépassés de nos jours !

La curiosité me titille :

— Vous aimez ce genre de magazine ?

— Oh, je les survole, c'est tout. À moins qu'il y ait quelque chose de vraiment inhabituel.

Je la vois tripoter le petit anneau qu'elle porte au nombril. Son ventre n'est pas son plus bel atout, et je me demande pourquoi elle a choisi de mettre en évidence cette protubérance peu gracieuse.

Non… finalement je préfère ne pas savoir ce qu'elle entend par « vraiment inhabituel ».

— Avez-vous déjà lu des trucs sur des nanas qui ont pété les plombs après avoir loupé une teinture de sourcils maison ?

— Jamais !

Donc, après le déjeuner, quand Fred s'endort dans la poussette en revenant de la garderie et qu'il me reste une heure de libre avant de chercher les deux autres garçons à l'école, je décide de me lancer dans l'opération sourcils. Je fonce au premier étage pour y prendre un miroir dans la salle de bains. Celui que Tom utilise pour se raser et qui grossit tout. Je fixe mon visage comme quelqu'un qui vient de se faire opérer d'une cataracte et découvre son reflet pour la première fois depuis des années.

Un vrai bonheur ! Chaque défaut est mis en valeur. Les pattes-d'oie autour de mes yeux se sont creusées et je les imagine se transformer un jour en véritables canaux qui dirigeront mes larmes sur le côté de mon visage. De nouvelles tranchées sont apparues, certaines se croisent, d'autres filent vers le bas. J'essaie quelques grimaces pour connaître le responsable de ces catastrophes. Je finis par obtenir une combinaison curieuse qui implique une bouche grande ouverte et des yeux plissés. Impossible que cette expression me vienne naturellement et de manière récurrente tout de même... À moins que ce soit la nuit, lorsque je dors.

Mon nez paraît plus mince, plus pointu. Il doit continuer à pousser et j'essaie de l'imaginer dans une vingtaine d'années. La peau de mon cou semble fripée. Il me reste un peu de temps avant de ressembler à un lézard. Ou à ma mère. Sur mon épiderme, je découvre un bouton. Depuis quand les trentenaires ont-elles des poussées d'acné ? Quelles hormones m'ont trahie ? En tout cas, de beaux sourcils compenseront tout cela et détourneront l'attention de mes défauts comme une jolie cheminée dans une pièce à la peinture écaillée.

Je m'aperçois alors que je n'ai pas le mode d'emploi.

Décidée à ne pas me laisser démonter, je me lance. Ça doit être assez simple. Les femmes du monde entier le font tous les jours. Je mélange la couleur et l'eau oxygénée avec la satisfaction d'un élève en TP de chimie. Ce simple exercice me donne déjà l'impression de reprendre le contrôle de ma vie. À l'aide d'une petite brosse, je passe la teinture sur mes sourcils et j'attends que l'alchimie cosmétique opère. Comme il ne se passe rien au bout de cinq minutes, j'en remets une seconde couche.

Ensuite, prête à attaquer la deuxième phase de l'opération, je pars en quête d'une pince à épiler. Je m'allonge sur le sol de notre chambre pour inspecter sous le lit, donnant un coup de pied à un pantalon qui traîne là depuis le matin. La voilà ! Tout comme les dés du Monopoly. Et une carte de crédit. Des signes qui ne trompent pas ! Ma chance va enfin tourner. Puis mon regard tombe sur le lapin réveil de Tom. Il est déjà 15 heures passées et si je veux arriver à l'heure à l'école, j'ai intérêt à accélérer le mouvement.

Je me lance dans un jogging en poussant Fred devant moi. Comment mes résolutions du nouvel an sont-elles parvenues à se liguer contre moi pour m'empêcher d'atteindre mes objectifs ? Nous arrivons presque à l'école quand Fred se réveille. En me voyant, il écarquille les yeux, se recroqueville dans sa poussette et pousse des hurlements. Il doit avoir faim. J'arrête de courir un instant pour prendre un paquet de graines de tournesol dans la poche de mon manteau, les « goûters santé » faisant partie intégrante de mes nouvelles habitudes. Le sachet glisse entre mes mains moites. Finalement, je réussis à le déchirer avec mes dents et les graines se répandent sur le trottoir. Pour éviter l'humeur ronchon d'un gamin au réveil d'une sieste, alors que sa seule raison de sourire se limite à un paquet de graines de tournesol à moitié vide, je fais quelques grimaces comiques et rassurantes.

Il jette violemment les graines sur le sol. Les parents qui ont déjà récupéré leurs enfants passent à côté de nous tandis que je suis accroupie à côté de Fred pour tenter de le réconforter. Leurs expressions sont assez variées, oscillant entre le sourire empathique et le dédain mal dissimulé, en fonction du nombre d'heures d'exposition à leurs propres enfants. Inutile de préciser que les mères ayant de nombreux domestiques tombent dans la seconde catégorie.

— Monstre poilu ! crie Fred.

Il a dû faire un cauchemar au sujet de la chanson de David Bowie qui a tellement effrayé Joe à Noël. Je lui répète patiemment :

— Il n'y a pas de monstre poilu, mon chéri.

Il continue pourtant à pointer son doigt sur moi.

Une petite tape sur mon épaule. Avant de me retourner, je sais qu'il s'agit de Robert Bass car, bien que

Fred soit en train de pousser une de ces colères magistrales, un délicieux frisson parcourt tout mon corps.

J'essaie de me rappeler ce que Mark a dit au sujet des campagnols. Ceux des champs sont monogames et choisissent une compagne à vie. Ceux des prairies, en revanche, sont volages. Ils passent de femelle en femelle. La nuance est subtile, mais la seule différence entre eux est strictement hormonale.

— Tu es un campagnol des champs, Lucy. Et moi un campagnol des prairies, avait-il conclu.

— Mais je peux très bien m'identifier à ton espèce de temps à autre, avais-je protesté.

— Cela ne veut pas dire que tu doives suivre toutes tes envies. Tu penses n'avoir qu'une simple conversation avec ce Père-au-foyer-sexy, alors qu'un processus chimique complexe se met en place dans ton corps. Si tu as la vague impression qu'une espèce de relation s'établit entre vous, tu ne te trompes probablement pas. Les scientifiques ont prouvé que nous sommes attirés vers des personnes avec des gènes bien particuliers, essentiellement par l'odorat. Des partenaires aux gènes dissemblables ont une progéniture en meilleure santé. C'est ça, la chimie sexuelle. Tu prends la pilule ?

— Euh... non, ai-je répondu, ne sachant pas trop où il voulait en venir.

— Tant mieux, parce que les femmes qui prennent la pilule voient leurs instincts inversés et choisissent des compagnons qui ne leur sont pas génétiquement compatibles. Mais c'est un détail. Donc, si vous vous trouvez réciproquement attirants, c'est que cette attraction existe. Pendant une conversation intime, on sécrète des hormones, ce qui crée un sentiment de lien affectif avec l'interlocuteur. En fait, des preuves manifestes attestent que plus on regarde dans les yeux de quelqu'un, plus on les trouve attirants. Donc, il faut avant tout que tu cesses de bavarder avec ce type pour éviter que la biochimie de l'attraction physique prenne le dessus. Et si tu n'y parviens pas, fais appel à ton côté rationnel. Souviens-toi que tu as la volonté de ne pas franchir la ligne.

— Et c'est quoi, cette ligne ?

— Tu le sauras quand le moment sera venu de décider si tu la passes ou pas. Je te conseillerais néanmoins de faire marche arrière tout de suite, avant d'avoir à te poser vraiment la question.

— Bonne année, Lucy ! Vous avez passé de bonnes fêtes de Noël ? demande joyeusement Robert Bass.

Je sursaute et me répète entre deux hurlements de Fred :

— Je suis un campagnol des champs, je suis un campagnol des champs...

Un dilemme compliqué s'impose à moi : si je détache mon fils, il risque de s'asseoir par terre pour ne plus en bouger, comme le font les jeunes enfants quand ils sentent qu'ils vont perdre une bataille. Je décide alors de sortir ma propre arme secrète et extrais un sachet d'ours en chocolat de ma poche. Les hurlements cessent aussitôt.

— J'ai bien compris ? Vous venez de dire que vous étiez un campagnol des champs, Lucy ? lance Robert Bass en jetant un regard désapprobateur sur les ours en chocolat.

De toute évidence, il est plutôt du genre graines de tournesol. Ce qui fait de lui un campagnol des champs. Les tournesols ne poussent pas dans les prairies.

— Fred les trouve réconfortants, dis-je pour me justifier.

Puis je me tourne vers lui pour lui parler, essayant toujours d'éviter que nos regards se croisent. Je ne compromets pas la résolution n° 4 parce que Fred est avec moi, mais je culpabilise à l'idée que mon jeune bambin joue involontairement le rôle de chaperon.

— Les vacances ? Oui, oui… Bonnes. On a choisi une école pour Sam, rattrapé les trucs en retard. Comme d'hab.

Pour l'instant, ce n'est pas trop difficile.

— Oh, mon Dieu ! s'écrie-t-il, ignorant ce que je viens de dire. Mais d'où est-ce qu'ils se sont échappés ?

Son visage s'approche tellement du mien que je peux sentir son haleine tiède contre ma joue. Un mélange plutôt agréable de menthe et de café. Malgré la présence de nombreux parents, je me demande brièvement s'il ne s'agirait pas du moment critique où s'échangent les odeurs dont parlait Mark. Loin de faire appel à mon esprit rationnel, j'ai l'impression de me perdre dans des recoins encore plus sombres de mon inconscient. Voilà ce qui arrive quand on passe trop de temps à discuter avec des psychologues !

Des tréfonds de ma mémoire, me revient en détail le souvenir d'une passion déraisonnable et depuis longtemps oubliée. Ce ne sont pourtant pas ces détails qui me nouent l'estomac, mais plutôt la culpabilité qui en a découlé.

Cette passion déraisonnable impliquait un homme marié. Et dire que je pensais l'avoir à jamais jeté aux oubliettes de mon esprit !

Peu avant d'épouser Tom, au cours de l'hiver 1995, juste avant la fin de la guerre des Balkans, le collègue qui m'avait gentiment consolée durant l'infidélité de Tom attendait un taxi en même temps que moi après une longue nuit de travail à la rédaction. Nous n'avions plus jamais parlé de notre petite aventure passée et, même si nous continuions à entretenir une certaine légèreté dans nos propos, nous savions qu'il ne fallait plus que cela se reproduise pour éviter d'en faire une habitude. De plus, nos collègues ne nous auraient pas pardonné ces égarements, dans la mesure où il était jeune marié et moi fiancée et prête à convoler quelques mois plus tard.

Je revenais de quinze jours de tournage à Sarajevo. Je savais que je lui avais manqué car chaque fois que j'appelais, il exigeait des détails sur les personnes que j'avais interviewées, me demandant si j'avais pensé à porter mon gilet pare-balles et mon casque – ce qui n'était pas le cas puisque le gilet en question était conçu pour protéger l'anatomie masculine et m'obligeait à marcher comme un pingouin.

Cette nuit-là, nous avions tous bu plus que d'habitude après la fin du programme. Il y avait eu une panne dans la transmission des images des États-Unis et le présentateur avait dû improviser pendant trente secondes, le temps qu'on rétablisse les connexions. Iain Duncan Smith[1] se trouvait dans le studio où il aimait toujours s'attarder après l'émission pour bavarder et boire jusqu'au petit jour. Quant à moi, j'étais soulagée d'être revenue à Londres parce que j'allais me marier quatre mois plus tard, même si je n'avais toujours pas déniché de robe digne de cet événement.

— Peut-on partager le même taxi ? avait demandé mon collègue.

J'avais dû hésiter, car il a ajouté :

— Je m'installerai devant si tu as peur de ne pas pouvoir résister.

J'ai souri. Dans une certaine mesure, la reconnaissance tacite de ce qui s'était passé entre nous m'avait

---

1. Homme politique anglais, membre du Parlement, chef du parti conservateur et de l'opposition de 2001 à 2003. *(N.d.T.)*

rassurée. Il avait rendu toute éventualité de rechute impossible. Puis il était monté à l'arrière du taxi.

Nous avons traversé les rues de Shepherd's Bush, en direction de mon appartement. Avant d'atteindre Uxbridge Road, sa main s'était posée sur la mienne et la caressait doucement. Je savais que j'aurais dû m'éloigner de lui, mais chaque petite terminaison nerveuse du dos de ma main hurlait « encore ». Ma volonté avait fondu pour céder sa place à cette délicieuse sensation.

Il s'est penché et a murmuré :

— Viens chez moi.

— Et ta femme ?

— Elle n'est pas là.

Puis nous avons commencé à nous embrasser, à flirter sur la banquette arrière du taxi comme des adolescents. Après une seconde d'hésitation et sous l'œil réjoui du chauffeur qui nous matait dans son rétroviseur, je m'étais lentement laissé entraîner à profiter de l'instant présent.

— On change de direction ? avait demandé le voyeur avec son accent prononcé d'Europe de l'Est.

— Oui.

Nous avons passé la nuit ensemble. Peu après cela, il a écrit son premier scénario et quitté l'émission. J'étais soulagée. Il avait promis de rester en contact mais je me doutais qu'il n'en ferait rien. Je ne l'ai pas revu depuis des années. Le problème avec les souvenirs d'étreintes coquines, comme avec ceux d'un restaurant qu'on apprécie, c'est qu'on est toujours tenté d'y revenir. Si j'avais parlé de cette aventure à Mark, il aurait remis en cause mon statut de campagnol des champs.

Ainsi, quand Robert Bass tend la main et me touche un sourcil, je me demande ce qui va se passer ensuite. Fort heureusement, les sourcils ne constituent pas une zone très érogène. De plus, la manière dont il me scrute n'a rien de torride. Soulagée, je me dis que la théorie de Mark sur le contact des yeux ne tient pas la route.

— Incroyable, Lucy ! Vous êtes devenue le nouveau Denis Healey[1], lâche-t-il, émerveillé.

Je me penche vers le rétroviseur latéral d'une voiture toute proche. Mes sourcils ne sont plus une pâle esquisse de blond foncé. Ils se sont transformés en grosses chenilles noires et hirsutes. Des traînées de teinture, mélangées au sel de la transpiration, dégoulinent sur mon visage. Quelle réaction produira-t-elle avec l'eau oxygénée ? Garderai-je ces rayures à vie ? J'imagine la vendeuse de la pharmacie plongée dans un article sur moi : « Comment l'expérience d'une teinture maison m'a fait ressembler à un tigre ». Je frotte furieusement mes sourcils. Ils paraissent encore plus sauvages et rebelles qu'avant. Mes doigts aussi sont couverts de teinture noire.

— Définitivement style « hémisphère Sud ». Un peu… jungle de Bornéo, commente Robert Bass, admiratif.

Mère-parfaite n° 1 traverse la rue pour nous saluer, mais en approchant, elle reste pétrifiée, les mains figées en l'air.

— Il va falloir que je les déteigne, dis-je, désespérée.

— Oh, non ! Surtout ne faites pas ça, Lucy. Sinon vous allez ressembler à un léopard. Ou à un lion albinos. Ou…

— Je vois, merci !

— Fini les solutions tricotées maison, Lucy ! inter-

---

1. Homme politique anglais de 90 ans, ancien secrétaire d'État à la Défense et chef du parti travailliste, dont les sourcils très fournis et l'humour caustique suscitent une certaine bienveillance. *(N.d.T.)*

vient Mère-parfaite n° 1, prenant la situation en main. Pensez aux années trente. À Marlène Dietrich et ses sourcils étroits. Mon esthéticienne personnelle est très discrète. Elle pourra s'occuper de vous. C'est elle qui épile Fiona Bruce. Vous n'avez qu'à venir chez moi la semaine prochaine.

Robert Bass et Mère-parfaite n° 1 m'escortent sur le chemin de l'école, leurs enfants respectifs à quelques pas derrière eux, telle la garde prétorienne. Ils croisent des regards amusés et des sourires condescendants. Il va falloir que je reconsidère mon opinion sur Mère-parfaite n° 1. Malgré sa tendance naturelle à ne fréquenter que ses semblables, elle sait se montrer efficace en cas de crise.

Quand nous atteignons enfin les files de parents qui attendent pour récupérer leurs enfants, je sens comme un mouvement d'excitation dans l'air. Il n'a heureusement rien à voir avec mes sourcils. À cette heure-ci, les parents sont généralement déjà partis.

Je me renseigne auprès de Mère-parfaite n° 1 en chuchotant :

— Que se passe-t-il ? Est-ce que tout le monde est en retard, aujourd'hui ?

— Vous n'en avez pas entendu parler ? rétorque-t-elle sur le ton de la conspiration. Un parent « people » vient de se joindre à nous. Voilà pourquoi nous sommes ravis d'avoir une excuse pour revenir dans la cour de récréation.

Au cours de ce mois de janvier glauque et froid, Père-célèbre est entré dans la classe de Joe. Ou plus exactement son fils. Je ne peux révéler l'identité exacte de Père-célèbre de peur que les paparazzi rôdent devant les grilles de l'école. Mais il suffit de dire que c'est un acteur américain – le genre de type beau et ténébreux avec lequel on aimerait faire un câlin dans l'ascenseur –, et si l'on en croit la presse à scandales, un incorrigible coureur de jupons, malgré la présence de son épouse n° 3.

— C'est super ! J'imagine déjà les boums organisées pour ses enfants, avec home cinéma, piscines intérieure et extérieure. Bref, l'occasion de fréquenter la jet-set en tenue décontractée Issa, se réjouit Mère-parfaite n° 1.

J'éprouve aussitôt de la compassion pour Fils-célèbre, car il vivra toujours dans l'ombre de ses parents et, même s'il réussit à surmonter ce revers, il n'aura jamais l'impression d'y être arrivé tout seul.

Des millions de phéromones s'agitent dans la cour de récréation. Je remarque que Mère-parfaite n° 1 a sorti tous ses atouts. Elle arbore sa jolie panoplie : sac à main blanc Chloé Paddington et manteau en fausse fourrure style groupie hard rock.

Je dois admettre que je n'ai pas immédiatement reconnu Père-célèbre parce qu'il ne ressemble pas du tout aux photos que j'ai vues dans les magazines. Il faut préciser que je ne porte qu'une seule lentille de contact, ce qui n'arrange rien.

— Maman, maman, Fred va faire pipi sur le pied de ce monsieur ! s'écrie Sam pendant que nous attendons que Joe sorte de sa classe.

Fred a compris qu'il s'agissait d'une occasion rêvée d'attirer mon attention. Avant même que je puisse intervenir, le pantalon sur ses chevilles, Fred se soulage sur le pied de la star de cinéma.

Père-célèbre se penche pour examiner ses baskets grand luxe. Comme je ne suis pas le genre de mère à transporter sur moi des lingettes afin de parer à toutes les éventualités, je me précipite pour essuyer le pied en question avec le *Times*.

— Fred, c'est vraiment très vilain ! dis-je pour gronder mon enfant. Veux-tu bien t'excuser ?

— Désolé, lance Fred en souriant fièrement.

— Pas de soucis ! rétorque Père-célèbre, essayant de se montrer cool malgré son air très inquiet. Mais je pense que l'encre d'imprimerie va laisser des taches.

Trop tard ! Le papier journal a en effet souillé les chaussures de sport « édition limitée ». Je sais que ce sont des éditions limitées parce que Mère-parfaite n° 1, qui assiste à la scène, m'a confié par la suite sur un ton de fervente admiration que « ses tennis sont comme mon Chloé Paddington. Elles n'ont pas de prix ».

Robert Bass s'approche et lui offre des lingettes parce qu'il est le genre de papa à toujours s'équiper de tout. Après s'être attardé un peu, il s'éloigne, n'ayant aucune autre raison de s'éterniser.

— Je suis vraiment désolée, dis-je à Père-célèbre.

— Cela n'a aucune importance, insiste-t-il. En fait, je suis plutôt content que quelqu'un m'adresse la parole. Jusqu'à maintenant, tout le monde m'a ignoré, sauf cette femme, là-bas. Je suppose qu'il s'agit d'une coutume anglaise ?

Il me montre Mère-efficace et ajoute :

— Elle m'a demandé de rejoindre un comité qui organisera bientôt une soirée pour les parents.

— Mais nous n'avions pas prévu de soirée pour les parents.

— J'ai pourtant donné mon accord, dit-il, dérouté.

— Alors ce sera juste une soirée en tête à tête, elle et vous...

— Qu'est-il arrivé à vos sourcils ?

— Une teinture maison qui a mal tourné.

De près, même avec un seul œil, je peux apprécier l'effet désastreux sur son beau visage. Père-célèbre récupère son gamin et s'en va. Toute la Mamafia se rue sur moi.

— De quoi avez-vous parlé ? demande Mère-parfaite n° 1.

— De ses problèmes conjugaux, s'il doit ou non changer d'agent, pourquoi il n'a pas de nounou, bref… de sa vie privée, leur dis-je avec nonchalance.

— Il joue dans un des films dont je parle dans mon livre, m'informe Robert Bass.

Mais personne ne l'écoute. Sa position de mâle dominant a été usurpée. Il me regarde avec une lueur inhabituelle dans les yeux, une lueur que je n'ai pas vue depuis de nombreuses années : la jalousie.

Je décide finalement que la conversation avec Tom peut encore attendre quelques semaines. Robert Bass a moins bien su garder le contrôle de ses émotions que moi et cela me met en position de force. Pour l'instant. Ce nouveau trimestre s'annonce très prometteur. Je ne parviendrai peut-être pas à rester derrière la fameuse ligne, mais au moins suis-je celle plus à même d'en contrôler le franchissement. Une position très enviable.

Plus tard, cette semaine-là, j'annonce à Tom que je me retire dans le bureau pour envoyer un e-mail. Sujet : un pot de rencontre parents-professeurs que Mère-efficace, la déléguée des parents d'élèves, m'a demandé d'organiser avec elle puisque je suis sa secré-taire.

— Je ne comprends pas pourquoi tu t'obstines à te lancer dans ce genre de truc, grommelle Tom. Ça finira forcément en désastre.

Sans me retourner, je le devine plongé dans l'ins-pection bihebdomadaire du frigo.

— Regarde-moi ça ! s'écrie-t-il triomphalement en

brandissant deux pots entamés de sauce au pistou. Comment ça peut arriver, ce genre de chose ?

Il consulte la liste imprimée du contenu du frigo scotchée sur la porte. Un héritage empoisonné laissé par Petra durant son dernier week-end en Angleterre.

« Je pense qu'il sera beaucoup plus facile d'organiser les courses si vous barrez chaque élément dès que vous le terminez », avait-elle dit.

J'avais obligeamment acquiescé, consciente qu'elle ne reviendrait pas avant longtemps. J'essaie de me montrer patiente avec Tom car le départ de sa mère l'a un peu laissé à la dérive.

— Rien ne prouve que le second pot de pistou ait quitté le frigo, insiste-t-il.

— Peut-être a-t-il eu une liaison dangereuse avec les spaghettis !

Il grommelle quelques mots au sujet de mes méthodes de rangement et je ferme la porte de la cuisine. Puis je monte rédiger le message à envoyer aux parents figurant sur la liste qu'on m'avait confiée.

Mais à peine ai-je commencé que cela m'ennuie déjà. Alors je décide d'écrire un mot à Cathy qui, je le sais, se trouve encore à son bureau. Avec force détails, je lui confie un événement de la plus haute importance survenu sous notre toit cette semaine.

Je tape :

« Le temps du jeûne est révolu. L'heure de la détente sexuelle a sonné. Hourra ! »

J'explique en détail que la nuit dernière, je suis tombée sur Tom vers 3 heures du matin dans la chambre de Fred.

— Qu'est-ce que tu fabriques ici ? lui ai-je lancé.

— Je cherche le tigre, m'a-t-il répondu d'un ton las.

— Quelle coïncidence ! Moi aussi. Mais où est Fred ?

— Il dort dans notre lit.

Alors je lui ai demandé pourquoi nous étions tous les deux réveillés en pleine nuit à la recherche d'un tigre.

C'est inhabituel mais ce sont là des temps désespérés, dis-je à Cathy. C'est ainsi que les mois de famine ont pris fin. Ensuite, nous avons passé le reste de la nuit dans le lit étroit de Fred sous la couette Dragon Ball Z et Tom a abordé l'un de ses sujets post-coïtaux préférés.

— Si on mettait un pistolet contre ta tempe pour t'obliger à faire l'amour avec n'importe quel parent de la classe de Joe, homme ou femme, lequel choisirais-tu ? m'a-t-il demandé.

— Pourquoi la classe de Joe ?

Il m'a regardée attentivement avant de répondre.

— Parce que les parents y sont plus beaux.

J'ai protesté que j'étais fatiguée et il a ajouté :

— J'aime assez la maman avec le joli petit cul.

De toute évidence, il parlait de Mère-parfaite n° 1.

— Mais elle n'a rien dans le crâne !

— Elle n'est pas pire que l'autre, ce Robert Bass ! Son côté bohème est bien trop travaillé. Je parie que ce n'est qu'un vernis et qu'il sculpte ses poils de pubis en topiaires avec des ciseaux à ongles. Et la manière dont il se la joue bobo-intello... C'est tout bonnement risible.

— Mais de qui parles-tu ?

Je le savais déjà, bien sûr...

J'appuie sur la touche envoi et bricole un peu sur le bureau, repoussant la corvée du courrier à envoyer pour l'école. Quelques minutes plus tard, mon cœur fait un looping quand je reçois un mail de Robert Bass. Pour la toute première fois. Dans la mesure où cela ne va pas à l'encontre de mes nouvelles résolutions, je m'autorise un moment d'euphorie.

« Plutôt ravi de recevoir d'aussi bonnes nouvelles, mais étonné que vous veuilliez les partager avec l'ensemble de la classe. À moins que vous ayez l'intention d'organiser une fête sur le thème des années soixante-dix avec échange des clés de voitures. Je suppose que c'est moi, Bobo-intello… Ce n'est pas très gentil pour mon ego. »

Sidérée, je reste scotchée devant l'écran. Pas le temps de réagir car un message de Mère-parfaite n° 1 me parvient tout de suite après :

« Chère Lucy, un peu trop d'infos à mon goût. Je suppose que c'est moi, la maman avec le joli petit cul ? Ciao, ciao ! »

Puis c'est au tour de Mère-efficace :

« Je ne supporte plus vos tentatives minables pour saboter mon rôle de déléguée de classe et je vous invite à revoir votre attitude. »

Me voilà dans de beaux draps ! Au lieu d'atterrir chez Cathy, mon message a fait le tour de tous ceux qui sont sur la liste des parents de la classe. Les jambes en compote, je quitte le salon. Tom est déjà allé se coucher. Je reste collée devant le magazine d'infos du soir et réalise qu'à l'époque où je travaillais pour cette émission, il ne m'était jamais rien arrivé d'aussi terrible que ce qui vient de se passer.

L'insomnie du petit matin s'est transformée en nuit blanche doublée d'une agitation infernale. L'obscurité a le don d'amplifier l'angoisse. Mon estomac n'est plus qu'une pelote de nerfs. À 2 h 30 du matin, je crois entendre des bruits et descends l'escalier, armée d'un sabre lumineux Star Wars.

— Que la force soit avec toi, ma fille ! me dis-je pour me donner du courage.

Dans le salon, je décide de faire un raid sur les provisions secrètes de Sam, m'engageant à remplacer dès demain le moindre bonbon que je lui aurai chipé. Je choisis un œuf en chocolat et monte dans ma chambre où je m'efforce de le déguster très lentement. D'abord je commence par le lécher comme une sucette jusqu'à ce qu'il se mette à fondre entre mes doigts. Quand la crème jaune apparaît, je m'autorise à mordiller les bords, comptant vingt secondes entre chaque bouchée. Puis je fais fi de toute prudence et enfourne le reste de l'œuf que je mâche la bouche ouverte. Voilà qui est bien plus satisfaisant, pourtant mes nerfs restent sur leur faim. J'éprouve un besoin urgent de me confier à Tom. Je lui donne un coup dans les côtes. Il grommelle.

— Il n'y a pas de cambrioleurs et je refuse de me lever pour vérifier, grogne-t-il. Le chien va s'en occuper.

— Mais on n'a pas de chien, dis-je la bouche pleine de chocolat.

— Visualise un clébard féroce et tu auras bien moins peur.

— C'est bien pire que ça, Tom.

— Est-ce que la chaudière a encore explosé ? demande-t-il, vasouillard, avant de retomber dans un profond sommeil.

Je le réveille en frottant mon orteil sur son mollet. Il ouvre puis referme aussitôt les yeux.

— Lucy, je t'en supplie, aie pitié de moi !

— Tom, j'ai envoyé un e-mail à tous les parents de la classe de Joe en leur décrivant ce qui s'est passé la nuit dernière.

Maintenant que j'évoque le problème à voix haute, il me semble encore plus catastrophique.

— Qu'est-ce qui s'est passé hier soir ?

— Nous avons fait l'amour et voté pour le parent

le plus baisable. J'ai également précisé que tu préférais Mère-parfaite n° 1 à cause de son joli popotin.

— Tu n'essaierais pas de me séduire, par hasard ? demande-t-il sur un ton endormi avant de se retourner vers moi, une lueur d'espoir dans l'œil. Doux Jésus ! C'est quoi, ce machin, dans ta bouche ?

— Un œuf au chocolat. J'essaie de t'expliquer que j'ai fait un truc épouvantable.

Je me lèche les babines pour me débarrasser des traces de chocolat.

— Les gens comme toi ne font pas de trucs épouvantables. Dors !

— Bien sûr que si, Tom ! Pas volontairement, mais par accident. Attention, je n'essaie pas de me disculper, je sais que c'est un de mes pires défauts, mais…

— Qu'est-ce que tu as fait, exactement ? m'interroge-t-il en refermant les yeux avec un soupir.

— Je pensais envoyer un e-mail à Cathy pour lui annoncer que notre vie sexuelle reprenait mais, au lieu de cela, j'ai transmis le message à toute la liste de parents d'élèves de la classe.

À ces mots, il se redresse dans le lit, comme mû par un ressort. Il a compris.

— Mais quelle idiote ! lâche-t-il lentement en nichant sa tête entre ses mains et en se balançant d'avant en arrière. Je me suis efforcé de garder des relations convenables avec ces parents pendant des années, une stratégie mûrement réfléchie pour maintenir un équilibre dans nos relations, ni trop amicales ni trop distantes… Et voilà que tu leur fais visiter les coulisses de notre vie sexuelle ! À partir de maintenant, je vais sûrement devenir impuissant parce que je ne pourrai pas m'empêcher d'associer le sexe à la peur.

— Je suis sincèrement désolée. Je crois que Mère-parfaite n° 1 a été plutôt flattée. Elle ne voit pas souvent son mari, c'est probablement bon pour son ego. En revanche, je pense que le papa écrivain s'est senti insulté.

— Tu lui as dit que je le surnommais Bobo-intello ? demande-t-il faiblement.

— Oui.

— En fait, je trouve que c'est plutôt un brave type. Je voulais juste te charrier parce que j'ai l'impression que vous vous plaisez bien, tous les deux. D'ailleurs, pourquoi as-tu raconté tout ça à Cathy ?

Ignorant la première partie de son commentaire, j'admets, hésitante :

— Parce qu'elle savait qu'on n'avait pas fait l'amour depuis une éternité.

— Faut-il vraiment que tu partages ce genre de détails avec tes copines ? Imagine que je sois placé à côté d'elle lors d'un prochain dîner.

— Je sais. Mais la bonne nouvelle, c'est que tu n'as pas à t'inquiéter dans la mesure où elle n'a jamais reçu cet e-mail.

— Tu es complètement dingue ! Ne compte plus jamais sur moi pour accompagner les enfants à l'école ! Au fait, tu leur as au moins précisé qu'on avait fait l'amour deux fois ?

— Non.

— Mais enfin ! C'était le détail le plus impression-nant ! dit-il avec regret avant de se rendormir pro-fondément.

Autrefois, je trouvais plutôt rassurant que Tom réussisse à dormir en temps de crise. Cela calmait mes inquiétudes, les réduisait en poussière. Au fil des années, cela a fini par m'agacer, me donnant l'impression d'être toujours la seule à tituber dans la maison, morte d'épuisement, obligée d'affronter les catastrophes que les ténèbres me mettaient dans les pattes. C'était moi le veilleur de nuit qui se levait sans arrêt pour calmer les bébés en larmes et soigner les enfants fiévreux. C'était encore moi qui venais tirer mes petits anges des griffes des monstres hantant leurs cauchemars. Tom, en revanche, continuait à dormir à côté de moi, indifférent aux écueils de la vie nocturne, se plaignant même d'être dérangé lorsque je me glissais dans le lit, à bout de force, sans le moindre espoir de trouver le sommeil avant la sonnerie du réveil.

Le lendemain matin, ivre de fatigue, je m'éloigne rapidement de l'école. Je décide de m'arrêter pour prendre un café afin de remettre un peu d'ordre dans mes pensées.

— Salut, Lucy ! Voulez-vous vous joindre à moi ? propose soudain Robert Bass qui se trouve derrière moi. Je n'ai pas de rendez-vous pour me faire tailler les topiaires ce matin et je promets de ne pas parler de mon bouquin.

Après mon e-mail, il me paraît mal élevé de décliner son invitation, même si je suis parfaitement consciente de violer plusieurs résolutions d'un seul coup. Je fixe le sol. Éviter que nos yeux se croisent n'est pas trop difficile un matin comme celui-ci.

— Je prendrai un double lait écrémé frappé, dis-je d'une voix sourde.

— Ça n'existe pas, répond la serveuse.

— Laissez-moi vous commander quelque chose, me lance Père-au-foyer-sexy. Allez donc vous asseoir là-bas.

Il désigne une petite table pour deux dans le coin le plus reculé du bistro. Deux minutes plus tard, il arrive avec deux grandes tasses remplies de café et s'installe en face de moi.

— Comment vont vos sourcils ? s'enquiert-il comme

s'il prenait des nouvelles de notre animal de compagnie. N'ont-ils pas répondu à l'appel de la nature ?

— Ils se portent bien.

Je grince des dents et me passe la main sur le front d'un air absent, puis ajoute :

— Je suis juste un peu fatiguée.

— Cela ne me surprend pas, après toute cette… hum activité.

Nous restons silencieux quelques instants à boire nos cafés en regardant par la fenêtre.

— Je suis vraiment désolé pour mon message du jour de Noël. Apparemment, la technologie moderne n'est pas notre fort. Je vous serais reconnaissant de n'en parler à personne. Je ne pense pas que vous fassiez exprès d'être indiscrète, mais après l'e-mail d'hier soir, j'ai eu peur que vous ébruitiez mes propres inconvenances.

J'essaie vite de me souvenir à qui j'ai déjà pu le raconter et déclare aussitôt :

— Comptez sur moi pour tenir ma langue ! Cette erreur me servira de leçon.

— En fait, c'était plutôt rassurant pour ma femme. Après mon… euh… erreur du jour de Noël, elle s'est méfiée de vous. Elle a déclaré qu'il y a des limites à ne pas franchir dans une relation. Quand je lui ai montré votre message d'hier soir, elle a compris que vous étiez toujours heureuse en ménage, si vous voyez ce que je veux dire.

— Je vois, dis-je en opinant du chef avec un tel empressement que je renverse un peu de café.

— Quand on sait qu'il existe une limite, il est plus difficile de la franchir, énonce-t-il lentement comme s'il cherchait les mots justes.

Je ne suis pas sûre de comprendre où il veut en venir et je relève les yeux. Sa main se referme sur mon bras, juste au-dessus du coude. Je m'attends à éprouver une sensation agréable mais, au lieu de cela, il me serre tellement fort que je peux sentir le sang battre dans mes doigts. Il dirige son regard vers l'autre extrémité de la salle et je l'imite.

C'est là que je remarque Mère-efficace et – j'aurais dû m'en douter – la plupart des autres mères de la classe de nos fils, installées autour d'une table. Un silence mortel s'abat sur la salle tandis que toute la Mamafia se tourne vers nous avec une coordination magnifique.

Avec une rare clarté d'esprit, je me rappelle soudain que c'était justement le jour de notre petit café entre mamans. Même Robert Bass blêmit.

Je leur adresse un grand signe de la main, répandant par la même occasion du café sur mon voisin. Feignant un enthousiasme que je suis loin de ressentir, je m'écrie :

— Nous sommes arrivés avant vous ! Nous n'attendions pas une participation aussi importante. Voulez-vous vous joindre à nous ou devons-nous nous installer avec vous ?

Puis je me mets à essuyer le café brûlant sur ses genoux avec mon foulard. Il grimace.

— Qui ne risque rien n'a rien, je suppose, souffle-t-il sur le ton de la conspiration après s'être ressaisi.

Je me lève, me dirige d'un pas décidé vers la table et m'assieds à côté de Mère-parfaite n° 1. Robert Bass prend place à côté de moi. J'admire son sang-froid.

— Jamais d'explications, jamais d'excuses, Lucy ! C'est ma devise, murmure Mère-parfaite n° 1.

À quelle partie de ma vie fait-elle référence ? Puis elle ajoute avec un air entendu :

— De toute façon, j'ai quelque chose de bien plus important à vous demander. Puis-je compter sur votre discrétion ? Je ne voudrais pas que toute la classe reçoive un mail à ce sujet.

Inquiète, je reste néanmoins sur mes gardes, sachant que sa révélation me décevra sûrement.

— Mon mari a des poux, chuchote-t-elle, dégoûtée. Pas seulement des lentes. Des poux adultes.

— Les a-t-il attrapés au contact des enfants ?

— Non. J'ai chargé la nounou de vérifier. Pas une lente en vue. Il prétend que sa secrétaire a été contaminée par ses propres gamins et les lui a passés. Étant donné que vos enfants ont déjà contaminé l'école, je me demandais si vous connaissiez la méthode la plus efficace pour nous en débarrasser.

Mère-efficace toussote avec réprobation. Elle a revêtu un tailleur sombre très pro, datant de son époque McKinsey. Un ordinateur portable complète sa panoplie de femme de pouvoir. Elle l'allume.

— Moins on en parlera, mieux on s'en portera. Je fais référence à l'e-mail de Lucy. Elle a dépassé les bornes et je songe à reconsidérer sa position, commence-t-elle avec sérieux.

— On dirait pourtant que Lucy a considéré un bon nombre de positions ! intervient Père-célèbre qui vient d'arriver en retard.

Il prie Robert Bass de se décaler un peu pour lui permettre de s'asseoir à côté de moi, en dépit de la chaise libre à côté de Mère-efficace. Les réunions de parents d'élèves deviennent brusquement beaucoup plus excitantes.

— Où est le tigre ? me murmure-t-il à l'oreille.

Je reste sans bouger, un sourire figé aux lèvres.

— Si le poste de Lucy intéresse quelqu'un, dites-le-moi. La responsabilité de parent délégué réclame désormais un plein temps, ajoute-t-elle en riant de bon cœur.

Nous esquissons à peine un rictus.

— Je n'ai jamais participé à une de ces réunions de mamans, me confie Père-célèbre avec son accent yankee. Au fait, bravo pour votre e-mail ! Aux States, les écoles sont loin d'être aussi marrantes. Ça m'ouvre des perspectives, ce dont je vous suis reconnaissant. Je vais bien évidemment me joindre à toutes ces activités. J'espère que je ne le regretterai pas.

— Quelqu'un souhaiterait-il aborder un sujet en particulier ? demande Mère-efficace en tentant de capter l'attention du groupe, et notamment celle du nouveau venu.

Mère-parfaite n° 1 lève la main.

— Le nylon qui entre dans la composition des pulls de l'uniforme m'inquiète. Ce n'est pas très sain.

Mère-efficace tape aussitôt cette remarque sur son ordinateur et reprend la parole :

— J'ai quelques idées dont je voudrais vous parler...

Je fais une grimace intérieure et sens Robert Bass m'imiter.

— J'aimerais que nous réfléchissions un peu à des projets pour la fête de cet été. Peut-être devriez-vous tous me dire ce que vous faisiez avant d'avoir des enfants. Cela me permettrait d'évaluer les forces et les faiblesses de notre groupe.

Puis, se tournant vers moi, elle ajoute :

— Vous, Lucy, quel emploi occupiez-vous ? Avez-vous toujours été femme au foyer ?

— Je produisais le magazine d'informations du soir sur la BBC, *Newsnight*.

Silence stupéfait.

— Bon, passons. La directrice a demandé que les parents arrêtent de se garer sur la double ligne jaune quand ils arrivent en retard le matin. Et souvenez-vous qu'il y a un enfant très allergique aux cacahuètes dans la classe. Un parent, dont je tairai le nom par pure charité, envoie ses gamins à l'école avec des M&M's, dit-elle en me fixant.

— C'est vous qui avez fait ça ? me demande Robert Bass à voix haute.

— Je vous avais bien dit qu'elle était dangereuse ! ajoute Père-célèbre.

Je me mets aussitôt sur la défensive :

— Écoutez, vous vous trompez...

Mère-efficace tape vigoureusement sur une autre touche de son ordinateur et annonce avec dédain :

— Bon ! Ma liste pour la soirée des parents...

Mais au lieu de ça, une petite brune lascive, à califourchon sur une blonde dans une position très compromettante, s'affiche à l'écran.

— Jeu, set et match, Lucy Sweeney ! annonce Mère-parfaite n° 1.

Chapitre 14

« Il y a loin de la coupe aux lèvres. »

Quelques semaines plus tard, Tom et moi attendons en silence, raides comme des piquets, devant le gros ascenseur conduisant à l'appartement d'Emma. Nous sommes entourés de grands miroirs et, quand Tom finit par prendre la parole, je peux le voir à la fois de profil et de face. Il se gratte l'oreille d'une main pendant que l'autre farfouille dans sa poche arrière, un geste indiquant qu'il se sent nerveux. Il est si tendu que ses lèvres semblent plus minces et plus pâles. J'éprouve une soudaine vague de tendresse à son égard. Je suis sans doute la seule personne au monde à savoir décrypter chaque signe de ce langage codé. Cela prend des années pour mettre en place un lexique aussi étendu des gestes et attitudes d'une personne. Je peux évaluer son niveau de nervosité, de colère, de curiosité et de fatigue. Je sais quelle part est due à son épuisement et quelle autre est due au dîner de ce soir. J'avance de quelques pas et lui caresse la joue. Il appuie sa tête contre ma main en fermant les yeux.

— C'est toi qui m'as conseillé de vivre et de laisser vivre, dis-je doucement.

Ce n'est pas un reproche.

— Tolérer une liaison et l'avoir sous les yeux, ce n'est pas la même chose, me dit-il. Je me réjouis pour Emma qui parle incessamment de cet homme, même si je n'utiliserais pas les termes crus dont vous semblez raffoler toutes les deux, mais je n'ai pas envie de le rencontrer. Cette situation me met mal à l'aise. Ce n'est pas ce que j'appellerais « passer une soirée sympa avec ma femme ».

— Mais tu comprends que nous devions y aller ?

Il ignore la question et bâille.

— Voyons le bon côté des choses : leur relation me permet d'apprécier d'autant plus l'existence que nous menons, simple et sans complications inutiles. Je ne m'imagine pas organiser un dîner avec une femme qui n'est pas mon épouse et rencontrer tous ses amis, sachant que ma famille est restée à la maison. C'est une trop grosse prise de tête.

— Moi non plus. J'en suis incapable.

Je me demande si mon manque d'imagination reflète la superficialité de mes sentiments envers Robert Bass ou si cette scène de vie conjugale tranquille représente l'antithèse de ce que je recherche.

— Je sais que cette soirée risque d'être pénible. Donne-moi le mot de code à utiliser pour mettre les voiles.

— Bobo-intello, répond-il d'un ton moqueur. Au fait, tu l'as revu ?

— Oui. À plusieurs reprises, dis-je honnêtement.

— T'a-t-il soigneusement évitée ?

— Non, il s'est montré plutôt attentionné.

Et comme il hausse un sourcil, j'ajoute :

— Il dit que sa femme est beaucoup plus présente en ce moment. Maintenant, c'est Père-célèbre la grande attraction de ces dames. Il apporte un peu de glamour à toutes nos vies.

— Comment ça se passe pour Joe à l'école ?

— Mis à part qu'il dort avec son uniforme de peur qu'on se réveille en retard, je crois qu'il va bien. Sais-tu qu'il a revu *La Mélodie du bonheur* en entier sans reparler une seule fois des nazis ? Il a une petite amie, aussi, mais il m'assure qu'ils n'ont pas encore discuté du mot en M.

— Il doit pourtant savoir qu'on a deux réveils. On ne sera jamais en retard. Et c'est quoi, le mot en M ?

— Mariage. Il prend ces choses très au sérieux.

— Tu as appelé le plombier au sujet de la fuite dans la salle de bains ?

— Oui.

— As-tu pensé à renouveler l'assurance de la maison ?

— Oui.

— Bien, Lucy. Quelle incroyable preuve d'organisation ! Si je ne te connaissais pas mieux, je dirais que tu avais mauvaise conscience.

— Alors tu me connais trop bien.

Mais l'ascenseur s'est arrêté et il ne m'a pas entendue.

Les portes s'ouvrent et nous nous battons avec les grilles en fer. Ces ascenseurs de lofts favorisent toujours les invités déjà présents. Les portes s'ouvrent sur un grand salon, ce qui met mal à l'aise les nouveaux arrivants, obligés de plisser les yeux pour s'habituer à la lumière aveuglante quand ils sortent de cet engin. Les grilles font un tel raffut qu'il est impossible de débarquer discrètement.

Des regards nerveux se fixent sur nous tandis que nous apparaissons. Difficile d'évaluer le nombre de personnes dispersées dans la pièce ou de s'orienter dans ce territoire inhabituel. Nous sommes bien trop occupés à essayer de nous tirer de cette cage.

Voyant notre embarras, le banquier d'Emma s'avance et nous tend la main, tractant mon amie derrière lui. Son autre bras s'enroule fermement autour de sa taille, la main juste au-dessus de sa fesse gauche, le bout des doigts enfoncés dans l'arrière du jean taille basse d'Emma.

Il faut dire que sa chute de reins est son meilleur atout. Nous l'avons décrété à l'unanimité il y a quelques années déjà. L'attitude de Guy le confirme. Ils sont tellement collés qu'ils seront difficiles à séparer pour les asseoir aux deux extrémités de la table.

— Bonjour, lance Emma qui se penche en avant pour nous embrasser.

Puis elle pose la tête sur l'épaule de Guy et nous regarde bêtement, attendant que l'un de nous dise quelque chose. Elle affiche cet air rêveur, lointain, qu'ont les femmes quand elles sont enceintes ou viennent de faire l'amour. Quant à lui, il arbore l'attitude un peu suffisante de l'homme mûr ayant récemment découvert que ses doigts peuvent encore faire chavirer une femme.

— Je suis Guy, dit le banquier avec assurance.

À côté de moi, je sens Tom se détendre et moi je suis soulagée pour Emma que Guy ait décidé de jouer un rôle actif dans ce dîner et d'assumer la bizarrerie de cette situation. Voilà au moins une chose qu'elle n'aura pas à gérer toute seule.

Pourtant, ce type m'agace déjà et elle aussi, dans une certaine mesure. Alors je culpabilise. C'est la toute première fois, il me semble, qu'elle organise un dîner. Ils veulent nous voir profiter de leur bonheur mais j'ai manifestement beaucoup plus de mal qu'eux à oublier qu'il est marié. J'ignore à quoi je m'attendais. J'aurais néanmoins imaginé qu'ils se montreraient un peu plus réservés, plus timides. Ou au moins assez sensibles pour comprendre que d'autres puissent être perturbés.

Ça sent fort le mensonge.

Parce que je suis appelée à briser le silence gêné qui s'est installé entre nous, je ne peux observer que très furtivement l'homme debout devant nous. Il porte ce que j'appellerai une jolie panoplie « décontractée chic » qu'Emma a dû composer pour lui. Un jean True Religion, une chemise rayée Paul Smith et des tennis. Ces vêtements paraissent tellement neufs que je les soupçonne de ne jamais avoir quitté cet immeuble. Je me demande ce qu'il met chez lui, une tenue qui dépend sûrement de celle de sa femme, du Boden ou du Marc Jacobs. Les maris finissent toujours par ressembler à leurs épouses.

Il est plus petit que je le croyais sans être court sur pattes. Je note pourtant qu'Emma porte des ballerines plates pour ne pas le dépasser. Attirant, mais de manière moins évidente que je le pensais, et il fait plus jeune que ses quarante-trois ans. À en juger son ventre plat sous sa chemise un peu trop étroite, c'est un adepte des salles de gym. Je me demande comment il en trouve le temps. Posséder tout en double exemplaire est exténuant. Deux femmes, deux lits super grand format, deux garde-robes, l'une remplie de vêtements choisis par sa femme et l'autre composée par Emma. Et en plus, il doit absolument se souvenir de qui lui a acheté quoi. Heureusement qu'il n'a pas deux séries d'enfants. Pas encore.

— Je suis ravie de vous rencontrer, dis-je.

— J'espère. J'avoue que ce n'est pas très conventionnel.

Quand il sourit, je comprends ce qui a pu attirer Emma. En dépit d'une arrogance évidente, son visage dégage une sincérité inattendue. Une légère faille dans cette belle assurance. Il me fixe un peu trop longuement, mais je ne lui en veux pas de me jauger à son tour. Bien qu'étant de parfaits étrangers, nous en savons bien plus l'un sur l'autre que nous ne le devrions. Je me demande ce qu'Emma lui a raconté sur moi et si nous sommes si différents que cela. Il a franchi la ligne et je ne suis pas loin de le faire. Pas loin du tout.

Je remarque Cathy, encadrée de deux hommes. Je n'en reconnais aucun. Elle me regarde d'un air contrit et hausse les épaules pour m'indiquer qu'elle est venue accompagnée du fameux colocataire. De là où je me trouve, impossible de déterminer lequel est son petit ami. Assise sur le canapé, les pieds nus repliés sous elle, Cathy touche des genoux l'homme qui se trouve à sa gauche. Ce doit être le métrosexuel… Je reste perplexe, ne sachant plus que penser. Ses cheveux, coupés court et hérissés, exigent au moins une séance de coiffeur par mois et une bonne dose de gel fixateur. Assis à sa droite, l'autre homme se penche sur elle et écarte une mèche ou deux de son visage. C'est comme ces tableaux anciens où il faut observer les objets éparpillés aux quatre coins de la toile pour comprendre les relations entre les personnages. Sauf que dans cet appartement, tout est pratiquement neuf, ce qui rend la tâche encore plus compliquée.

Tom me prend par la main et me tire derrière lui comme un cheval récalcitrant.

— Quel endroit superbe ! dit-il. Je ne parierais pourtant pas sur la solidité du mécanisme des cloisons mobiles… ça m'a l'air d'avoir été fait à l'économie. Allons prendre un autre verre.

Puis il m'entraîne vers une bouteille au bout de l'îlot

central de la cuisine. Il a déjà ingurgité une coupe de champagne et je m'inquiète un peu.

Tandis qu'il s'en sert une autre, je chuchote :

— Lequel est le petit ami de Cathy ?

— Celui qui est assis à sa droite, répond-il fièrement. Je pensais qu'ils formeraient un beau couple. Pete semble être un brave type. Il n'a jamais été marié, n'a pas d'enfants à ma connaissance, et il est plutôt beau garçon. Je suis mal placé pour en juger, mais je sais qu'il est la coqueluche du bureau.

— Et comment tu le sais ?

— J'ai mené ma petite enquête auprès de quelques nanas.

Tom a raison. Même s'il porte l'uniforme des architectes : chemise noire, jean noir et veste, cet homme est super canon. Il frise la quarantaine et le fait qu'il soit toujours célibataire amène à se poser des questions.

— Au fait, j'ai oublié de te dire que je te trouve vraiment ravissante. J'adore cette robe, dit Tom.

— Oh, merci.

Je porte une robe portefeuille avec une longue ceinture nouée sur le côté. Mais, à mesure que mes rondeurs deviennent plus voluptueuses, celle-ci semble raccourcir à vue d'œil.

Le collègue de Tom nous fait signe, nous invitant à venir nous asseoir. Il semble soulagé de nous voir et se lève pour se présenter. Il tend un bras interminable pour nous serrer la main. Très grand et filiforme, il est obligé de se pencher sur nous.

— Voici Pete, déclare Cathy, tout excitée. Ainsi que son colocataire, James.

— Je suis ravi de faire votre connaissance, Lucy. Bien sûr, je vous ai reconnue grâce à la photo de vous et des enfants qui trône sur le bureau de Tom.

Cela me désarme un peu car j'ignorais que Tom

avait emporté une photo de sa petite tribu à son bureau. Un geste adorable qui montre une certaine fierté familiale. Après tout, de loin, une vie de famille peut symboliser quelque chose d'organisé et de propret. Mais franchement, j'aurais préféré qu'il me demande mon avis avant d'afficher ainsi ma photo à la vue de tous...

Je me tourne vers Tom :

— Quelle est cette photo ?

— Celle où tu tiens Sam et Joe dans tes bras, à l'époque où tu étais enceinte de Fred.

Il baisse les yeux sur son verre, conscient d'avoir commis une bévue. J'ignore pourquoi, il a toujours aimé cette photo, peut-être parce qu'elle souligne sa fertilité et donc sa virilité. Mais je suis horrifiée et il le sait. J'ai cette mine un peu grassouillette des femmes en fin de grossesse et les traits de mon visage ont fondu. Je ressemble à une chienne affublée de sa portée de chiots. Il va falloir que j'éclaircisse tout cela au plus vite, bien qu'il soit déjà trop tard. Voilà l'image que les gens garderont de moi.

— C'est assez impressionnant, intervient Pete, car vous ressemblez à ce symbole aztèque de la fertilité.

Je demeure sans voix. Ce n'est pas cette image que je revendique. Je parie que Mère-parfaite n° 1 ne s'est jamais vu comparer à un ancien symbole de fertilité. Sa dernière grossesse, pour son quatrième enfant, est pratiquement restée invisible jusqu'au sixième mois. Et même à ce stade, on se demandait si elle attendait un bébé ou si elle avait juste pris un peu de poids.

Soulagée, je note qu'Emma n'a pas été abandonnée dans la cuisine. Guy semble avoir pris les choses en main car il indique combien de feuilles de salade, de tranches de prosciutto, de cubes de feta et de cerneaux de noix doivent être disposés sur chaque assiette et dans quel ordre. Ce processus met un certain temps car ils s'interrompent toutes les deux minutes pour s'embrasser.

— S'ils continuent comme ça, ils ne tiendront pas tout le dîner, lâche Pete en regardant Cathy avec indulgence avant de l'embrasser à son tour. Nous non plus, d'ailleurs.

— Si je pensais que c'est peut-être la première et la dernière fois que j'organise un dîner avec l'homme que j'aime, je me comporterais sans doute de la même manière, fait remarquer Cathy.

Pete passe un bras possessif autour de ses épaules.

— On organisera autant de dîners que tu voudras, dit-il.

— Je vous donnerai un coup de main pour la cuisine, intervient James.

— James est un super cordon-bleu, commente Pete. Pas vrai, Cathy ?

— Excellent, admet-elle en se tournant vers moi pour lever les yeux au ciel. Je sors fumer une cigarette. Tu viens me tenir compagnie, Lucy ?

— Je suis au courant pour son vice, dit Tom d'un ton désabusé. Les enfants m'ont tout raconté.

Nous ouvrons les portes qui donnent sur le balcon. Il fait plus chaud que prévu et nous nous installons à une table ronde entourée de chaises et de petits bulbes déjà en fleurs dans les jardinières. À l'intérieur, Tom et Guy se sont lancés dans une grande conversation. Je sors une cigarette et l'allume. J'ai essayé de faire durer mon paquet. Tant que je n'en achète pas un nouveau, j'ai l'impression de ne pas avoir replongé. J'ai même fumé une demi-cigarette et planqué l'autre moitié dans le jardin pour finir ce bout de mégot quelques jours plus tard. Gérer ma consommation me donne la sensation d'être capable de contrôler également tout le reste.

J'essaie de l'expliquer à Cathy qui semble sceptique.

— Lucy, tu auras beau tenter de rationaliser les choses dans ta tête, crois-moi : tu vas droit dans le mur. Ton frère a raison. Tu devrais garder tes distances avec cet homme, surtout depuis que tu sais que ces sentiments sont réciproques.

— Ce n'est pas parce que tu penses à quelque chose que ça va forcément arriver. Et puis il me remonte le moral. On s'amuse bien.

— Si vous pensez la même chose tous les deux, il y a de fortes chances pour que ça se concrétise. Surtout si tu refuses de prendre tes distances.

J'aimerais poursuivre cette discussion mais James nous rejoint et tout devient plus confus. Il glisse en effet son bras autour de Cathy, laissant supposer qu'il se passe bien plus entre eux qu'entre Robert Bass et moi. Il me fixe droit dans les yeux pendant que ses doigts courent sur les hanches de Cathy. Elle essaie de s'éloigner de lui. Sans doute pour qu'il arrête, mais surtout parce qu'elle peut lire dans mes pensées. Pourquoi se préoccupe-t-elle de ma droiture morale alors qu'elle couche sûrement avec ces deux hommes ? Pete est-il au courant de cette promiscuité ? J'ai à peine le temps de m'interroger qu'il arrive. Cathy et James n'esquissent pas le moindre geste pour se détacher. Je comprends alors que c'est bien plus compliqué que je ne l'aurais cru.

— Le repas est prêt, annonce Pete.

Et les deux hommes rentrent. J'en profite pour demander sèchement :

— Qu'est-ce que tu trafiques ?

— Je l'ignore, murmure Cathy. Je sais que c'est un peu bizarre. Leur relation n'a rien d'homo. Je pense qu'ils se sont bagarrés tant de fois pour la même femme qu'ils ont fini par décider de partager. De cette manière, aucun des deux ne se sent obligé de s'engager. Je sais que ce n'est pas très orthodoxe, mais ça flatte mon amour-propre.

Je suis frappée par le fait que tous mes proches – y compris ma belle-mère – se sont lancés dans une grande aventure. Mon badinage avec Robert Bass devient alors une bagatelle. Je suis assez réaliste pour savoir que mon corps va me trahir de mille manières au cours des prochaines décennies et soudain il me semble raisonnable, voire souhaitable, de sauter sur l'occasion d'une dernière aventure. Je suis installée dans le wagon de la dernière chance. Voyez Madonna : quatre heures de gym par jour et régime macrobiotique strict. Combattre les ravages du temps une fois passé la barre des cinquante ans est un boulot à plein temps. En revanche, Tom a encore vingt années devant lui pour attirer des jeunes minettes. Si Robert Bass et moi couchions ensemble une seule fois et que nous nous engagions à ne plus jamais recommencer, alors nous pourrions maîtriser les ondes de choc. Comme pour la cigarette, l'essentiel c'est de ne pas laisser les choses aller trop loin. Ainsi, je parviendrais à contrôler les contrecoups. C'est peut-être une décision prise à la va-vite, mais le plus sage serait de ne rien tenter pour encourager cette relation. Ni pour l'arrêter, d'ailleurs.

Pour la première fois en six mois, j'y vois un peu plus clair.

— Tu désapprouves, Lucy ? demande Cathy. Tu parais très agitée.

— Non, non. Je me demandais simplement comment cela pouvait fonctionner et pendant combien de temps.

— Il n'existe pas de « lobby pro-ménage à trois » qui en ferait une forme acceptable de relation.

— Et si c'était le cas, l'envisagerais-tu ?

— Si je n'avais pas d'enfants, peut-être. Mais je me vois mal expliquer à Ben qu'il a désormais trois pères.

Elle rit, puis ajoute :

— En fait, cette histoire me permet juste d'avancer, de m'éloigner de toutes les horreurs du divorce et de dépasser la haine.

— Je pensais que ça allait un peu mieux entre vous.

— Cela aurait été plus facile si l'un de nous était mort. Au moins, il nous serait resté quelques souvenirs heureux. Aujourd'hui, je me demande comment j'ai pu épouser cet homme. Et je commence à douter de la qualité de mon jugement concernant toutes les autres relations. Je ne parle pas des relations d'amitié, bien sûr. Emma et toi avez toujours été là pour moi.

Nous nous levons pour retourner à l'intérieur et je m'érafle la jambe au contact d'une brindille d'herbe de la pampa dans une jardinière. Je passe un doigt le long de l'égratignure et y jette un coup d'œil : quelques gouttes de sang perlent sur ma peau. Guy me hèle de l'autre côté de la table.

— Je voulais être assis à côté de vous, déclare-t-il en tirant une chaise à mon intention. J'ai tellement l'impression de vous connaître.

Et moi donc ! me dis-je en m'efforçant de repousser les images d'Emma et lui en train de faire l'amour dans un bureau.

— Depuis quand connaissez-vous Emma, Cathy et vous ? demande-t-il.

— Nous formions un petit trio bien avant que je me marie.

Je me sens rougir. Il fixe sa salade, évaluant d'un œil critique le ratio noix/figue. Ne voyant pas l'expression sur son visage, je précise :

— Nous nous sommes rencontrées à l'université. Nous avons partagé un appartement pendant la dernière année et nous avons beaucoup fait la fête ensemble. Toutes les trois. En trio.

J'ai prononcé le mot « trio » deux fois en moins d'une minute... Au secours, Tom ! Vite, on s'en va !

Une étiquette indiquant cent dix livres dépasse de la manche de sa chemise et je me permets de le lui signaler. Il a le bon goût d'avoir l'air gêné et me prie de la lui retirer. Il défait donc son bouton pour remonter la manche, révélant un avant-bras que j'examine aussitôt. Je le trouve sans substance, gracile, presque féminin. Les poils sont fins et tellement clairs qu'on aperçoit les taches de rousseur en dessous. Son poignet est particulièrement menu. Si je formais un cercle avec mon pouce et mon majeur, je pourrais en faire le tour. Pour terminer, je note le simple anneau en or à son annuaire. L'alliance de l'homme marié.

— Emma s'efforce de me faire porter des vêtements de circonstance, dit-il en souriant.

Je me débats pour couper le petit lien de plastique qui retient l'étiquette à la chemise. Quand il cède enfin, ma main vient frapper mon verre de vin qui se renverse sur lui. Il tente de reculer, mais c'est trop tard, la chemise est trempée.

— Mon Dieu, je suis désolée.

À l'autre bout de la table, Tom m'observe, étonné.

— S'agirait-il d'une sorte de test ? m'interroge Guy, tout en souriant avec bienveillance. Ne vous inquiétez pas, j'ai une autre chemise dans mon attaché-case. Ma secrétaire m'en glisse toujours une, au cas où. Je ne sais pas ce que je deviendrai quand elle prendra sa retraite.

— Mais n'est-elle pas trop jeune pour partir en retraite ?

J'avais posé la question sans réfléchir. Serais-je atteinte d'une variante du syndrome de la Tourette pour ainsi épicer toutes mes phrases de sous-entendus, révélant ma connaissance approfondie de leur relation ?

— Parce qu'on vous a donné l'âge de ma secrétaire ? demande-t-il d'un air soupçonneux, tout en s'épongeant avec une serviette qu'Emma lui a tendue.

En entendant sa question, elle m'adresse un froncement de sourcils.

Pendant qu'il change de chemise, je m'accorde cinq minutes pour trouver un sujet plus général. Pas facile. Je prends quelques profondes respirations pour me ressaisir. Voilà qui n'est pas évident. Impossible de lui parler de son épouse, de ses enfants, de leur éducation, des écoles... Ce sont là des sujets domestiques absolument tabous. J'essaie de me souvenir du dernier film que j'ai vu.

Les Berkman se séparent[1]. Une histoire de mariage qui explose. Qu'ai-je vu d'autre ? *Syriana*. Mais je ne peux pas en parler car je n'ai pas réussi à suivre la trame de ce film. Ça se passait à Dubaï ou au Qatar ? Mais non... en Irak. Nous devrions discuter de l'Irak. Il existe tant d'opinions différentes. Cela m'évitera sûrement de commettre des bourdes, style trio ou secrétaire...

Et puis on apprend beaucoup des gens quand on connaît la position qu'ils ont adoptée avant la guerre, même s'ils nient aujourd'hui l'avoir soutenue. Bref, il admet s'être inscrit en faveur d'une intervention mais seulement avec l'approbation des Nations unies. Je lui demande s'il y a un quelconque contexte politique dans l'exercice de son métier, ce à quoi il répond non. Puis je l'interroge sur la nature exacte de son travail.

— En gros, je crée des mécanismes pour échanger des dettes étrangères sur le marché international.

---

1. *The Squid and the Whale* de Noah Baumbach (2005). *(N.d.T.)*

J'ai l'air perplexe.

— Ne vous inquiétez pas. Même les gens de ma banque ne comprennent pas ce que je fais. Sauf Emma.

Il regarde fièrement mon amie qui lui sourit en retour.

Puis il me raconte un récent dîner qui se tenait entre éminents hommes d'affaires et Gordon Brown. Il précise que les gens se méfiaient de cet homme simplement parce qu'il est incapable de raconter des histoires drôles.

— Ça vous manque de ne plus être au cœur de cet univers ? demande-t-il. Je sais tout de votre passé.

À l'entendre, on dirait qu'il ne se réfère pas seulement à mon travail.

— Parfois, la poussée d'adrénaline me manque. Ce genre de boulot est très prenant. Et mes collègues me manquent aussi. Une femme au foyer n'impressionne pas autant que la productrice de *Newsnight*. On me demande toujours des détails sur Jeremy Paxman.

— Alors, comment est-il ?

Décidément, c'est la première question qu'on me pose quand j'avoue avoir travaillé pendant sept ans pour cette émission. Parfois, on tourne poliment autour du pot, mais on finit toujours par y venir.

— C'est vraiment un type super. Très brillant. Tout le monde l'adore, dis-je en espérant lui avoir apporté satisfaction. Enfin j'ai souvent du mal à me rappeler comment était la vie avant les enfants.

Il rit.

— Nous en sommes tous là.

— Vous aimez votre métier ?

— Avant, oui. Quand j'avais la vingtaine et des choses à prouver, je travaillais comme un dingue. À la trentaine, je suis devenu directeur de ma banque et je bossais toujours comme un fou. Je gagnais plus d'argent que ma femme ne pouvait en dépenser. À quarante ans, j'ai commencé à m'en désintéresser. Je ne voudrais pas paraître arrogant, mais ma carrière manquait de défi, je peux faire mon métier les yeux fermés. Et gagner de l'argent ne me motive plus assez.

— Seuls ceux qui n'ont pas de soucis financiers peuvent dire une chose pareille.

Quelques jours plus tôt, je m'étais assise à mon bureau, avais sorti les tickets de cartes bleues de leur cachette et calculé le montant total de mes prunes de stationnement. Le résultat avait failli me faire tomber à la renverse. Douze mille sept cent soixante livres et vingt-deux cents ! La dette initiale devait probablement s'élever à la moitié de cette somme, le reste s'étant accumulé à cause des impayés et des intérêts astronomiques.

— Ensuite, continue-t-il, j'ai commencé à m'inquiéter de ma propre mortalité. Une fois descendu de ce manège infernal, je me demande si j'arriverais à regarder en arrière et à considérer avoir bien profité de ma vie. Votre mari a de la chance.

— D'être marié avec moi ? dis-je, ravie de ce compliment.

— Ça, je ne peux pas le savoir. En tout cas, il exerce un métier qui le passionne. La seule chose qui me passionne vraiment, c'est Emma. Elle a comblé un vide, m'a insufflé une énergie nouvelle. Ça fait longtemps que mon mariage n'a plus rien à voir avec l'amour.

Je me penche vers lui :

— Mais ne croyez-vous pas que c'est seulement un prétexte pour justifier votre trahison ? Peut-être devriez-vous juste admettre votre crise de la cinquantaine. Vous ne pouvez pas vous servir d'Emma comme d'un antidote à court terme.

— Il se peut qu'elle soit un antidote à long terme, répond-il en se penchant vers moi à son tour.

— Les gens qui ont une liaison aiment penser que leur situation est unique, comme s'ils éprouvaient des sentiments plus puissants que ceux qui ont vécu la même expérience. Mais en réalité, ils se fourvoient. Des milliers d'hommes de votre âge traversent cette épreuve.

Avant même d'avoir terminé ma diatribe, je sais que j'aurais dû me taire. Pourtant je continue :

— Mon frère psychologue prétend que les hommes sont poussés par leur sexualité, qu'ils ne sont pas faits pour être monogames, qu'ils sont destinés à distribuer leur semence. D'après lui, ceux qui évitent ce genre de situation sont plus avancés dans l'évolution de l'espèce. Et qu'en est-il de votre femme ? A-t-elle la moindre idée de ce qui se trame ? Ne mérite-t-elle pas d'avoir une chance de comprendre ce qui arrive ? Et surtout, ne pourriez-vous pas essayer de surmonter cette crise, rien que pour vos enfants ?

Guy semble profondément choqué et reste sans voix.

Alors je me rappelle qu'Emma m'avait confié qu'il détestait entendre parler de sa femme. Je réalise qu'il est furieux contre moi. Il pose son verre de vin un peu trop brutalement et fait glisser son doigt sur le rebord, provoquant un bourdonnement discret.

— Je n'ai en aucun cas à justifier mon comportement devant vous. Mais dans l'intérêt de l'amitié, sachez que j'ai essayé de discuter de ce que je ressens avec mon épouse. Elle considère ma crise comme un caprice. Je lui ai dit que je voulais réduire notre train de vie et changer notre façon de vivre. Je lui ai avoué que j'en avais par-dessus la tête des dîners avec d'autres banquiers et leurs femmes, où les conversations ne tournent qu'autour des enfants, des écoles et du boulot,

317

avec un esprit de compétition sous-jacent. Elle affirme qu'on ne peut pas se permettre de diminuer nos revenus. En réalité, elle refuse de compromettre son train de vie. Parfois je me dis que c'est tout ce que l'argent m'a apporté : une épouse, quatre beaux enfants, une maison à Notting Hill et une super petite amie qui cajole mon amour-propre et un cœur que personne d'autre ne peut plus atteindre.

— Mais Emma ? Ne mérite-t-elle pas une famille et des enfants ?

— Emma ne veut pas d'enfants. Et si elle en désirait, je ne vois pas ce qui l'en empêcherait.

Je suis choquée.

— Et vous, Lucy ? Votre mari sait-il ce qui se trame dans votre esprit ? demande-t-il en caressant toujours son verre. Y a-t-il un couple où l'un parvient à lire dans les pensées de l'autre ? Savez-vous ce qui se passe dans votre propre tête ?

— N'aurait-il pas mieux valu vous occuper d'abord de votre crise existentielle avant de vous embarquer dans une liaison ? La concupiscence empêche de se concentrer.

Il lève un sourcil.

— Il paraît, oui. Et vous ? C'est ce que vous êtes en train de faire ?

— Pardon ?

L'aurais-je mal entendu ? Il insiste :

— Emma m'a confié que vous viviez vous-même une crise. Finalement, nous ne sommes pas si différents. Le truc, Lucy, c'est que nous pouvons être compatibles avec des gens très différents, et c'est à la fois terrible et merveilleux.

Je laisse tomber mon couteau par terre et tout le monde se tourne vers nous. Puis le téléphone sonne. C'est notre baby-sitter.

— Lucy, Fred a vomi partout. Il est inconsolable. Je suis vraiment désolée, mais pourriez-vous rentrer à la maison ? Il prétend avoir descendu une boîte de comprimés qu'il a trouvée dans votre chambre.

La voix de Polly tremblote de peur et de tension.

— Quel genre de cachets ?

Mon estomac est noué par l'angoisse.

— Sur le côté, on peut lire Oméga 3, dit-elle.

— Ouf... c'est de l'huile de poisson. Bon, on arrive tout de suite.

La soirée se termine au service des urgences de l'hôpital où travaille Mark.

Je me tourne vers le médecin :

— Qu'en pensez-vous ?

— Il semble un peu pâle autour des ouïes et ses écailles sont ternes, dit-il en souriant. Désolé, mauvaise blague. Je travaille depuis 7 heures du matin, alors...

— Aura-t-il des séquelles ? demande Tom.

— S'il commence à avoir des nageoires qui poussent, ramenez-le-moi et on l'examinera, dit le médecin.

Je porte Fred dans mes bras comme un bébé, lui chantant des comptines à l'oreille, et il s'endort rapidement, épuisé d'avoir tant pleuré. Ce sont les mêmes airs que fredonnent les mères depuis des siècles, un fil rouge qui passe de génération en génération.

Trois ans plus tôt exactement, nous ramenions Fred de ce même hôpital. Je sens le temps s'écouler comme du sable qui glisse entre les doigts. En vieillissant, il vaut peut-être mieux ne garder en mémoire que des fragments de leur enfance. Dans le cas contraire, la perte serait trop lourde à supporter.

Nous rentrons à la maison, mais impossible de dormir. La peur est difficile à contrôler une fois qu'elle s'est immiscée dans nos veines. Tom, qui s'endort généralement dès qu'il est allongé, reste éveillé, les yeux fixés au plafond.

— Alors, qu'en penses-tu ? demande-t-il.

— J'aurais dû ranger les cachets dans l'armoire à pharmacie.

— Je ne parle pas de ça mais de Guy.

— Je ne sais pas. Je ne le trouve pas fiable *a priori*, mais j'ai décelé une certaine vulnérabilité à laquelle je ne m'attendais pas.

Tom ricane.

— De la disponibilité, tu veux dire. C'est juste un genre.

— Un genre ?

— Le genre de mec qui couche à gauche et à droite puis essaie de le justifier en se faisant passer pour un incompris. C'est une super stratégie à adopter quand on a la quarantaine. Ça peut même aider à la traverser. En revanche, il m'a semblé étrangement familier. J'ai l'impression de l'avoir déjà rencontré quelque part.

Chapitre 15

« Il vaut mieux vivre un jour
comme un lion
que cent ans comme un mouton. »

Dans la vie, quand on perd ses repères, certains indices passent inaperçus alors que d'autres prennent une importance démesurée. C'est ainsi que j'oublie l'impression de déjà-vu ressentie par Tom au sujet de Guy. Au lieu de cela, je suis obsédée par un incident qui me touche plus directement. En effet, début février, une époque de l'année au cours de laquelle chaque femme mérite une dose quotidienne d'attention, Robert Bass a disparu sans donner la moindre explication.

Tous les lundis, je prends le chemin de l'école avec un certain ressort dans mes pas, espérant que ce sera LE jour où il sortira enfin de sa cachette. À la fin de la semaine, ma démarche s'alourdit et mes épaules commencent à s'affaisser. Plus souvent que d'habitude, je consulte mon portable pour voir si j'ai manqué un appel et lui écris des e-mails que je n'envoie jamais. Je ne trouve en effet pas le ton adéquat et je crains de les transmettre accidentellement aux mauvais destinataires. À sa place, c'est sa femme ou une fille au pair qui accompagne les enfants à l'école. Je m'efforce de les ignorer car je refuse de piétiner mes rêveries les plus intimes.

Les semaines s'écoulent sans qu'il se passe quoi que ce soit. Père-célèbre a disparu à Los Angeles pour promouvoir son dernier film. Tom part à Milan pendant de longues périodes. Cathy est très occupée à être heureuse avec deux hommes. Et Emma est toujours en train d'essayer de transformer son loft en petit nid d'amour avec le mari qu'elle a emprunté à une autre.

Pour tout dire, Emma appelle moins souvent et quand elle le fait, le sujet « Guy » revient rarement sur le tapis. Elle a mentionné un voyage à Paris, une promotion au travail, même une nouvelle voiture, et surtout m'a fait remarquer que j'avais oublié son anniversaire. Je mets cela sur le dos de ma transgression durant le fameux dîner et au fait qu'elle est entrée dans une phase plus calme dans sa relation. Puis je range tout cela de côté. Les amitiés, comme les jardins, refleurissent parfois quand on les laisse à l'abandon quelque temps. J'aurais peut-être dû, là aussi, faire plus attention.

Même Mère-parfaite n° 1 a disparu, confiant à sa femme de ménage le soin de déposer les enfants à l'école. La seule bouffée d'air dans ma routine est cruellement anéantie.

J'envie tous ceux qui ont un autre lieu où partir, oubliant que l'endroit où l'on va n'est pas forcément mieux que l'endroit d'où l'on vient.

Il ne me reste que Mère-efficace, qui a commencé le latin pour adultes afin d'aider son aîné dans ses devoirs.

— *Errare humanum est. Ego te absolvo*, dit-elle un matin. Vous pouvez garder votre poste.

Me servant de la seule expression latine dont je me souvienne, je lui réponds :

— *Non sum pisces*.

Ce qui signifie « je ne suis pas un poisson ».

Elle a l'air surprise et rétorque :

— Je ne vous aurais pas choisie comme porte-parole en latin, Lucy.

Au fil des jours, je ne me préoccupe plus de ma tenue et enfile le manteau de Tom, bien trop grand pour moi. Ainsi, personne ne se rend compte que je m'habille comme un as de pique, disparaissant en moi-même. Je commence à penser que je ne reverrai jamais plus Robert Bass, puis m'en veux de l'autoriser ainsi à influencer mon humeur, surtout au moment où j'allais mieux.

Étant donné qu'il a disparu de la circulation, je n'ai plus aucun besoin de parler de lui à Tom. Il est devenu une silhouette du passé. Persuadée qu'il m'évite car il a porté ailleurs son affection, je vois mon assurance et mes certitudes se faner.

Certains jours, j'ai du mal à me souvenir du visage de Robert Bass, mais je ne parviens pas à oublier les sentiments qu'il éveillait chez moi. Je peux me représenter chaque trait individuellement mais je suis incapable d'en faire un ensemble cohérent. J'arrive à me souvenir de ses yeux verts, mais son nez devient flou. Je réussis à me rappeler le profil de son menton, pourtant la forme de ses lèvres m'échappe. Ma mémoire n'a conservé de lui qu'un ensemble de traits plus ou moins confus dont l'assemblage ne donne rien de très satisfaisant. J'examine les photos de classe de sa fille pour y retrouver son visage, pour décider aussitôt qu'elle ressemble davantage à sa mère, dont la démarche élastique et les traits juvéniles ont fini par me sembler plus familiers que ceux de son mari.

Le temps implacable de février souligne l'impossible au lieu d'encourager le possible. Il ne pleut pas beaucoup. Seulement d'interminables journées d'humidité et de crachin. En dépit des apparences, ce n'est pas l'hiver le plus froid depuis 1963, juste le plus gris. Ma victoire sur le chauffage de la maison a perdu de son intérêt. Je tire un certain réconfort dans la répétition des routines quotidiennes : envelopper les sandwichs dans du film transparent, pousser Fred sur sa balançoire dans des parcs déserts, m'arrêter pour observer les cantonniers qui se servent de leurs machines comme d'immenses sèche-cheveux pour rassembler les feuilles mortes que le vent disperse avant même qu'ils aient le temps de les ramasser. Les enfants posent les mêmes questions tous les matins et les réponses étant devenues presque automatiques, je peux les leur donner sans interrompre le fil de mes pensées.

— Est-ce que c'est ça « deux pas en avant, un pas en arrière » ? m'interroge Sam en désignant les types en train de collecter les feuilles.

— C'est ça, dis-je. Ne t'en fais pas, le printemps n'est pas loin.

— Et ensuite, maman, ce sera au tour de l'été ? demande Joe.

Les enfants vous poussent en avant et, à cette époque de l'année, c'est tant mieux.

Fred, quant à lui, dresse un inventaire quotidien des marquages au sol.

— Ligne jaune simple, lance-t-il en se penchant de sa poussette pour examiner la route.

Puis, quelques minutes plus tard :

— Double ligne jaune.

Chaque marque sur le sol mérite un commentaire.

— Ligne pointillée ! hurle-t-il triomphant, parce qu'elles sont moins communes.

Sam collectionne les élastiques rouges que le postier laisse tomber par terre. Je songe à toutes ces choses que je ne remarquais pas avant d'avoir des enfants : que les gens sont plus gentils avec les gamins et les mamans dans les autres pays européens ; qu'aller aux toilettes n'est plus une expérience solitaire ; qu'on ne peut pas tout avoir.

— Je ne comprends pas pourquoi on ramasse les feuilles et on jette les élastiques, fait remarquer Sam.

Puis, un mercredi matin de début mars, je me retrouve à secouer un tambourin dans le groupe de musique de Fred, invitant mon fils à remuer ses maracas moins brutalement parce qu'il agace la petite fille à côté de lui. Je pense que dans vingt ans mes enfants seront davantage amenés à travailler avec des gens appelés Tiger et Calypso que Peter et Jane.

Bien que la salle paroissiale dispose de chaises délabrées recouvertes de Skaï, j'ignore pourquoi nous devons tous être assis sur des tapis de sol, nos enfants debout entre nos jambes. Seule la prof est autorisée à nous dominer du haut de sa chaise. Il fait froid et c'est parfaitement inconfortable. À la fin de la leçon, mes cuisses et mes fesses sont ankylosées et me lever devient une entreprise très douloureuse. Mais le sens du sacrifice et l'idée de souffrir pour Fred m'emplissent d'un sentiment de piété qui dure généralement le reste de la journée. À moins que cette espèce de vertige ne vienne de ce mélange d'eau de Javel et de désinfectant que j'ai inhalé pendant une heure. Parce que la salle paroissiale, en plus de servir de salle de réunion pour les mères, offre également refuge aux sans-abri.

Deux groupes considérés comme défavorisés.

Aujourd'hui, je joue doublement de malchance car je suis assise à côté de la femme surnommée MFP – Mère-des-filles-parfaites – par celles qui n'ont eu que des garçons. Les bonnes semaines, elle se contente de pousser de profonds soupirs et d'égrener des commentaires d'autosatisfaction.

— Mes filles sont tellement sages, elles passent toute la journée à dessiner, déclare-t-elle en regardant les garçons courir dans le couloir comme des sauvages, suivis de leurs mères affolées.

Les mauvais jours, elle se plaint de l'hyperactivité et de l'adjonction de Ritalin dans l'eau du robinet. Chaque semaine, à la fin du cours, je suis persuadée que sa poitrine est aussi gonflée que celle d'une dinde farcie à Noël.

— Ce vilain garçon te dérange-t-il, ma chérie ? demande-t-elle à sa fille en désignant Fred.

Je me hérisse et me mords la langue.

— Saviez-vous que je ne voulais pas faire de troisième enfant de peur d'avoir un garçon ? continue-t-elle.

— C'est dommage parce que cela vous aurait empêchée de devenir aussi chiante !

Je suis effarée d'entendre ces mots sortir de ma bouche. Surprise, elle me regarde les yeux exorbités, puis s'éloigne de moi le plus possible, dans la mesure où le permet le tapis de mousse que nous partageons.

La porte de la salle paroissiale s'ouvre et une touffe de cheveux familière apparaît, un peu plus longue et hirsute que la dernière fois que je l'ai aperçue. Robert Bass entre avec son fils. Mon moral remonte aussitôt et je secoue mon tambourin avec une vigueur retrouvée. Il semble quelque peu décontenancé de nous voir, Fred et moi, parce que c'est une rencontre hors contexte.

Il est en retard et cette infraction devrait normalement être accueillie par un regard revolver de la cerbère qui dirige l'école de musique. Mais quand il lui décoche un de ses sourires enjôleurs, je la vois rougir. Elle lui fait même signe de venir s'asseoir à côté d'elle. Ah, comme les femmes de mon âge fondent facilement devant un peu d'attention ! Nous savons que les années d'invisibilité nous guettent.

Malgré les efforts qu'elle déploie, Robert Bass décline l'offre du grand chef de l'école de musique et décide de s'installer à côté de Fred et moi, misérables élèves. Je sais que je vais le payer cher. La bienveillance du tyran ne s'étend généralement pas aux mères.

En faisant de la place sur mon tapis de mousse, je me rends compte que nous ne nous sommes jamais trouvés physiquement aussi proches l'un de l'autre tout au long de notre... hum... flirt. Si vous voulez vous rapprocher d'un homme, oubliez les pubs et les restaurants. Rien ne vaut un cours de musique pour petits. Une grande partie de mon côté droit est en contact avec lui, bien que la sensation de plaisir soit sérieusement amoindrie par ma cuisse ankylosée. Mais puisque l'initiative vient de lui, et que nous sommes entourés de gens, je m'autorise à profiter de l'instant en toute innocence, grandement magnifié par les semaines de famine que j'ai dû endurer.

Maintenant, tout cela est enfin oublié et, emplie d'un nouvel enthousiasme, je secoue le tambourin avec Fred entre mes jambes.

— Arrête, maman, arrête ! dit-il en tirant sur ma chemise avec ses mains poisseuses.

— Chut, Fred !

Et je secoue mon tambourin de plus belle pour compenser son manque d'activité.

— Madame Sweeney ! Madame Sweeney ! crie notre chef d'orchestre. C'est fini, maintenant ! Vous pouvez arrêter !

Je me retourne et vois que tout le monde a les

yeux fixés sur moi. Y compris Robert Bass qui me considère d'un air narquois.

Il se penche vers moi et chuchote :

— Vous semblez pleine d'enthousiasme, Lucy.

Je lui réponds sur le même mode :

— Parfois je m'emballe.

J'adore son haleine dans mon cou. Je suis si près que je peux sentir son odeur. Je ferme les yeux et inspire profondément. Je me demande s'il fait comme moi et je regrette d'avoir oublié de mettre du déodorant. Ça a au moins l'avantage de voir si nos phéromones sont compatibles.

— Et comment fait le mouton ? crie notre chef d'orchestre, interrompant ma rêverie.

Je m'entends hurler :

— Bêêêê !

Silence radio.

— C'était aux enfants de répondre ! me jette froidement la prof.

Je me tourne vers mon voisin et murmure :

— Où étiez-vous passé ?

— Ma femme a pris quelques mois de congé sabbatique pendant que je finissais mon livre, répond-il. J'allais vous appeler, mais je me suis dit que ce serait trop… hum… perturbant.

Je tiens une petite brique de jus de pomme entre les mains. Sa réflexion m'estomaque au point que je la serre un peu trop fort, lui envoyant un jet de liquide dans l'œil.

— En plein dans le mille, lâche-t-il en s'essuyant avec un pan de sa veste kaki qui lui sied si bien.

Tom a raison. Cette attention au détail n'est pas innocente. Pourtant, je ne saurais dire si cette manie me profite à moi ou à toutes les femmes en général.

Une fois de plus, je remarque que tous les regards sont rivés sur nous.

— J'oublie toujours ce mélange de plaisir et de souffrance que provoque votre présence, dit-il. L'agonie et l'extase.

Je sens mes joues en feu.

— Pourriez-vous, s'il vous plaît, réserver vos bavardages pour après la classe ? s'énerve notre chef d'orchestre.

J'ouvre mon sac à main et cherche à l'aveuglette des lingettes, mais Fred en a assez de moi et gigote entre mes jambes. Il ramasse des miettes de chocolat collées sur le sol et les enfourne. Ses mains et son visage sont recouverts de chocolat et je lui tiens les poignets pour limiter les dégâts. Mère-des-filles-parfaites me fusille du regard.

Robert Bass se propose de m'aider et, dans l'esprit de notre nouvelle familiarité, je le laisse fouiller dans mon sac à main pendant que je tiens fermement Fred contre moi. Je le chatouille dans le cou et il me remercie avec des bisous baveux au chocolat. Voilà un plaisir dont je ne me lasserai jamais.

Robert Bass tire du sac, et pas forcément dans cet ordre : un trognon de pomme, une petite salopette (propre), quelques bâtons de sucettes puis, véritable tour de force, un sandwich enveloppé dans un film transparent, noir et bleu de moisi.

— Votre sac est vivant, commente-t-il. Je suis étonné qu'il ne joue pas du tambourin.

— Essayez la poche sur le côté.

Et je secoue les maracas de plus belle.

Il en sort un préservatif qu'il retourne dans sa main comme s'il n'en avait encore jamais vu. Oh, doux Jésus ! Comment est-ce entré là-dedans ? Peut-être croit-il que ça lui est destiné ?

La musique s'arrête et tout le groupe nous dévisage. Le silence s'abat sur la salle et on n'entend plus que le braillement de quelques enfants.

— Je les garde au cas où les enfants s'ennuient pendant les longs voyages en voiture, m'entends-je expliquer. Ils sont faciles à gonfler et ça fait des ballons.

— Madame Sweeney, vous dépassez vraiment les bornes ! Je vous somme, vous et votre ami, de quitter cette salle immédiatement.

Robert Bass rassemble nos enfants et nous nous levons, rouges de honte. Nous venons de nous faire renvoyer du groupe de musique. Mère-des-filles-parfaites est tellement enflée qu'elle risque d'éclater.

— Eh bien ! On n'aura pas tenu longtemps ! déclare-t-il quand nous arrivons sur le trottoir.

Il a recommencé à pleuvoir et je lui propose, une fois encore, de le raccompagner en voiture, essayant de me souvenir exactement de l'état de mon véhicule.

— Avec plaisir. À condition qu'on ne s'arrête pas à une station-service.

Nous attachons nos enfants à l'arrière et je remarque qu'il retient sa respiration en se penchant pour boucler la ceinture, puis expire en revenant sur le trottoir.

— Devant, c'est moins grave, dis-je.

Il rit nerveusement :

— Je ne sais jamais ce que je vais trouver, là-dedans. C'est toujours une aventure inattendue. Alors où allons-nous maintenant ?

Prête à toutes les audaces, je me lance :

— Si on allait faire une balade sur le Heath[1] ? Ou

---

1. La colline du Parlement qui se trouve dans le plus grand et plus ancien parc de Londres, Hampstead Heath, dont on a une vue magnifique sur la ville. (N.d.T.)

330

bien faut-il que vous retourniez travailler sur vos bouquins ?

— Je pense que j'ai mérité une petite récréation.

Il farfouille par terre et me demande s'il y a quelque chose à boire. Je négocie un virage difficile sur une route très fréquentée et, sans réfléchir, lui suggère de regarder sur le siège arrière. Avant que je puisse réagir, je vois Robert Bass ramasser une bouteille en plastique contenant un liquide jaune qu'il boit avidement.

Puis il émet un son, parfaitement situé entre douleur et dégoût, avant de recracher la boisson sur moi.

Je pousse un hurlement

— Mais qu'est-ce que vous faites ? Je suis complètement trempée !

— Bon sang ! Qu'est-ce que c'est que ce truc ? C'est tellement infect qu'on dirait de la pisse, dit-il, les yeux remplis de larmes.

Il colle tous les doigts de sa main droite dans sa bouche, tentant désespérément de retirer toute trace de ce liquide mystérieux.

Je comprends tout de suite qu'il a ramassé ce que nous appelons la « bouteille pipi ». Très tôt, au cours de mon expérience en tant que parent, j'ai découvert que nous n'arriverions jamais à l'heure nulle part si nous nous arrêtions chaque fois que l'un des garçons avait envie de faire pipi. Ainsi, dès leur plus jeune âge, nos trois enfants ont été entraînés à se servir d'une bouteille en plastique.

Il essaie de renifler le liquide restant dans la bouteille.

— C'est de la pisse, n'est-ce pas, Lucy ? hurle-t-il.

— Vous n'aviez pas remarqué que ça avait une couleur bizarre ?

— J'ai cru qu'il s'agissait d'une de ces boissons

331

pour sportifs. Je devrais aller voir un médecin ou passer aux urgences à votre avis ?

— Mais non, ne soyez pas ridicule. Certaines personnes boivent leur urine à des fins médicales. Tito, Lady Di...

— Oui, mais de la fraîche ! Il y a largement un litre dans cette bouteille. Ça fait combien de temps que c'est là-dedans, Lucy ?

— Écoutez, vous ne risquez rien, dis-je pour le rassurer.

Je me demande s'il est le genre de type à exiger qu'une femme prenne une douche avant de faire l'amour avec lui.

— Ramenez-nous plutôt à la maison, s'il vous plaît. Il faut que je me brosse les dents, supplie-t-il.

Tout compte fait, je trouve que cette rencontre a été plutôt positive.

Tom rentre à la maison le vendredi soir tard. Je suis déjà couchée, tellement épuisée que je ne sais plus si je suis éveillée ou endormie quand il déboule dans la chambre avec sa valise. Il allume la lumière et je ferme les yeux tandis qu'il enfile un nouveau pyjama. Il est d'humeur allègre. Je le sais parce qu'il ne ferme que le bouton du milieu.

— Ils ont commencé à construire la bibliothèque, m'annonce-t-il, tout excité. D'énormes blocs de ciment, tellement grands qu'ils ont dû commander un convoi exceptionnel de camions pour les transporter à travers Milan et interrompre la circulation pendant une journée entière.

Le journal local lui a dédié un article et il me fourre le *Corriere della Sera* dans les mains avec le titre « *Il genio Inglese* » et une photo de lui, le bras autour de la taille d'une ravissante jeune femme brune qui détourne les yeux des appareils photo pour le regarder lui.

— Qui est-ce ?

— Kate. L'une des jeunes architectes qui travaillent sur le projet.

— Elle est très jolie.

— Une des ex de Pete, lance-t-il d'un ton dédaigneux.

— Elle t'accompagne pour tous tes voyages ?

— Oui. Et avant que tu me poses la question, la réponse est non.

La haine de Tom pour la bureaucratie italienne, qui a repoussé le projet de deux ans, a été remplacée par un amour inconditionnel des fromages de la région lombarde. Tom sort de sa valise une grosse tranche de gorgonzola, un morceau de grana padano et un salami milanais. Enveloppée dans de l'essuie-tout, il a même apporté une truffe qu'il compte bien râper sur ses œufs brouillés chaque matin. Il l'agite sous mon nez et j'émets des grognements appréciatifs pour lui faire plaisir. Puis il retire les papiers des fromages, les aligne sur la commode et ferme les yeux pour les humer en affichant une expression d'extase totale.

— Ils dormaient, dit-il.

— Moi aussi.

J'essaie de ne pas me montrer trop grognon.

— Ils ont besoin de respirer, ajoute-t-il en montrant les fromages déballés.

— Nous aussi.

À contrecœur, je me lève pour les descendre à la cuisine. C'est finalement une bonne idée car j'y retrouve la lettre de Petra reçue le matin même et qui traîne encore sur la table, bien en évidence. Un mot court et formel, correctement ponctué, dans sa belle écriture

333

régulière. Je le relis en diagonale, juste pour m'assurer que je ne l'avais pas compris de travers.

« Chère Lucy,
S'il vous plaît, lisez ceci quand Tom n'est pas là et détruisez-la aussitôt sinon je sais que vous la laisserez traîner sur la table de la cuisine. Quand j'ai passé quelques jours chez vous à Londres, juste avant de partir pour le Maroc, j'ai rangé votre bureau un matin et suis tombée sur de nombreuses amendes et factures montrant que vous devez de grosses sommes. J'espère que vous ne m'en voudrez pas de mon indiscrétion. L'argent de la vente de ma maison m'a enfin été versé et je vous joins un chèque qui devrait vous aider à régler cette situation. Je m'installe doucement dans ma vie à Marrakech.
Affectueusement, Petra.
P.-S. : lisez le livre sur Mrs. Beeton. Aucune d'entre nous n'est réellement ce qu'elle paraît. Mais je vous recommande tout de même de fixer un jour précis pour la lessive. »

En remontant l'escalier, je fourre la lettre et le chèque de dix mille livres dans le tiroir du haut de mon bureau tout en en éprouvant une inhabituelle légèreté. C'est un sursis. J'ai déjà commencé à établir une liste des personnes que je vais payer en premier, avec l'huissier en tête.

Le bonheur de Tom est contagieux. Alors, quand je reviens, j'estime que c'est le moment idéal pour lui demander s'il veut bien baby-sitter la semaine prochaine et me permettre ainsi de sortir fêter la promotion d'Emma. Je sais que d'ici le milieu de la semaine prochaine une nouvelle catastrophe viendra contrecarrer son projet et que son moral dégringolera.

— Pas de problème, dit-il. Quelqu'un doit justement venir m'interviewer ce soir-là pour un article à paraître dans *Architect's Journal*. Est-ce que je t'ai dit qu'un des architectes italiens nous a invités à passer quinze jours dans sa maison en Toscane ?

— C'est formidable ! Sans tente ?

— Sans tente. Un palazzo avec un vignoble, rien de moins ! Mais je doute que le camping ait été la seule cause du fiasco du Norfolk.

— C'était quoi, alors ?

Il n'a pas l'occasion de répondre parce que le téléphone se met à sonner. Nous le fixons tous deux avec méfiance car les coups de fil nocturnes annoncent généralement de mauvaises nouvelles. Je me penche au-dessus de lui pour décrocher, mais Tom pose fermement la main sur l'appareil, attendant qu'il sonne exactement cinq fois.

— Bonsoir, commence-t-il. Oh, Emma ! Veux-tu parler à Lucy ? Je te la passe tout de suite.

Puis, se tournant vers moi, il chuchote, la main couvrant le mauvais côté du combiné. La bienveillance de Tom envers mes amies ne va pas jusqu'à s'occuper des crises émotionnelles.

— Lucy, c'est moi.

Elle ne pleure pas. Pourtant elle semble essoufflée, paniquée.

— Elle est malade ? demande Tom en tirant sur mon bras. Peut-être est-elle comme ces femmes d'affaires qui contractent ces maladies autrefois réservées aux hommes, comme les crises cardiaques. J'ai lu un truc là-dessus sur Internet.

J'ignore les commentaires de Tom car même quand il parle des maladies des autres, c'est à lui qu'il fait référence.

— Où es-tu ?

— Devant chez toi. Tu veux bien descendre ?

Je me dirige vers la fenêtre, écarte les rideaux et

335

la vois m'adresser un signe par la vitre d'un vieux coupé bleu Mercedes que je ne lui connaissais pas. Sans doute un cadeau de Guy.

Je songe au dernier cadeau que Tom m'a offert pour mon anniversaire : une bougie parfumée qui sent le sucre brûlé et dégage des odeurs chimiques dès que je l'allume. Elle représentait toutefois un net progrès par rapport aux années précédentes, quand il m'avait acheté une trousse de manucure. Mais si c'est le prix à payer pour ne pas avoir à partager mon mari, ça vaut le coup. Puis je me souviens combien la qualité de ses cadeaux s'est améliorée.

— Tu ne veux pas plutôt venir ici, Emma ?

— Non, j'ai fait quelque chose d'épouvantable et je dois régler ça tout de suite, répond-elle calmement et sérieusement pour souligner la gravité de la situation. Je t'en prie, promets-moi de m'aider !

— Quoi que tu aies fait, Emma, ce ne doit pas être si terrible.

— Qu'est-ce qui se passe ? me demande Tom.

— Elle traverse une crise.

— Tu enfiles quelque chose de noir ? lance Emma. Je vois que tu portes encore ton pyjama. Je t'expliquerai tout quand tu seras descendue. Je suis désolée.

Emma n'est pas du style à s'excuser. Je crois même que c'est la première fois. Non qu'elle ne se rende pas compte de ses erreurs. Elle n'aime simplement pas admettre s'être trompée sur quoi que ce soit. Emma est une femme de certitude.

J'ouvre la porte d'entrée et, frissonnant de froid et de fatigue, je m'engouffre dans la nuit. Je m'installe sur le siège passager de sa voiture, inspire l'odeur chaleureuse des vieux sièges en cuir et admire le tableau de bord en bois avec ses compteurs et finitions en loupe. Je rêverais d'en posséder une pareille et, un court instant, je songe au chèque de Petra qui repose dans mon bureau.

Tandis qu'elle descend Fitzjohn Avenue, je lui demande :

— Tu veux nous la jouer Thelma et Louise ?

Puis elle prend plein ouest, vers Maida Vale, suivant les instructions du GPS posé devant le pare-brise.

— Tu ne nous emmènes pas au sud de la Tamise, si ?

Je m'inquiète parce que j'ai entendu dire que des conducteurs avaient été dirigés droit dans le fleuve par leur navigateur satellite.

— Non, on va à Notting Hill.

Emma a toujours conduit plus vite que moi. Elle garde en permanence ses doigts sur le levier de vitesses et rétrograde à tout bout de champ sans se servir de ses freins. En fait, depuis que nous nous sommes rencontrées à Manchester à la fin des années quatre-vingt, elle a toujours tout fait plus vite que les autres. Je l'imagine enfant, soupirant d'ennui quand ses petites camarades de quatre ans voulaient jouer à la poupée au lieu de s'exercer au maquillage. Puis grandissant dans la frustration quand ses amies perdaient des heures à appliquer de piètres produits Avon alors qu'elle-même avait déjà adopté un look plus naturel, abandonnant les fonds de teint aux couleurs incertaines.

J'ai vu des photos d'elle gamine. Même à cette époque, elle paraissait déjà un brin plus évoluée que nous autres. En véritable Londonienne, elle a commencé l'université avec tous les avantages apparents qu'apporte la vie des grandes métropoles. Pendant que je faisais mes courses dans les boutiques de vêtements d'occasion, avec une préférence pour les pulls trop grands et les manteaux taille XXL, elle combinait judicieusement un petit haut vintage à trois sous avec une jupe de créateur achetée chez Miss Selfridges. Elle savait sniffer de la cocaïne sans éternuer et amuser la galerie avec ses pitreries. Elle chantait dans un groupe de rock. Même le divorce de ses parents semblait excitant avec toutes ces disputes et cette vaisselle cassée.

Emma nous donnait l'impression qu'on n'avait aucune expérience de la vie. À l'époque, sa méfiance et son cynisme la rendaient plus cool que fragile. À dix-neuf ans, elle semblait déjà lasse de vivre. Elle était aussi la seule personne de ma connaissance à savoir précisément ce qu'elle voulait faire une fois sortie de la fac. Durant nos deux dernières années à Manchester, elle travaillait tous les week-ends dans un quotidien local. Elle traçait son chemin alors que nous autres avions à peine déplié la carte.

Au cours de notre dernière année d'études, elle était venue avec Cathy passer un week-end chez mes parents. C'est à cette occasion que mon opinion sur elle s'est cristallisée. Mark était également là pour panser ses plaies après une nouvelle rupture. Il voulait que nous en parlions tous les deux, mais quand Emma était entrée dans la pièce, son désespoir de ne pas pouvoir être fidèle s'était évaporé comme par magie.

— Comment me contenter d'une femme alors qu'il y a tellement de belles filles tout autour ? m'avait-il demandé.

— Mais n'y en a-t-il pas une qui te semble plus merveilleuse que les autres ?

— Elles sont toutes fantastiques à des moments différents.

— Tu ne peux tout de même pas avoir une petite amie pour chacune de tes humeurs.

— Bien sûr que si ! C'est bien là le problème !

Même lorsque je lui vantais les vertus d'une période chaste avant de se précipiter dans une nouvelle relation, ses réponses se réduisaient rapidement en regards intenses vers Emma.

À la fin de la première soirée, Mark et Emma nous fournissaient de piètres excuses pour se retrouver seuls, tous les deux. Ce n'était pas la première fois que mon frère craquait pour l'une de mes amies et certainement pas la dernière. Mais d'habitude, toutes les filles le rappelaient. Quelques mois plus tard, Mark faisait l'expérience cuisante du rejet. Je n'en ai jamais parlé, ni avec lui ni avec Emma, mais Mark ne s'est pourtant jamais remis d'avoir perdu son honneur dans cette histoire.

À cette époque, Cathy et moi avions pris l'habitude de voir Emma investir le devant de la scène. J'étais heureuse de mon statut de simple observatrice. La vie ne tournait pas autour de moi. Je tournais autour de la vie et cela me convenait très bien.

Tandis que nous nous dirigeons vers Notting Hill, j'ai l'impression d'être redevenue une spectatrice de la vie d'Emma. Quand elle gare sa voiture dans une rue obscure, juste à côté de Colville Terrace, je devine qu'elle attend davantage de moi.

Elle pose une main sur mon bras.

— Lucy, tu me connais. Je suis généralement une personne rationnelle, qui perd rarement les pédales...

J'opine du chef mais n'en pense pas moins.

— Eh bien, ça fait un mois que je vis dans le désarroi le plus total. Il y a environ quatre semaines, Guy m'a annoncé qu'il allait quitter sa femme et s'installer avec moi.

J'ai tellement envie de dormir. Tout mon corps rêve de s'allonger.

— C'est formidable, dis-je en étouffant un bâillement.

Enfin, pourquoi m'avait-elle traînée jusqu'à Notting Hill pour me parler de ça ?

— Ça devrait l'être, sauf qu'il ne l'a toujours pas fait. Au début de cette semaine, j'ai jeté un coup d'œil dans son BlackBerry et j'ai découvert qu'ils avaient réservé deux semaines de vacances en Sicile au mois d'août. Quand j'en ai discuté avec lui, il a prétendu trouver préférable de passer ces dernières vacances en famille avant de tout avouer à sa femme. Puis ce week-end nous étions censés partir à Paris et il m'a finalement laissée tomber pour aller skier en France avec elle. J'ai brusquement compris qu'il trouverait toujours une excuse pour éviter de tout lui révéler et la quitter. Que je risquais de vieillir et de devenir acariâtre à force d'attendre qu'il fasse ce qu'il n'avait aucune envie de faire. Alors j'ai décidé de prendre les choses en main.

Je me redresse et m'étire, trop fatiguée pour anticiper ce qui va suivre.

— Donc, un peu plus tôt dans la soirée, j'ai opté pour la manière forte. Je savais qu'ils s'étaient absentés et j'ai appelé chez eux pour laisser un message qui a saturé son répondeur, avec tous les détails sur notre aventure.

Je la regarde, sidérée.

— Mais après un coup pareil, il ne restera jamais avec toi, voyons ! Sa femme sera anéantie.

— Exactement, rétorque-t-elle, la tête posée sur le volant. Voilà pourquoi nous sommes là. Il faut qu'on entre dans leur maison pour effacer ce message.

Résolue, elle ouvre la portière, sort de la voiture et enfile une paire de gants en caoutchouc jaune avant de m'en tendre une paire à moi aussi.

— Il ne faut pas que nous laissions d'empreintes, ajoute-t-elle en ouvrant ma portière. Tu me passes ce sac, s'il te plaît, Lucy ?

Il s'agit de son sac à main préféré, un modèle de

Chloé Paddington. Il est tellement lourd que je dois le soulever à deux mains.

— De toute façon, je vais le faire, avec ou sans toi, lâche-t-elle avec une farouche détermination.

J'ouvre son sac. Il est rempli d'outils. Quelques tournevis, des forets et un marteau assez costaud. Je le referme immédiatement et m'agrippe à lui. Emma tente de me l'arracher.

— Tu es folle, ma belle ! Je vais appeler Tom immédiatement.

— Je n'ai pas le choix. J'ai pris une mauvaise décision et si je réussis à effacer ce message, je peux changer le cours de l'histoire. Lucy, si tu m'aides, je te promets de tout arrêter avec Guy. Enfin…

— Mais tout à l'heure tu prétendais avoir agi ainsi pour l'empêcher de te quitter !

Elle ignore mon commentaire :

— Lucy, ce n'est pas aussi terrible que ça en a l'air. Sa secrétaire m'a filé les clés de sa maison et je sais comment désactiver l'alarme. Je prends seulement mes précautions au cas où le répondeur se trouverait dans une pièce fermée à clé. J'ai un plan. Oublie les outils, il y en aura sûrement dans la maison.

Elle commence à s'éloigner de la voiture et je m'efforce de la suivre en trottinant, le sac à bout de bras. Je sens les bourrelets de mon ventre tressauter et c'est particulièrement désagréable. Nous descendons Powis Square et je suis tellement essoufflée que je n'arrive pas à parler. Nous nous engageons enfin dans une ruelle pavée et je souffre d'un point de côté.

Tout à coup, j'ai une révélation. Je sais, avec une conviction absolue, qu'au bout de cette ruelle, Emma prendra la première à gauche et que nous nous retrouverons devant une grande maison victorienne sur

St Luke's Road. Je n'ai jamais mis les pieds dans cette maison mais je connais les propriétaires.

Parce que c'est l'une de ces coïncidences étranges qui pimentent la vie, je réalise avec une certitude absolue qu'Emma a une liaison avec le mari de Mère-parfaite n° 1. Il y a eu de nombreux indices, mais j'étais tellement occupée par mes propres dilemmes que j'ai ignoré l'évidence.

— Je connais les gens qui vivent ici, dis-je à Emma quand nous montons l'escalier devant la maison.

À bout de souffle, je marque une pause pour respirer, les jambes tremblantes.

— Bien sûr, c'est la maison de Guy. Ça va, Lucy ?

— Je veux dire que je connais sa femme. Et ses enfants. Ils vont dans la même école que les nôtres. Pour moi, elle se place quelque part entre la connaissance et l'amie. D'ailleurs, nous sommes invités ici la semaine prochaine pour un dîner entre parents.

— Aïe, pas génial, ça.

Cela ne l'empêche pas pour autant de continuer à essayer les clés dans la serrure de la porte d'entrée. Toutes les deux ou trois secondes, elle lève les yeux pour s'assurer que personne ne traîne dans la rue. Ce sont les oignons d'Emma, pas les miens. Je refuse de m'en mêler.

— Je suis sincèrement navrée de t'impliquer dans cette histoire, mais je savais que tu aurais assez d'imagination pour résoudre ce problème. Tu es tellement imperturbable.

La porte s'ouvre et nous nous retrouvons dans le hall d'entrée de la maison de Mère-parfaite n° 1.

— Ah oui ? Tu trouves ? dis-je, quelque peu surprise en refermant la porte derrière moi.

J'oublie toujours qu'Emma use de la flatterie pour

arriver à ses fins. Elle sort un petit papier de sa poche et commence à pianoter sur le clavier de l'alarme.

— Je suppose que tu l'es devenue à force d'affronter des situations imprévisibles en environnement hostile, murmure-t-elle. Les mamans sont douées pour ça.

— À t'entendre, je suis comme un membre des services spéciaux.

Je regarde autour de moi. J'ignore ce à quoi je m'attendais car je n'ai pas eu le luxe de m'y préparer. J'appuie sur le commutateur et lève la tête pour contempler le magnifique lustre dont les pampilles en cristal multicolores projettent de jolis reflets sur les murs crème. Je cligne des yeux. Une table et un gros bouquet de fleurs trônent à côté d'un grand miroir. Au pied de l'escalier, un grand cadre avec une photo de famille en noir et blanc.

Mère-parfaite n° 1 est allongée sur une pelouse avec Guy. À l'arrière, on aperçoit une maison. Il s'agit certainement de leur résidence dans le Dorset. Elle rejette la tête en arrière et rit sous le regard bienveillant de Guy. Ils sont entourés de leurs quatre enfants. La photo a dû être prise en été car les enfants portent des maillots de bain et Mère-parfaite n° 1 un short en jean qui révèle ses jambes parfaites et interminables. Emma se dirige vers le portrait et soupire :

— Comment ai-je pu me laisser entraîner dans cette aventure ? gémit-elle avec lassitude.

— Les photos ne racontent pas toujours toute l'histoire, dis-je en essayant de me montrer rassurante. Ce sont des images de ce que les gens aimeraient qu'on voie d'eux.

Un grand vase d'arums, de lilas et de chrysanthèmes blancs trône sur la table.

— Il m'a envoyé exactement le même bouquet pour mon anniversaire, dit-elle amèrement. Il doit avoir un compte d'entreprise chez Paula Pryke. Viens, allons chercher ce fichu répondeur.

Nous nous glissons dans un immense double séjour et retirons nos chaussures. Les volets en bois sont fermés sur des fenêtres qui vont du sol au plafond. J'allume une petite lampe sur le guéridon à l'autre extrémité de la pièce, en face de la rue. Le répondeur est là, clignotant pour annoncer qu'il contient de nouveaux messages.

— J'espère qu'ils ne les ont pas écoutés à distance, lance Emma en se mordillant un pan de son chemisier noir.

Elle semble menue et vulnérable. J'appuie sur le bouton « marche » et la voix de mon amie brise le silence. Sur un ton rauque et posé, elle raconte sa vie à Guy et sa femme. Je m'assois sur une chaise à côté du bureau, retire mes lunettes et me frotte les yeux, fatiguée.

« Votre mari mène une double vie… », commence le message.

J'aimerais l'écouter en entier, mais Emma se précipite et appuie sur le bouton « effacer » avant que j'aie le temps de l'en empêcher. Je me sens légèrement frustrée. Je m'étais dit que ce message me révélerait une part d'elle normalement inaccessible.

— Je ne veux pas que tu l'écoutes, dit-elle. J'ai l'air si pathétiquement désespérée. Mon côté rationnel sait que je devrais mettre fin à cette histoire avec Guy mais je suis trop faible pour ça. Je ne me suis jamais sentie aussi proche de quelqu'un. Je pense qu'il est sincère quand il dit qu'il m'aime. Pourtant, je comprends désormais qu'il est aussi heureux avec sa famille, pendant que je mets ma vie en suspens jusqu'à son retour. Je ne me suis jamais sentie aussi

344

fragile. Et il était tellement évident que ça allait se passer ainsi.

Puis elle fond en larmes.

— Voilà ce qui arrive quand on devient accro à quelqu'un. On devient faible. Ma mère a vécu ça et je m'apprête à reproduire le même schéma.

La philosophie relationnelle d'Emma exprimée en ces termes m'effraie. Je tente de la réconforter :

— Tomber amoureux comporte toujours des risques, mais ce n'est pas un signe de faiblesse. On pourrait même dire que c'est une preuve de force. Parce que les périodes de doute et d'incompatibilité sont inévitables. Mais une fois que tu les as surmontées, elles t'enrichissent beaucoup. Descendons nous faire une tasse de thé.

Elle rit faiblement.

— Parfois, j'aimerais être comme toi, Lucy, dit-elle. Si solide et équilibrée.

— Ne sois pas ridicule. Je suis comme un château de cartes. Je peux m'écrouler d'une minute à l'autre.

Nous nous trouvons au sous-sol, au pied de l'escalier. J'allume la lumière. La cuisine devant nous est immense, avec un îlot central aussi long qu'une piste de décollage. Une bouilloire trône d'un côté et une liasse de papiers de l'autre. Je retire les gants de caoutchouc et commence à ouvrir et fermer quelques placards en quête de thé. Emma a attaqué la pile de courrier, plongée dans ce qui semble être le relevé de banque de Mère-parfaite n° 1.

— Regarde ça, Lucy ! Sa femme croit percevoir un loyer de l'appartement que j'habite.

En effet, chaque mois, une somme de deux mille cinq cents livres est versée sur son compte sous l'intitulé « loyer Clerkenwell ». Je regarde autour de moi.

Tout est en double : double évier, double four, double grille-pain. C'est tellement bizarre.

Je nous prépare un thé à la menthe.

— Je viens de réaliser que ma cuisine est équipée comme celle-ci, déclare Emma avec une nouvelle pointe d'abattement dans la voix. Je vais jeter un coup d'œil à la chambre à coucher.

Elle grimpe l'escalier quatre à quatre et je la suis, abandonnant ma tasse de thé sur une marche. À l'étage, Emma ouvre une porte.

— Je le savais ! Le lit est exactement le même. Tu te rends compte ? Il m'a offert exactement le même lit que celui qu'il partage avec sa femme...

— Quel manque d'imagination ! Mais tu as toujours dit que les banquiers jouent la sécurité. Je suppose qu'une fois la literie idéale dégotée, on n'en change pas. On devrait y aller, maintenant, avant que quelqu'un remarque les lumières allumées.

Mais Emma a disparu dans le dressing. Je la suis. J'ai toujours voulu découvrir la collection de vêtements de Mère-parfaite n° 1 et ne suis pas déçue. Cela dit, c'est davantage le système de rangement que l'étendue du contenu qui m'impressionne. Il y a une armoire entière de chaussures, chaque paire est dans sa boîte, identifiée par une photo sur la face avant. Des rangées de pulls en cachemire, classés par couleurs. Je photographie le tout avec mon téléphone pour le montrer à Tom.

Emma semble chercher quelque chose. Elle retire ses gants en caoutchouc et je suis soufflée de la voir fouiller les tiroirs contenant les culottes de Mère-parfaite n° 1. Elle sort un superbe soutien-gorge Agent Provocateur et sa culotte assortie puis les fourre dans l'avant de son pantalon.

J'attrape alors une bretelle qui dépasse.

— Tu ne vas pas piquer ses sous-vêtements, tout de même ! C'est vraiment pervers. Remets-les ! Je parie qu'ils ne font même pas ta taille.

— Ils me serviront de preuve. Sais-tu qu'il m'a offert exactement les mêmes ?

— Si je lâche cette bretelle, tu me promets qu'on repart tout de suite ?

— Juré. Mais avant, j'aimerais vérifier une dernière chose.

Sur ce, elle file dans la salle de bains attenante et revient en brandissant un lapin vibreur.

— Il y en a deux ! dit-elle.

— Tu veux dire qu'elle en possède plus d'un ?

— Non. Il m'a acheté le même modèle.

Je ne pourrai plus jamais regarder Mère-parfaite n° 1 dans les yeux. Emma allume le gadget et un bourdonnement résonne dans la pièce. Elle retourne ensuite dans le dressing et laisse le lapin vibrer dans la poche de la veste d'un costume de Guy.

— Ça lui prouvera que je suis venue, déclare-t-elle en lui envoyant un texto pour lui raconter ce qu'elle a fait.

Le week-end de Guy dans les Alpes a brutalement pris fin. Je résiste à l'envie de le plaindre. L'empathie pose un vrai problème.

Chapitre 16

« Un mariage,
c'est plus que quatre jambes nues
sous une couette. »

Sam est étendu sur notre lit pendant que je me pré-pare pour le dîner de parents d'élèves de ce soir. Il me raconte que son prochain exposé concerne le Moyen Âge et me demande si je peux lui donner quelques idées sur le sujet. Je suis ravie de cette diversion. Au grand étonnement de Tom, je suis prête depuis plus d'une heure, emballée dans mon éternelle robe qui met parfaitement en valeur mon décolleté et masque mon ventre. Au cours de la semaine passée, l'anxiété est devenue ma compagne la plus fidèle et j'ai décou-vert qu'elle n'avait pas seulement le pouvoir de me faire perdre du poids. Elle a également fait de moi une obsédée de l'heure. Sous la peau de chaque mère organisée se cache une épaisse couche de névroses.

Je tire un peu sur ma robe, la lisse sur le ventre. Elle m'est aussi familière qu'une vieille amie et me rappelle d'autres soirées, avec des gens différents, rassemblés par des intérêts communs un peu plus profonds que la même école pour nos enfants. Cela me rappelle l'époque où je n'étais pas encore mariée. Je sais que cette robe détient un immense pouvoir, car je suis la seule à en connaître la dangerosité.

Sam me regarde étaler de la crème sur ma peau, la masser entre mes doigts. Leur aspect noueux et quelques taches de vieillesse naissantes me font penser aux mains de ma mère. Toutes les deux, nous avons toujours lavé nos casseroles nous-mêmes. Ma mère n'a jamais porté de gants car, pour elle, ils symbolisaient la soumission des femmes. Quant à moi, je ne m'en sers pas parce que je ne les retrouve jamais quand j'en ai besoin. Cela résume, à mon avis, la différence fondamentale qui nous sépare. Sa passion et ma passivité. Cela dit, les deux mots partagent la même origine latine : *patior*, souffrir.

Autour de mes ongles, la peau est crevassée et la crème picote un peu. Lorsque mes mains sont douces et huileuses au point de briller, je porte mon attention sur mes avant-bras et vois les yeux de Sam suivre les mouvements de mes doigts qui massent énergiquement ma peau de bas en haut.

— Qu'est-ce que tu fais, Sam ?

— J'essaie de m'hypnotiser moi-même.

Je lui caresse les cheveux et, pour une fois, il se laisse faire, se blottissant contre mon épaule. Quand Sam était bébé, avant qu'il soit assez grand pour se retourner tout seul, je me rappelle m'être allongée à côté de lui sur le sol de la cuisine. Je voulais calculer la valeur du minuscule espace qu'il occupait et je m'aperçus que ce genre de chose n'avait pas de prix. Quand j'étais enceinte de Joe, il me paraissait inconcevable d'aimer autant ce nouveau bébé. Je pensais qu'il me faudrait diviser mon affection en deux, car il y avait forcément un niveau d'amour bien défini. Mais c'était sans compter le mystère de l'amour maternel. J'ai en effet appris qu'il reste toujours des réserves d'affection inexploitées et disponibles. Et chaque jour, en dépit des bouleversements et du chaos, il y a de brefs instants où c'est tout ce que je ressens : le pur plaisir d'aimer.

J'ai livré à Tom une version abrégée de ce qui s'était passé avec Emma la fameuse nuit, car je savais que, s'il connaissait toute l'histoire, il refuserait de m'accompagner ce soir. Bien sûr, une fois que nous serons arrivés là-bas et qu'il aura reconnu Guy, il comprendra le lien ténu qui unit ces deux mondes. Il sera pourtant trop tard. C'est peut-être irresponsable de ma part, mais je me dis que cette découverte détournera sûrement son attention du malheureux e-mail que j'avais envoyé à tout le monde par erreur. Ce message représente une source de grande inquiétude pour lui. Et puis nous appréhendons tous les deux la rencontre avec Robert Bass, bien que ce soit pour des raisons différentes. J'estime qu'il suffit largement d'être angoissé de voir une personne, inutile d'en rajouter. Si Tom craignait de retrouver Guy et Mère-parfaite n° 1 autant que moi, ce serait insoutenable. Distraitement, je commence à étaler de la crème pour les mains sur mon visage, oubliant que je m'étais déjà maquillée.

Je remets du fond de teint en demandant à Sam :

— Sais-tu ce que c'est, le Moyen Âge ?

Il croise les jambes, réfléchit un instant à la question, le doigt sur les lèvres, puis lâche pensivement :

— Tes nouveaux sourcils... Papa qui devient chauve... Être fatigué tout le temps... Tout oublier... Oh, et la désintégration.

C'est son nouveau mot préféré.

— Tu confonds avec l'âge mûr. Le Moyen Âge, c'est autre chose.

Quand je lui parle des troubadours, des tournois,

des saignées thérapeutiques et de l'arrivée de l'huile d'olive en Angleterre, Sam semble soulagé.

— Ça a l'air beaucoup plus rigolo, commente-t-il en quittant la pièce pour descendre rejoindre la baby-sitter qui prépare un chocolat chaud.

Je me tourne vers Tom et l'interroge :

— Et toi, tu crois qu'on se désintègre ?

Cette image ne m'enchante pas le moins du monde.

— Si l'on considère que la part de notre corps qui est en train de mourir est plus importante que celle qui grandit, alors je dirais qu'il a raison ! crie-t-il de la salle de bains. Nous prenons le chemin de l'âge mûr, même si les gens n'aiment plus se décrire ainsi.

— Eh bien moi, je ne me sens pas mûre.

— C'est parce que tu dois vivre une crise de milieu de vie, réplique-t-il avec la bouche à moitié fermée pour cause de rasage appliqué du côté droit. Tu t'accroches aux derniers vestiges de ta jeunesse.

— Et comment définirais-tu la crise de milieu de vie ?

— Refus du *statu quo*, impatience, remise en question de décisions prises par le passé, impression que le bonheur dépend d'un autre homme, entrée par effraction dans la maison d'un parfait inconnu… énumère-t-il en passant la tête par la porte et en agitant le rasoir pour insister sur le dernier élément.

— Pourquoi n'en as-tu pas parlé avant ?

— Je ne veux pas t'encourager dans ce sens. Et puis je crains que ça devienne contagieux.

— Mark prétend que nous ne communiquons plus correctement.

— C'est parce qu'on est sans arrêt interrompus par quelqu'un – surtout par nos enfants –, mais parfois tes amis et plus récemment par mon travail. Lucy, je n'ai pas le temps d'accéder à tout ce qui se passe dans

351

ta tête. Mais j'ai une bonne idée de l'ensemble et je ne pense pas que des heures d'analyse amélioreraient quoi que ce soit. En fait, ça risque même d'empirer. Pour l'instant, en revanche, j'ai d'autres sujets de préoccupation : que tu restes assez sobre pour ne pas divulguer d'autres secrets concernant notre vie sexuelle à de parfaits étrangers.

— Ce ne sont pas de parfaits étrangers. Et nous allons côtoyer ces gens durant les six prochaines années. Parfois on trouve ceux qu'on croit méconnaître bien plus transparents que nos amis. Si tu vois ce que je veux dire...

— Je n'en suis pas sûr, dit-il en soupirant.

Hélas, je pense qu'il ne tardera pas à partager mon opinion là-dessus.

— Et puis nous ne sommes pas entrées par effraction dans la maison de Guy puisque nous avions les clés.

— Ça revient à dire que le type qui a volé la voiture s'est contenté de l'emprunter après avoir ramassé les clés que tu avais laissées tomber devant la porte.

— Tu m'avais promis de ne plus jamais remettre cette histoire sur le tapis.

— Je n'arrive toujours pas à croire que tu aies suivi Emma dans son expédition. Et, qu'en rentrant à la maison, tu m'aies réveillé pour me montrer la photo d'un dressing sur ton portable comme s'il s'agissait de la partie la plus importante de cette aventure.

— Dans un certain sens, ça l'était.

Moins d'une heure plus tard, nous nous retrouvons sur le seuil de la maison de Mère-parfaite n° 1. Il fait assez clair pour distinguer les marches incrustées de petites mosaïques blanches, bleues et brunes. Sur le côté pousse une glycine qui ne fleurit pas encore. L'avant du jardin a été agrémenté de hautes graminées, d'euphorbes et d'immenses chanvres pourpres de Nouvelle-Zélande. L'ensemble donne une impression de gentille bohème, mais je sais que c'est le produit d'une plantation méticuleuse. Cela faisait partie des grands projets de Mère-parfaite n° 1, avec la double véranda et l'appartement à louer, actuellement occupé par Emma, la maîtresse de son mari…

Quelqu'un, que je ne reconnais pas, nous ouvre. Ce doit être la domestique philippine, me dis-je en essayant de me rappeler la composition exacte du personnel de la maison. Notre hôtesse avait déjà mentionné un couple d'Europe de l'Est et une vraie nanny anglaise. Puis elle avait engagé une nounou indienne pour habituer le bébé à faire des nuits complètes en utilisant des techniques ayurvédiques, sans parler de son coach personnel slovaque. Ça, c'est de la mondialisation ou je n'y connais rien !

On nous dirige vers le salon où l'on nous propose du vin. Avant même de voir la bouteille, je devine que c'est un puligny-montrachet. Emma a raison. Guy manque cruellement d'imagination.

J'écoute la conversation derrière moi.

— Il se peut qu'on fasse une O.P.A. sur la S.A. dont le D.G. a été viré du C.A…

Mère-parfaite n° 1 traverse la pièce en louvoyant entre les groupes. Elle paraît encore plus mince qu'à la fin du trimestre dernier, diaphane. Même si ce n'est qu'un dîner entre parents d'élèves, elle s'efforce de jouer le rôle de la parfaite hôtesse de maison. Vêtue d'un jean super étroit d'un blanc éclatant et d'un petit haut d'origine ethnique de Selfridges, elle est perchée sur des sandales à talons compensés en liège. Superbe.

Quel gâchis ! Toutes ces heures investies dans la gymnastique et la recherche d'une garde-robe aussi sophistiquée ! C'est comme réviser pendant des mois pour un examen qui a été annulé à la dernière minute. Quand on se donne tout ce mal et que votre mari vous trompe malgré tout, alors cela ne vaut sans doute pas la peine de s'embarquer dans ces techniques anti-vieillissement qui vous font perdre du temps. Plutôt que d'atteindre la perfection, autant viser l'amélioration. En regardant ces longues jambes qu'Emma admirait sur la photo la semaine dernière, enveloppées dans un jean coupé si près du corps qu'il en épouse la moindre courbe, je décide d'oublier les diktats de la mode. Dorénavant, je m'accrocherai à mes kilos en trop et porterai des jeans larges pour le restant de mes jours.

J'observe les parents invités. Les autres Mères-parfaites sont habillées sur le même thème. Je me demande – et ce n'est pas la première fois – si elles connaissaient la tenue de leurs semblables avant de venir. Pourquoi fournir le moindre effort si tout le monde finit par être sapé de la même façon ? C'est peut-être le but. Un truc tribal. Est-ce un art ou une science de savoir exactement quelle marque de jean fait fureur à Los Angeles ? Pour Mère-parfaite n° 1, c'est définitivement devenu une forme d'art.

Les Mères-pros arborent des ensembles empruntés au monde du travail, un peu stricts avec leurs coupes droites dans des tissus sombres. Et puis il y a les mères comme moi, les débordées, les désordonnées, les étourdies... celles qui ignorent quoi faire d'une minute de libre car c'est tellement rare... celles qui mettent de vieilles robes qui se sont élargies avec leur silhouette au cours des années.

— Lucy ! c'est formidable de vous voir... s'écrie-t-elle en se penchant pour m'embrasser sur les deux joues.

Le contact est inattendu et nous finissons par maladroitement nous effleurer les lèvres.

— ... et vous, vous devez être Tom ! ajoute-t-elle comme s'il apparaissait sur son radar pour la première fois, alors qu'elle l'a forcément déjà rencontré à l'école.

Je note qu'elle a adopté un look panda inversé très prisé par les skieurs du printemps : des yeux blancs entourés d'une peau bronzée. Je lui demande :

— Avez-vous passé de bonnes vacances à la montagne ?

— Oui, aux Arcs, avec des amis, répond-elle. Une neige fantastique. Et vous ?

— Aux Mendips, dis-je avec un accent français assez prononcé. Avec mes parents. On a subi une vague de froid à Pâques. Exceptionnel en cette saison.

Tom s'écarte pour me regarder, sidéré par l'orientation de cette conversation, puis hausse les épaules.

— Je n'ai pas entendu parler de cette station. Est-ce en Bulgarie ? s'enquiert-elle.

— Un peu plus à l'ouest, dis-je vaguement.

— Mark Warner ? Powder Byrne[1] ? Hors-piste ? Descentes difficiles ?

Tous ces raccourcis verbaux pour indiquer la fin imminente de notre discussion sur les mérites des stations de ski.

Et, en effet, un troupeau de Mères-parfaites aux bronzages identiques lui fait des signes de l'autre extrémité de la pièce.

Je songe aux longues heures que nous avons passées à errer dans les petits villages de la vallée de l'Avon, après avoir simultanément oublié de dire à Tom de sortir de l'autoroute M4 puis découvert que la page

_____

1. Organisateurs anglais de séjours de vacances très haut de gamme. *(N.d.T.)*

concernant lesdits villages manquait dans notre atlas des routes anglaises.

Je réponds, cultivant le vague :

— Oh, ce fut terrible ! Un sacré challenge.

Sans mentionner nos sujets de dispute : 1) pourquoi nos vêtements étaient-ils emballés dans des sacs plastique et non rangés dans des valises ? 2) comment, avec tous les sacs entreposés dans le coffre, n'y en a-t-il pas un de prévu pour les malades en voiture ? ; 3) sur quelles bases avons-nous pu, un jour, nous juger assez compatibles pour nous marier ?

— C'était une station de haute altitude ? poursuit-elle poliment.

— Plus ou moins, mais il a tout de même fait très froid. Votre mari a-t-il réussi à se libérer un peu ?

— Il est venu nous rejoindre les deux week-ends. Avec le vol Easy Jet qui arrive à Genève le samedi matin tôt, c'est très pratique, n'est-ce pas ?

Puis, sans attendre de réponse, Mère-parfaite n° 1 tourne son attention vers Tom :

— J'adorerais vous montrer la maison, lance-t-elle. Même s'il y a des années que vous ne vous occupez plus de vérandas.

— Mais cela a été mon gagne-pain pendant un bon bout de temps.

Alors elle fait signe à son mari de nous rejoindre.

— Guy, Guy, il faut absolument que tu fasses la connaissance des Sweeney ! Ils reviennent juste des Mendips. Ça a l'air fabuleux.

Il traverse la pièce en souriant, comme un homme habitué à rester maître des situations. Un homme qui ne manque jamais de sortir une bonne anecdote au cours d'un dîner ou qui sait comment donner à une femme l'impression d'être la seule au monde digne de son intérêt. Un homme capable de balayer une pièce du regard et de repérer sur-le-champ la personne la plus utile pour sa carrière et l'alpaguer sans que celle-ci s'aperçoive qu'il cherche seulement à élargir son réseau.

Il décoche sûrement ce même sourire quand il remporte le contrat du siècle, frime devant ses collègues plus jeunes ou fait la connaissance des amis de sa maîtresse. Le voilà qui agite une bouteille de vin en signe d'accueil. Je l'observe attentivement, voulant saisir le moment exact où il comprendra qu'il ne maîtrise plus tout.

Cela prend quelques secondes de plus que prévu car il s'arrête en chemin pour saluer d'autres invités. Pour un homme petit, il fait de grandes enjambées. À peut-être deux mètres de nous, le sourire s'évanouit complètement et, pendant quelques instants, il reste pétrifié, choqué, les yeux affolés. On dirait que le silence fige la pièce, puis Guy avance de nouveau, un peu plus raide, simulant une expression de plaisir. Quand je lui serre la main, je vois ses zygomatiques se crisper sous l'effort qu'il fournit pour maintenir un visage amène. Ses yeux, en revanche, ne sourient pas. Ils sont froids et furieux.

— J'ai de la chance que mon mari soit là ce soir. La dernière fois, nous devions retrouver des amis pour dîner et ses affaires l'ont appelé à Paris à l'improviste, déclare Mère-parfaite n° 1. Le travail est devenu sa maîtresse. N'est-ce pas, mon chéri ?

Je sens Tom se raidir à côté de moi et nous nous tenons un peu trop fermement pour nous rassurer l'un l'autre.

— Ravi de faire votre connaissance, lâche Guy en nous serrant officiellement la main.

Tom met un peu plus longtemps pour se remettre et, quand il récupère enfin sa main, il la fourre aussitôt dans la poche arrière de son jean où elle s'agite nerveusement durant cinq bonnes minutes.

— Lucy fait partie de l'association des parents d'élèves, l'informe chaleureusement Mère-parfaite n° 1. Elle m'a aidée à organiser cette soirée et a réussi à convaincre la présidente qu'il n'était pas nécessaire que chacun de nous porte le déguisement de son héros préféré.

— En contrepartie, la fête de fin d'année aura un thème romain, dis-je.

Tom et Guy restent de marbre.

— Lucy est une de mes meilleures alliées, ajoute Mère-parfaite n° 1, en quête d'un mot gentil de la part de Guy.

Je m'efforce de ne pas me sentir flattée car je sais qu'elle m'abandonnera dès qu'elle aura trouvé quelqu'un de mieux à se mettre sous la dent.

— J'ai beaucoup entendu parler de vous, lance finalement Guy en passant un bras autour des épaules de Mère-parfaite n° 1 pour reprendre pied.

Il verse du vin dans le verre de Tom et je remarque que sa main tremble légèrement.

— Puis-je vous emprunter votre mari un instant ? me demande-t-elle. J'aimerais lui montrer l'extension de la cuisine. Nous avons fait appel au même architecte que David Cameron. Il habite à l'angle de la rue. C'est très excitant de vivre à l'ombre de notre prochain Premier ministre.

Elle s'éloigne, une main coincée dans la poche arrière de son jean, le popotin parfait moulé dans toute sa splendeur. Un geste que je sais directement dédié à Tom.

Celui-ci se penche à mon oreille et chuchote :

— Tu ne perds rien pour attendre.

Sur le chemin du retour, j'aurai sûrement droit à

un mur silencieux de reproches, mais je sais aussi que je peux compter sur lui pour ne pas me faire une scène ici.

— Je reviendrai vous voir plus tard, Lucy. Il y a quelque chose dont je voudrais vous parler, annonce Mère-parfaite n° 1.

Je m'efforce de ne pas m'imaginer d'improbables scénarios. Cela dit, si elle a besoin de conseils sur les écoles, ma transformation en Mère-sérieuse sera achevée.

Guy et moi restons plantés là. Je prends la bouteille de sa main, m'en sers un bon verre puis la repose sur la console où trône le répondeur. Cette fois, il ne clignote pas. Je m'appuie contre le rebord et Guy se retourne vers la fenêtre pour se mettre à l'abri des regards.

Je demande poliment :

— Vous êtes un fan de Cameron[1] ? Ou pensez-vous qu'en chaque conservateur sommeille l'esprit d'un Norman Tebbit[2] ?

— Bon sang, à quoi jouez-vous, Lucy ?

Il s'est exprimé d'une voix calme, à la limite de l'agressivité, et son visage est si proche du mien que je peux sentir la chaleur de son souffle. Il poursuit :

— Deux visites en moins d'une semaine ? J'ai failli appeler les flics. Vous avez dû laisser des empreintes partout.

— Ne soyez pas ridicule. Que diriez-vous à la police ?

---

1. David Cameron, leader du parti conservateur, appartient à la génération des « modernisateurs », celle de Tony Blair.
2. Ancien ministre de Thatcher orienté très à droite et connu pour son *« Cricket Test »* pour évaluer l'intégration des immigrés. Il s'est également opposé à l'abrogation de la loi interdisant l'homosexualité.

— Que vous vous êtes introduites dans ma maison, que vous avez volé les sous-vêtements de ma femme et fourré ce... cet engin dans ma poche, rétorque-t-il, furieux. Vous savez, il fonctionnait toujours quand nous sommes rentrés.

— Nous avons mis des gants.

— Je sais, parce que vous en avez oublié une paire dans le dressing. Il a fallu que je les emporte à mon bureau pour les jeter.

— J'étais venue là en observatrice. La seule chose que vous pourriez me reprocher, c'est d'avoir effacé le message qu'Emma vous adressait à tous les deux. Vous admettrez que je vous ai fait une sacrée fleur. Imaginez ce qui se serait passé, dis-je en essayant de le calmer avec un soupçon de logique.

Il se frotte l'arrière de la tête d'un air irrité et je remarque qu'il perd ses cheveux.

— Écoutez... désolé. Je suis très stressé en ce moment. Emma refuse de prendre mes appels et ma femme surveille le moindre de mes gestes. Pourquoi Emma ne m'a-t-elle pas dit que vous connaissiez ma femme et que nos enfants fréquentaient la même école ?

— Je n'ai pas pu faire autrement que de venir parce que j'ai participé à l'organisation de cette petite fête, dis-je en accompagnant ma phrase d'un geste peut-être un peu trop ample vers les autres visiteurs. Quant à Emma, c'est à elle que vous devriez poser la question, non ?

Mon bras a percuté quelque chose. Je me retourne et le contenu du verre se renverse sur la chemise rayée d'un autre père de l'école. Je lève les yeux pour voir si je connais la victime à qui présenter mes excuses. Aussitôt, un frisson d'excitation parcourt mon corps quand je découvre Robert Bass. Il essaie d'éponger le liquide avec un mouchoir douteux.

Comment un si petit verre de vin peut-il provoquer une si grosse tache sur sa chemise ?

— Mon Dieu, je suis désolée ! Guy, voici Robert Bass, son fils va dans la même classe que le nôtre.

— Ah, c'est donc vous, l'écrivain, réplique-t-il froidement après un silence embarrassant dont je crois connaître la cause. Ma femme m'a parlé de vous.

— Ah, répond Robert Bass, l'air ravi.

— Nous parlions de ses vacances de ski aux Mendips. Et de l'immoralité du hors-piste qui peut déclencher des avalanches.

Puis il s'éloigne sans ajouter un mot de plus.

— Je vais chercher une serviette, dis-je à Robert Bass, troublée par cette situation.

— Qu'est-ce qui lui prend ? demande-t-il. Je vous accompagne.

Nous nous dirigeons vers le hall d'entrée. Il n'y a personne. Tout le monde s'agglutine dans le salon que nous venons de quitter ou en bas, dans la cuisine. J'entre dans une petite pièce attenante à la porte d'entrée que j'avais remarquée lors de notre visite du week-end dernier. Elle ressemble à un placard courant sur toute la longueur de la maison, servant de rangement et de vestiaire. Au bout, surplombant le jardin, on trouve un petit lavabo. Je prends une serviette et la lui tends.

— Comment connaissiez-vous l'existence de cet endroit ? demande Robert Bass en épongeant le vin.

Il récupère son verre et le vide sans me quitter des yeux. Puis son regard s'attarde sur le décolleté de ma robe en se mordillant les lèvres avec une telle intensité que je détourne la tête.

— L'instinct.

— Alors vous devez avoir un bon instinct.

— Parfois.

— Eh bien, nous sortons un peu des sentiers battus, Lucy, conclut-il en fermant la porte derrière lui.

Il y a un moment dans une relation où le non-dit devient plus important que le dit, et je viens juste d'atteindre ce point avec Robert Bass. Mais ce que j'aurais dû lui rappeler à ce moment précis, c'est que mes intentions étaient nobles quand je lui ai proposé de chercher une serviette et que je n'avais pas prévu de l'entraîner dans un placard. Au lieu de cela, je garde le silence. La lumière a beau être allumée, il fait assez sombre et nous sommes coupés du monde extérieur par une épaisse couche de manteaux et de pulls accrochés à des patères. C'est le genre d'instant sur lequel on revient après coup, en se demandant comment la situation aurait évolué si l'on avait emprunté un autre chemin. Un instant décisif.

Il tend la main et son index trace la ligne qu'il avait brûlée de ses yeux une minute plus tôt, puis s'attarde dans le creux doux entre mes seins. J'entends un soupir, un bruit qui pourrait passer inaperçu dans un contexte moins silencieux, et découvre qu'il émane de moi. Le plaisir est exquis. C'est comme si mon esprit s'était détaché de mon corps et que j'observais ce qui arrive à une autre. Je m'adosse contre la veste en peau de mouton de Mère-parfaite n° 1 et renverse légèrement ma tête pour lui donner accès au bas de ma nuque. Maintenant, c'est moi qui me mords la lèvre inférieure. Je ne veux pas qu'il arrête, mais je ne veux pas non plus prendre la responsabilité de la suite.

Il retire son doigt et je pousse un autre soupir car chaque parcelle de mon corps demande plus d'attention. Puis je le vois se pencher vers moi en s'appuyant d'une main contre le mur. Il glisse l'autre sous ma robe, au niveau de l'épaule, pour faire glisser ma bretelle, révélant une grande partie de ma poitrine. L'attente me fait frissonner de plaisir. Le risque qu'on nous surprenne rend cette situation d'autant plus excitante. Je me demande comment j'ai réussi à me tenir éloignée aussi longtemps de ce genre d'expérience. Il se penche encore, m'attirant vers lui avec je ne sais plus quelle main, et s'apprête à m'embrasser quand on frappe soudain à la porte.

— Lucy, c'est vous là-dedans ? lance une voix d'homme. Lucy ?

La peur d'être découverts est légèrement atténuée car ce n'est ni la voix de Tom ni celle de la femme de Robert Bass. Mais les coups sur la porte sont tellement insistants qu'ils finiront inévitablement par attirer l'attention des autres invités.

Je m'approche et ouvre doucement. C'est Père-célèbre.

— Chhhut ! dis-je, l'index sur la bouche.

— On n'est pas obligés de rester silencieux pendant une soirée, crie-t-il en forçant le passage. Je savais que c'était vous, Sweeney. J'étais dans le jardin et je vous ai vue par la fenêtre. Je vous ai reconnue à votre robe.

— Dans le jardin ?

— Je pensais que vous étiez en train de prendre de la coke.

— De la coke ?

— Allez-vous répéter tout ce que je dis ?

Il se trouve maintenant à l'intérieur de la pièce et ferme la porte derrière lui. Robert Bass s'est glissé vers le fond et se tient derrière de longs manteaux, à côté du lavabo. Ses jambes dépassent du bas, entre des bottes et des chaussures. Père-célèbre, cependant, a son petit programme et sort de la poche de sa veste une carte de crédit et un petit sachet de poudre blanche. Il verrouille la porte puis, avec méthode et célérité, s'assoit sur un tabouret, s'empare d'un magazine et forme avec dextérité quelques lignes de cocaïne. Généreux, il me passe le magazine, mais je décline son offre.

— J'ai du mal à m'endormir sans prendre des produits chimiques.

Il se penche sur le magazine et sniffe une ligne avec un billet de vingt dollars roulé. Il me paraît tellement familier que je me demande, à travers le flou du vin, la passion frustrée et le manque d'air, si je ne suis pas en train de regarder l'un de ses films. Probablement dirigé par Quentin Tarantino. Ensuite je m'inquiète : vaut-il mieux se faire surprendre en plein flirt avec un invité ou en train de se droguer avec un autre ? Ni l'un ni l'autre. J'ai intérêt à filer d'ici au plus vite !

— Qu'est-ce que vous fabriquiez ici, alors ? demande Père-célèbre.

Il avise la bretelle de ma robe qui a glissé sur l'épaule et je la remonte. Maintenant, ma robe portefeuille bâille au-dessus du ventre. La seule solution pour y remédier consiste à l'ouvrir complètement et à tout reprendre depuis le début. Je m'acquitte fébrilement de cette tâche en m'assurant de bien serrer la ceinture.

— J'étais en train d'ajuster ma robe. Je ne m'attendais pas à ce que quelqu'un entre.

— C'est tellement génial d'être sorti de L.A. De revenir dans un pays où les femmes ressemblent à de vraies femmes, dit-il avec enthousiasme. J'adore toutes ces rondeurs appétissantes que vous avez là. C'est tellement plus sain que toutes ces nanas d'âge mûr avec leur corps d'adolescente. Alors ne vous gênez pas pour moi, prenez tout votre temps.

Dès que je me sens de nouveau présentable, je déclare :

— Il faut vraiment que j'aille respirer un peu d'air frais. Je vais faire un tour dans le jardin.

— Je vous accompagne. Cette nana m'a saoulé en me posant des questions sur les activités extrascolaires de mes enfants, sur leur future inscription à Harvard, sur ce que je pense de la discipline parentale. Avec des femmes comme elle, tout le monde va finir par se droguer.

— Et que lui avez-vous répondu ?

— Je lui ai demandé si elle pourrait me présenter aux deux bombes qui ont surgi sur l'écran de son ordinateur, l'autre jour au bistro.

Nous descendons à la cuisine et les gens s'écartent à l'approche de Père-célèbre. Une serveuse nous présente un plateau de petits rouleaux de printemps et j'en profite pour en prendre une grosse poignée. Père-célèbre remarque-t-il l'attention discrète qu'il suscite sur son passage ? Cette déférence a-t-elle commencé un beau matin, après ce film des frères Coen ? Ou ce phénomène a-t-il lentement évolué au fil du temps, de manière imperceptible ?

Je cherche Tom dans la foule mais ne le trouve pas. En dépit des regards envieux des autres mères, il est pourtant la personne avec laquelle j'aimerais me trouver à cet instant précis. Je sors dans le jardin avec Père-célèbre, consciente des yeux jaloux qui m'observent. Tandis que j'inspire l'air de la nuit, ignorant le crachin, et vide un autre verre de vin, mon corps commence à se détendre avec le soulagement qui suit un choc inattendu. Je ne me sens pas capable d'assumer ce genre de situation. Voilà la différence qui nous sépare Guy et moi. Lui, il est infidèle de manière disons… professionnelle, alors que moi je resterai toujours au stade d'amateur. Je me sens déjà dévorée de culpabilité à cause d'un baiser qui n'a jamais existé. Je décide alors de ne plus jamais me laisser entraîner dans une situation aussi compromettante. Et pourtant, je repasse le film en boucle dans ma tête. Je me demande où cela aurait mené. Et si, dans les mêmes circonstances, cela se reproduirait de nouveau...

Parfois, quand les gens se sont penchés au-dessus du précipice, ils décident de reculer de quelques pas, même si la vue est superbe. Et, plus j'y pense, plus j'aimerais encore me trouver dans ce dressing-room.

Cherchant un sujet de conversation qui puisse me distraire de ces pensées turbulentes, je demande à Père-célèbre :

— Le comportement des gens qui vous entourent vous dérange-t-il ?

— Comment cela ?

Nous avons atteint le fond du jardin et cela nous aura pris cinq bonnes minutes. Dans le coin, à côté d'une grosse tondeuse autoportée et d'une aire de jeux digne des plus beaux parcs londoniens, se dresse une pimpante maisonnette en bois aux couleurs pastel, avec une petite véranda et une fenêtre bordée d'une guirlande lumineuse qui clignote.

Il ouvre la porte.

— Après vous, lance-t-il avec une galanterie exagérée. La vérité, Lucy, c'est qu'il ne m'arrive pas souvent de côtoyer des gens normaux. Je sais que cela peut paraître arrogant, mais c'est ainsi. Alors ça m'amuse de me retrouver avec des personnes simples. Imprévisibles. Comme cette femme qui dirige l'association. Elle est hilarante. Je vais me donner pour mission de la corrompre. On reconnaît ceux qui sont corruptibles et vous n'en faites pas partie.

— Qu'en savez-vous ?

— L'instinct.

Nous nous penchons pour passer par la petite porte.

L'intérieur s'avère si spacieux que nous pouvons de nouveau nous tenir debout.

— Non, ne le dites pas ! Je sais que je suis plus court sur pattes en vrai. Ne me parlez pas de ce que je sais déjà, dites-moi des trucs que j'ignore.

— C'est bien ce qu'il me semblait : vous vous attendez à ce qu'on vous distraie. Sachez que la vie n'est pas ainsi faite, pour nous autres, les gens simples. Nous devons nous créer nos propres distractions.

— Lucy, quand je suis avec vous, je sais que ça va être super distrayant !

Sur ce, il tire une petite chaise pour se préparer quelques nouvelles lignes de coke.

Je tourne le robinet d'un petit lavabo et suis surprise de voir jaillir de l'eau. Puis je me penche à la fenêtre pour faire le guet, au cas où des parents s'approcheraient de la maisonnette.

— Vous ne pouvez pas faire ça ici. Rangez tout votre attirail ! Cette soirée ne se prête pas à ce genre de pratique !

— Au fait, je l'ai vu ! Il était accroché avec les manteaux dans le placard, comme une installation artistique, lance Père-célèbre en m'ignorant.

— Que voulez-vous dire ?

Mais je connais déjà la réponse.

— J'ai vu Bobo-intello dans cette pièce avec vous. Mais je ne révélerai pas votre petit secret si vous taisez le mien.

— Ce n'est pas ce que vous croyez !

Je suis furieuse ! Il n'y a rien de pire que d'être accusée d'infidélité sans avoir profité d'aucun de ses plaisirs.

Puis il se lève et déclame avec un accent passablement british :

What is it men in women do require
The lineaments of Gratified Desire
What is it women in men do require
The lineaments of Gratified Desire[1].

— Lucy, c'est autour de ÇA que le monde gravite. William Blake le savait. Moi, je le sais. Et là d'où je viens, tout le monde le sait aussi. Cela n'a aucune importance.

— Vous ne comprenez pas. Pour moi, cela en a. En fait, j'aime vraiment mon mari. À long terme.

— Alors pourquoi voulez-vous baiser avec cet autre type ? demande-t-il, un tantinet exaspéré.

— Je l'ignore. Sûrement par impulsion. Pour me sentir vivante.

— Je n'ai rien d'un sage. Mais je peux vous dire une chose : l'incertitude n'offre pas une base solide. Gardez ça en tête, j'en suis à mon troisième mariage. Je vis avec beaucoup d'incertitudes. Je fréquente mon médecin psychothérapeute depuis plus longtemps qu'aucune de mes femmes.

Puis il se lève brusquement.

— Peut-être auriez-vous dû épouser votre thérapeute, alors.

— C'est un homme. Bon, je ferais mieux de me mêler au petit peuple. Je vais mettre de la musique. Les gens ont besoin de se décoincer un peu. À part vous, bien sûr. Peut-être devriez-vous vous ressaisir.

Nous retournons dans la maison et Père-célèbre glisse un disque des Radiohead dans le lecteur puis

---

1. Qu'exigent les hommes des femmes
Les esquisses d'un désir satisfait.
Qu'exigent les femmes des hommes
Les esquisses d'un désir satisfait. *(N.d.T.)*

se lance à la recherche de Mère-efficace pour l'inviter à danser. Je repère Robert Bass dans un coin de la pièce en train de discuter avec Tom. Ils lèvent tous deux la tête vers moi. Robert Bass détourne les yeux un peu trop rapidement. C'est indéniable. Une ligne a été franchie. Mais les lignes sont parfois tellement ténues qu'il nous arrive de les franchir sans nous en apercevoir. Mark n'avait pas pris cet élément en considération.

J'engloutis un autre verre, espérant qu'il aura un effet anesthésiant sur mon corps. Toutes les extrémités de mes nerfs sont en alerte maximum. Les réflexes sont prêts à s'enclencher. Je me sens curieusement vivante, prête à exploser. Mark me dirait que je suis chargée d'adrénaline et passée en mode « fuite ou combat ». Mais expliquer les sentiments retire tout le sel de la vie.

Je vois la directrice de l'école se diriger vers moi.

— Merci beaucoup pour tout ce travail, commence-t-elle, sourire aux lèvres.

— Oh, ce n'était pas très compliqué.

— Organisé mais pas trop. Parfait. Je savais que vous auriez une influence modératrice, madame Sweeney. C'est déjà assez compliqué de savoir comment s'habiller pour ne pas avoir en plus à se soucier d'un déguisement. Vous êtes sûrement soulagée de pouvoir partager cette tâche avec monsieur Bass.

Je manque de m'étouffer avec mon énième petit rouleau de printemps. J'ai cessé de comptabiliser ce que je mange depuis l'âge de sept ans.

— Absolument, dis-je avec plus d'enthousiasme que prévu.

Puis je tousse et n'entends ni le début ni la fin de sa question suivante. Les mots du milieu sont, je crois, « envisage un quatrième ».

— Nous n'irons pas au-delà de trois. À vrai dire, mon mari songe à subir une vasectomie.

Je devrais arrêter les dégâts immédiatement, mais un besoin urgent d'expurger nos secrets d'alcôve me pousse à mentionner l'obsession de Tom pour la contraception.

— Il ne met pas encore deux capotes à la fois, cela ne saurait tarder ! dis-je en riant. En fait, il pique encore des colères parce qu'un jour j'ai osé parler d'un quatrième. Pas un quatrième contraceptif, un quatrième enfant bien sûr !

Habituée aux confessions parentales, elle affiche un sourire figé. Je sens que les autres mères nous regardent avec insistance, se demandant sans doute ce qui peut retenir la directrice aussi longtemps. Mère-efficace et Mère-parfaite n° 1 se sont toutes deux approchées et ont dû entendre la fin de ma phrase.

— Quatre est un nombre parfait, à mon avis, intervient Mère-parfaite n° 1. Comme ça, toute la famille tient sur un même télésiège.

— Le plus difficile pour moi, c'est d'accompagner ma petite de cinq ans à sa leçon de harpe parce que celle de quatre ans suit son cours de violon en même temps, renchérit Mère-efficace qui a cinq ou six gamins, je ne sais plus.

Elle attend un signe d'approbation de la part de la maîtresse et ne récolte qu'un sourire glacial. Elle persiste.

— Courir avec une harpe est épuisant quand le temps presse. Au début de chaque année scolaire, j'affiche un emploi du temps sur le mur de la cuisine avec toutes les activités de mon mari et des enfants, comme ça on n'oublie rien, précise-t-elle, en me jetant un regard méprisant.

— En réalité, je voulais savoir si vous accepteriez

de rester à l'association pour le quatrième trimestre, lâche la directrice en se tournant vers moi avant de s'éloigner vers un autre groupe de parents.

— Ainsi, vous inscrivez toutes vos activités sur un tableau ?

J'ai posé la question à Mère-efficace, sincèrement impressionnée.

— Toutes.

— Même sexuelles ?

Ce serait peut-être la solution à la pénurie de ce genre d'activité dans notre foyer. Cela m'intrigue :

— Mais ça n'enlève pas un peu de spontanéité ? Et puis il doit vous falloir un grand tableau. 5 heures du matin, c'est le seul moment où les deux protagonistes sont disponibles en même temps, non ?

— Nous ne prévoyons pas ce genre de chose à l'avance.

Je lui dis que c'est étrange : mes amies célibataires ont beaucoup de temps libre pour faire l'amour mais personne avec qui le faire.

— Je n'ai pratiquement plus de célibataires dans mon entourage. Nous passons le plus clair de notre temps avec des couples, déclare-t-elle sur le ton de ces mères qui clament haut et fort que les enfants mangent de tout.

Alors je lui réponds qu'elle rate une expérience rigolote. En effet, la dernière fois que j'ai pris un verre avec des amies célibataires, la discussion tournait principalement autour du sexe et des pratiques bizarres. Cela m'a décomplexée. Tout compte fait, les hémorroïdes post-natales et les contraintes de temps ne nous privent pas de choses extraordinaires. Elle me répond qu'elle se réjouit du vote de la loi antichâtiments corporels et tourne les talons.

— Voilà une femme qui n'a pas fait l'amour avec

son mari depuis des années ! commente Mère-parfaite n° 1. Lucy, vous auriez un instant ?

Elle s'engage dans l'escalier et me prie de la suivre. Un instant, je crains qu'elle m'entraîne vers la penderie pour me reprocher mon comportement, mais elle monte jusqu'à sa chambre. Cette soirée est en train de devenir un de ces cauchemars où toutes vos erreurs passées reviennent vous hanter et où les amis, les ennemis, des gens qui ne se connaissent même pas, apparaissent mystérieusement pour vous dénoncer. Tandis que je gravis les marches, j'envisage le pire des scénarios.

— Cela ne vous ennuie pas que j'emprunte vos toilettes ?

J'ai la tête qui tourne et j'aimerais m'asperger le visage d'eau froide pour reconnecter mon esprit avec mon corps.

— Non, bien sûr.

Et je pénètre dans la salle de bains que j'avais explorée avec Emma, la semaine précédente.

Mère-parfaite n° 1 me jette un regard soupçonneux.

— Comment saviez-vous que c'était une salle de bains et pas un placard ?

— L'instinct.

Je referme aussitôt la porte derrière moi et m'y adosse pour reprendre mon souffle. J'en profite pour me faire quelques promesses express. Plus jamais je ne me plaindrai de ma vie ennuyeuse. En toute situation, je me comporterai avec la plus grande dignité. Je ne dépasserai plus le seuil maximum de ma carte de crédit. Je ne crierai plus sur les enfants. Je consacrerai un jour par semaine à la lessive. Je ferai tout ça si j'arrive à me tirer de ce mauvais pas. Un coup d'œil à ma montre me désespère. Quoi ? Comment tant de choses ont-elles pu se produire en si peu de temps ? Nous sommes ici depuis moins de deux heures !

J'aperçois mon reflet dans la glace. Mon mascara dégouline. L'eau qui coule du robinet est froide et j'essuie tout mon maquillage, essayant de me reconnaître dans le miroir. Puis je quitte la salle de bains et rejoins Mère-parfaite n° 1 installée sur son lit, les jambes croisées.

— Ça va, Lucy ? demande-t-elle en scrutant mon corps dans ma robe portefeuille comme seule une femme peut le faire. Vous semblez toute chiffonnée.

Un instant, j'envisage de tout lui raconter : ce qui vient de se passer avec Robert Bass, la liaison de son mari avec l'une de mes meilleures amies... Bref, que sa belle maison en plein centre de Notting Hill est bâtie sur des sables mouvants. Je résiste pourtant à cette envie, consciente que le soulagement de la confession sera vite remplacé par une nouvelle vague de soucis susceptible de déclencher une suite d'événements imprévisibles. Il faut absolument que je reprenne pied maintenant. Je dois me ressaisir. Manger sainement. Dormir deux jours d'affilée. Faire vœu de silence.

— Que pensez-vous de Guy ? dit-elle en tapotant le lit à côté d'elle pour que je vienne m'asseoir.

La porte du dressing est entrouverte et les incroyables rangées de chaussures me donnent quasiment la nausée.

— Il a l'air adorable, très chaleureux, sympathique.

— Je crois qu'il me trompe.

Ma poitrine se resserre et je m'efforce d'inspirer et d'expirer par le nez pour m'empêcher d'hyperventiler.

— Pourquoi ferait-il une chose pareille ? Il est marié à une femme superbe, il a des enfants formidables et une vie parfaite. Il serait fou de risquer tout ça.

— C'est précisément pour cela qu'il le ferait. Tout cela est trop convenu.

Elle se lève et se dirige vers une commode. Elle en

tire un paquet de cigarettes, ouvre la fenêtre, en allume une puis tire longuement dessus avant de me la tendre.

Comme j'hésite, elle hausse les épaules.

— On peut aussi aller sur le balcon, si vous préférez.

— Qu'est-ce qui vous fait penser qu'il a une liaison ?

Elle semble heureuse de pouvoir se soulager de son fardeau :

— Un : il a une nouvelle chemise que je ne lui ai pas offerte et qu'il n'est sûrement pas allé s'acheter. Il s'agit d'une Paul Smith et il ne met jamais les pieds dans ce genre de boutique. D'ailleurs, je ne trouve aucune trace de tous ces vêtements neufs sur ses relevés bancaires. Deux : quand on fait l'amour, il fait des trucs qu'il n'a pas faits depuis des années. Trois : ces trois derniers jours, il a été d'une humeur de chien et prononce le nom de quelqu'un d'autre dans son sommeil. Quatre : il y a le problème des petits visiteurs.

— Est-ce une référence aux sept nains ?

Je lui ai posé cette question parce qu'à ce stade de la soirée, cela ne me surprendrait pas de voir débarquer Elvis Presley en personne.

— Les poux ! J'en ai parlé à sa secrétaire et elle s'est sentie insultée. Alors s'ils ne viennent pas d'elle, de qui ?

— Je suis d'accord avec vous. Tout cela semble intrigant, dis-je (il serait ridicule de ne pas lui donner raison). Mais ce n'est pas concluant.

Je tire une grande bouffée sur la cigarette.

— Ne faites pas semblant d'être désolée pour moi. Je ne suis pas le genre de personne qu'on plaint. En fait, je suis le genre de personne à qui l'on souhaite que cela arrive.

— Et que comptez-vous faire de tous ces soupçons ?
Je résiste à l'envie de me gratter la tête.

— J'ai plusieurs solutions. Imiter ma mère et ignorer ses écarts. Mais Guy est le genre de type à s'imaginer qu'il est tombé amoureux de quelqu'un d'autre et
à me plaquer. Et je refuse de courir ce risque. Il n'a
aucun sens pratique et si ma vie doit voler en éclats,
je préfère prendre l'initiative de cette rupture. Je pourrais aussi suivre l'exemple de sa mère et demander le
divorce avec des conditions qui le mettront à genoux.
Dans ce cas, je ne serais plus invitée nulle part. Les
femmes craindraient toujours que je leur pique leur
mari. Ou sinon, je peux porter la situation au grand
jour et essayer de reconstruire notre mariage.

— Vous l'aimez ?

— J'aime celui qu'il était, mais pas celui qu'il est
devenu, dit-elle, pensive. Et je crois qu'il dirait la
même chose en ce qui me concerne. C'est bizarre : l'argent peut vous rendre moins sûr de vos choix justement
parce qu'il permet trop de choix. Il faut des solutions
radicales. D'ailleurs, j'ai déjà pris des dispositions.

— Quel genre de dispositions ?

— Je prends des cours.

— De jardinage ?

— Ne soyez pas ridicule, Lucy. Des cours de filature conçus pour des gens qui veulent en espionner
d'autres. Ils ont beaucoup de succès auprès des femmes
dans ma situation. Même si mon intuition se révèle
fausse, ça me servira toujours jusqu'à ce que sa libido
diminue. C'est quelqu'un qu'il faut garder à l'œil. Il
est orgueilleux et les hommes orgueilleux sont sensibles à la flatterie.

— Je suis impressionnée.

Aussitôt, un débat s'installe dans mon esprit. Je peux
prévenir Emma. Si elle souhaite mettre un terme à

leur relation, il est impératif qu'elle le fasse immédiatement pour s'assurer que rien ne sera découvert. Ainsi Mère-parfaite n° 1 pourrait mettre ses preuves au placard, brûler la chemise Paul Smith et profiter d'une vie sexuelle plus diversifiée. À sa place, voudrais-je tout savoir ?

Je lui demande avec une fausse innocence :

— Au fait, quel nom criait-il ?

Elle écrase furieusement le mégot et le jette, un peu trop près de mon mollet nu. Un long silence s'impose et elle lisse nerveusement les jambes de son jean. Je suis tout ouïe, m'attendant à ce qu'elle va dire.

— Le vôtre, lâche-t-elle finalement. Il répète toujours la même chose : « Lucy Sweeney, qu'as-tu fait ? » Et maintenant je me pose la même question. Alors dites-moi ! Est-ce que vous baisez avec mon mari ? Où l'avez-vous rencontré ? Ce flirt avec Robert Bass n'est-il qu'une couverture ? Et avant que vous ne m'humiliiez encore plus en mentant, sachez que j'ai découvert deux autres lignes téléphoniques enregistrées sous le nom de Guy. La facture de l'un de ces numéros compte des appels interminables vers votre portable. Et ce n'est un secret pour personne que ce sont vos enfants qui ont amené les poux à l'école le trimestre dernier.

J'ouvre et ferme la bouche comme un poisson rouge, mais aucun son ne s'en échappe. Elle doit parler du portable d'Emma.

— Puis-je vérifier quelque chose ?

— Non.

On reste sans rien dire.

— Avez-vous envisagé la possibilité que la facture de téléphone dont vous disposez puisse être celle de quelqu'un d'autre qui me connaît ? dis-je finalement en soupesant soigneusement chaque mot.

— Non, mais ça se tient car la deuxième facture comporte plein d'appels vers le premier numéro et quand je l'ai composé, c'est Guy qui m'a répondu. Dites-moi ce que vous savez, je vous en prie ! Si vous refusez de le faire pour moi, pensez à mes enfants. Si on songe aux gamins d'abord, tout le reste devient logique.

Elle serre mon genou et ajoute :

— Vous ne pouvez pas imaginer l'enfer que c'est, Lucy, de vivre un truc pareil. Tout ce qu'on croit acquis nous échappe brusquement. Il n'y a plus de garanties. Je me méfie de tout et de tous. Pouvez-vous imaginer mon humiliation quand j'attendais son arrivée dans ce restaurant ? Je continuais à assurer à nos amis qu'il n'allait plus tarder en essayant vainement de le joindre sur son portable. Les gens savaient qu'il se passait quelque chose de bizarre parce qu'ils évitaient de poser les questions les plus évidentes sur ses déplacements. Voilà pourquoi je dois résoudre cette affaire au plus vite sinon je vais finir par le haïr.

— Peut-être devriez-vous l'affronter ?

— Je ne révélerai rien sans disposer de toutes les preuves. Nous étudions les techniques de surveillance pour l'instant. Ensuite, quand le temps sera venu, je choisirai le moment adéquat et j'agirai. Laquelle de vos amies pourrait avoir une liaison avec Guy ? Réfléchissez-y. Une personne bien placée qu'il aurait rencontrée par son travail ? Il est toujours terriblement impressionné par ces femmes intelligentes en tailleur. C'est comme ça que j'ai fait sa connaissance.

— Je vais y penser sérieusement et je vous rappellerai.

— Vous me promettez que vous l'ignorez ?

— J'ai quelques idées, mais rien de sûr.

Peut-on considérer cela comme un mensonge ?

— N'hésitez pas à me donner des pistes. Je vous en prie.

Du balcon, nous entendons la porte de la chambre s'ouvrir et voyons entrer Père-célèbre et Mère-efficace. Ils jettent un rapide coup d'œil et referment derrière eux. Père-célèbre attrape une chaise et en coince le dossier sous la poignée pour la bloquer. Il se dépêche de préparer des lignes de cocaïne. Mère-parfaite n° 1 et moi-même regardons avec étonnement Mère-efficace en renifler quelques-unes avec avidité. Puis le couple ressort.

— Il est évident qu'elle en a déjà pris, chuchote Mère-parfaite n° 1.

Aucun doute là-dessus.

Dans le taxi qui nous ramène vers notre banlieue, je reste silencieuse, essayant de comprendre tout ce qui est arrivé ce soir. Ça m'a toujours épatée de constater que les gens vivaient une même soirée de façon si différente.

— Mon Dieu, que c'était barbant ! dit Tom. À part le truc avec Guy. Mais finalement, je crois que tu as eu raison de ne pas m'en parler. Sa femme, par contre, m'a paru sympa. C'est étonnant, d'ailleurs. J'ai aussi pas mal bavardé avec Père-célèbre. Il dit que tu es la personne la plus authentique qu'il ait jamais rencontrée et il insiste pour que je l'emmène à un match d'Arsenal. J'ai aussi fait la paix avec Bobo-intello. Je pense qu'il m'a pardonné. Donc tous les petits problèmes sont résolus. Où avais-tu disparu ?

Je ferme les yeux et feins de dormir. L'échappatoire des trouillards.

Chapitre 17

« Vieux péchés ont bonne mémoire. »

Parfois, durant mes insomnies de 5 heures du matin, j'essaie de me rendormir en comptant les décisions que j'ai prises en une journée. Quand nous avons campé dans le Norfolk l'été dernier, j'étais arrivée à soixante et onze. Elles formaient une pyramide, dont la base était constituée des plus petites : rester un jour de plus sans me doucher dans la salle d'eau commune du camping, froide et boueuse ; céder aux enfants qui me suppliaient de les laisser prendre leur petit déjeuner sous la tente à cause du froid, tout en sachant que les céréales finiraient par trouver leur chemin jusqu'au fond de mon sac de couchage, mélangées au sable et à la boue séchée pour former une espèce de papier de verre irrégulier. L'endormissement serait alors définitivement banni de l'espace confiné de cette tente minuscule, occupée par deux parents épuisés et trois enfants agités.

— Vois ça comme une exfoliation gratuite, avait dit Tom un peu plus tôt dans la semaine.

À ce moment de nos vacances, il essayait encore de jouer au papa rigolo. C'était avant que son humeur tourne définitivement grognon.

Avec le recul, ces décisions semblent dérisoires.

Les suivantes se sont avérées légèrement plus consé-quentes. Ferions-nous mieux d'abandonner le camping pour aller nous réfugier dans un petit bed & breakfast, quelque part le long de la côte ? Devrais-je avouer à Tom que le passeport manquant – la raison pour laquelle nous avons dû troquer nos vacances en France contre un camping trempé dans le Norfolk – a été retrouvé dans la boîte à gants de la voiture ? Dans les deux cas, j'ai renoncé. Puis sont venues les grosses. Rire ou pleurer ? Rester ou partir ? Et la dernière, fatale, qui s'est installée dans notre vie comme une gangrène. Une de ces décisions pourries, qui a com-mencé au bas de la pyramide pour ensuite finir tout en haut, quand je m'y attendais le moins.

Si le mariage est un paysage, alors la côte du Norfolk, cet été-là, ressemble au mien. De la plage, en regardant derrière moi, j'apercevais les étendues marécageuses, suivies d'une rangée d'arbres à l'air arthritique, leurs branches pliées dans tous les sens par de puissantes rafales de vent. Devant, il y avait la mer, capricieuse et traîtresse. Selon l'intensité de la marée, elle pouvait vous entraîner sur des kilomètres, le long de la côte jusqu'à Cromer ou carrément jusqu'en Hollande. Bref, je voyais d'où je venais mais pas où j'allais, comme une valise sur l'un de ces gros bateaux de croisière qui passaient à l'horizon, un tampon « Des-tination inconnue » collée sur mon flanc.

À cause du vent, j'avais très mal aux oreilles. La douleur descendait jusque dans ma gorge, mais ce n'était pas franchement désagréable. Plutôt rassurant en fait. J'étais diminuée par les éléments. Ils me per-mettaient de m'échapper de moi-même un instant. Nous étions là en rang d'oignons, penchés en avant contre le vent, têtes baissées, tels des soldats battant en retraite. Nous tenions Fred par la main après avoir constaté qu'un simple coup de vent suffisait à le renverser et Joe paniquait à l'idée d'être entraîné jusqu'au ciel, comme Dorothée dans la scène d'ouverture du *Magicien d'Oz*.

— Ce vent vient tout droit de Russie ! avait crié Tom à l'adresse des enfants, parvenant même à impressionner Fred. Voilà pourquoi il est aussi mauvais.

J'ai tiré un autre pull de mon sac et l'ai enfilé.

— Il n'est pas si froid, hurla encore Tom pour couvrir le sifflement des rafales. Sauf quand on ne porte pas de caleçon, bien sûr. Mes couilles ne sont plus que l'ombre d'elles-mêmes.

— Tu avais promis de ne plus mentionner les caleçons, avais-je dit.

— À condition que tu cesses de te plaindre du temps, répondit-il en hurlant pour se faire entendre.

— C'est toi qui dis qu'il fait froid. Je n'ai pas râlé sur le temps, j'ai seulement enfilé un autre pull.

— Enfiler un pull, c'est déjà une critique implicite. Sois plus discrète la prochaine fois.

— Et où veux-tu que je me cache ?

La plage autour de nous était déserte, mis à part une pie de mer noir et blanc qui grattait le sable, le cou recroquevillé entre ses ailes, l'air de dire : « Ne crie pas comme ça, garde ton énergie pour te réchauffer ! »

— Je ne comprends pas comment tu as fait pour oublier d'emporter mes caleçons alors que tu en as emballé une dizaine pour Sam, six slips pour Joe et trois bonnets à pompon pour Fred. C'est tellement irrationnel, Lucy. N'as-tu donc pas fait une liste avant notre départ ? hurlait Tom.

En dépit du vent, sa voix était inutilement forte.

— Pourquoi ne tiens-tu pas compte de tout ce que j'ai pensé à emporter au lieu d'insister sur ce que j'ai oublié ? Tu aurais pu préparer tes affaires toi-même, non ?

— Tu sais bien que j'étais très occupé à régler les problèmes de mon projet de Milan.

— Tu n'auras qu'à t'acheter des caleçons à Holt, rétorquai-je, déterminée à ne pas céder.

— Par principe, je refuse !

Il s'exprimait sur un ton tellement moralisateur que j'ai insisté, tout en sachant que je commettais une erreur stratégique :

— Et quel est ce principe ?

— On apprend par ses erreurs. Si je souffre de ne pas avoir de caleçons pendant une semaine, la prochaine fois tu n'oublieras pas de les emporter !

— Très juste ! Parce que, la prochaine fois, je ne préparerai pas ton sac. Tu es tellement ridicule, Tom, que je ne vais même pas te répondre !

Puis nous avons éclaté de rire, parce que cette dispute devenait carrément absurde. Et les enfants nous ont imités sans savoir pourquoi.

Nous étions une famille abandonnée. Condamnée à se supporter dans l'espace minuscule d'une tente de moins de treize mètres cubes. Ça, je le sais parce que Tom et Sam avaient passé un après-midi de pluie, armés d'un mètre ruban pour en faire le calcul exact. Les choses avaient commencé à se dégrader dès que nous avions quitté la maison. L'avenir de la bibliothèque de Tom à Milan – un projet qui avait déjà absorbé la majeure partie de ces deux dernières années – était compromis. Notre situation financière était critique. L'entreprise de Tom avait déjà investi trop de temps et d'argent dans cet édifice. J'ai même craint à un moment donné qu'on soit acculés à vendre notre maison.

J'observais Tom tandis qu'il alignait les bagages sur le trottoir, essayant de trouver le système de rangement le plus efficace. Il ne pouvait peut-être pas contrôler les caprices du Service de planification de Milan, mais il pouvait imposer de l'ordre dans le coffre de sa voiture.

— Écoute, dans la mesure où tout rentre, peu importe la façon dont c'est rangé, non ? ai-je plaidé devant l'impatience des enfants ligotés par leur ceinture de sécurité.

— De la méthode. Tout n'est qu'une question de méthode ! grommela Tom. J'essaie de déterminer ce dont nous aurons besoin en premier quand nous arriverons à destination pour le mettre sur le dessus. Tu comptes préparer quoi pour le déjeuner ?

Une autre décision. Pourtant, celle-là pourra et devra attendre. Décider de ce qu'on mangera au déjeuner avant 9 heures du matin frise la démence.

— On prendra quelque chose là-bas. Ou en chemin.

— Mais si nous nous arrêtons en route, il faut que je range tout ça autrement, lança-t-il en accordant alors la priorité aux petites chaises pliantes plutôt qu'aux bonbonnes de gaz. Alors on s'arrêtera dans une station-service ou dans un restoroute pour acheter les sandwichs ?

— Il faut que tu acceptes un minimum de flexibilité, Tom, dis-je en essayant d'éviter une nouvelle dispute. Ne pas savoir ce qui va se passer peut être libérateur. En fait, c'est l'interminable routine qui tue l'esprit des humains.

Il m'a regardée comme si j'étais une créature d'une autre planète. J'ai fermé la portière côté passager et ouvert la boîte à gants. C'est là que j'ai découvert le passeport. Sam a tout vu.

— Pas un mot, d'accord ?

Il a compris. Un jour, Sam fera un excellent mari.

Puis il y a eu les caleçons. Un après-midi, me sentant

coupable après notre dispute sur la plage, le seul jour où le soleil avait daigné pointer son nez pendant plus de deux heures, j'ai proposé d'aller seule à Holt pour trouver un magasin de sous-vêtements. C'est le genre de geste qui a marqué un cessez-le-feu entre Tom et moi. Un accord bilatéral de paix.

— Tu es sûre, Lucy ? dit-il, reconnaissant. C'est tellement gentil à toi.

— Nous sommes peut-être sur la corde raide, mais de nouveaux caleçons ne nous feront pas basculer dans le rouge. Mais il est vrai que c'est généreux de ma part, ai-je admis.

En fait, je voulais accumuler assez de points pour tenir les trois derniers jours de vacances.

Bien sûr, ça ne demande pas un énorme sacrifice de passer enfin une journée seule à faire les boutiques dans une de ces petites villes du Norfolk qui propose cinq sortes différentes d'huile d'olive et qui a su s'opposer à la construction d'un centre commercial en périphérie. J'étais ravie de me retrouver un peu et de laisser Tom se débrouiller avec les enfants sur la plage pendant tout un après-midi.

À Holt, j'ai rapidement déniché un magasin qui se vantait de proposer un rayon sous-vêtements de grande envergure. L'importance du choix était même décon-certante vu la taille du magasin et son emplacement. Cela allait des petites choses sexy dans les teintes pastel aux slips kangourou, en passant par les caleçons dans des couleurs que je n'avais pas revues depuis l'époque de mon adolescence, quand Mark insistait pour ne porter que des caleçons rouges et ainsi affi-cher ses qualités de « chaud lapin ». Puis il y avait des culottes en dentelle et des soutiens-gorge dont la blancheur et la délicatesse me donnaient envie de pleurer. En ma possession, ils déteindraient et deviendraient gris en moins d'une semaine. Pourtant, compte tenu de leur prix élevé, de la suspension du projet de bibliothèque de Tom et de mon découvert de cartes de crédit devenu incontrôlable, j'ai résisté à la tentation de les acheter. Mais je n'ai pas pu m'empêcher de les essayer.

Je me tenais devant le miroir, persuadée que ces dessous en particulier réduiraient considérablement les bourrelets de graisse autour de mon ventre et permettraient à mes seins de défier les lois de la pesanteur. Donc, ayant choisi pour Tom des caleçons en épais coton blanc qui protégerait sa virilité des éventuelles bourrasques maritimes, j'ai décidé de profiter un peu plus longtemps de cette culotte et de ce soutien-gorge.

Je rêvassais sous une grande pancarte disant « lingerie pour elle et lui » avec un grand cœur rouge tracé autour du « elle et lui », quand je me suis aperçue que je n'étais plus seule. Un homme étudiait minutieusement le stand Calvin Klein. Je me suis demandé si l'on pouvait heurter l'ego d'un homme en lui achetant un caleçon de petite taille et si je devais échanger le M que j'avais pris pour Tom contre un XL, pour le flatter un peu. Puis, quand ce type s'est tourné vers moi, je l'ai immédiatement reconnu.

Je ne l'avais pas vu depuis dix ans et il s'était un peu enveloppé. Ses joues étaient pleines et roses et je pouvais aisément l'imaginer en petit garçon. Ne dit-on pas « plus de graisse, moins de rides » ? Il paraissait apprécier la bonne chère. Son front dégarni élargissait son visage et, sous un premier menton, j'en devinais un second. Nous nous sommes dévisagés quelques secondes et, tout compte fait, je trouvais que le temps s'était montré un peu plus clément envers moi qu'envers lui. Surtout parce qu'il m'était plus facile de cacher ses ravages.

— Lucy ! Que fais-tu ici ? Tu m'as suivi ?

Cela m'a aussitôt hérissée. C'était tout lui, ça, de penser qu'après toutes ces années, je lui courais encore après. Jadis, notre relation était basée sur un peu de badinage, des épaules qui se touchent en lisant un même article, des plaisanteries qui ne faisaient rire que nous et une propension à nous asseoir côte à côte à toutes les réunions. Dans le domaine du flirt, nous opérions sur un plan d'égalité. Mais sous ses airs nonchalants, c'était un homme très vaniteux. Tout comme une première impression se vérifie souvent, j'étais ravie de constater qu'une rencontre impromptue après une dizaine d'années confirmait l'opinion que j'avais de lui. La distance n'arrange pas toujours les choses, ce qui n'est pas plus mal à l'âge mûr, quand la nostalgie du passé et la peur de l'avenir peuvent être mauvaises conseillères pour le présent.

— En fait, j'étais ici avant toi et nous cherchons tous deux la même chose, dis-je en agitant les sous-vêtements que j'avais dans la main.

— Je ne sais pas s'il me faut du M ou du L.

— D'après mon souvenir, c'est du M.

Il rit. Quand on retrouve un ancien amant, il arrive qu'une certaine complicité subsiste, facilitant la communication. Parfois, on éprouve au contraire un sentiment de perte si l'on ne parvient pas à retrouver ce degré d'intimité. J'étais soulagée de ne ressentir que le premier.

— Tu m'as bien eu ! rétorqua-t-il chaleureusement. Tu as le temps de prendre un café ?

Inviter une femme à partager un café au XXIᵉ siècle revient à peu près à lui proposer de venir voir des estampes à l'époque victorienne. Il s'agit d'une invitation d'apparence anodine dont le but inavoué est de se retrouver en tête à tête. Nous avons tous deux reposé les sous-vêtements un peu trop hâtivement pour nous précipiter vers un petit bistro où l'on servait le thé dans de la jolie porcelaine sur d'impeccables nappes blanches. Pendant l'heure qui suivit, il me raconta un peu sa vie. Il passait ses vacances dans le Norfolk avec son épouse et leurs deux enfants. Ils avaient loué une grange aménagée quelque part sur la côte, à la sortie de Holt, à un prix exorbitant. Il réalisait un film indépendant à Bradford portant sur la liaison d'une fille asiatique et d'un garçon européen. Il détenait un siège au Comité cinématographique anglais et voyageait énormément. Sa femme allait bien. Être séparés si souvent rendait leur vie de couple assez difficile parce qu'ils menaient des vies différentes. Il ne lui avait pas parlé de nous et ne l'avait jamais trompée. Je n'étais pas sûre de le croire, mais ça me révélait l'image qu'il souhaitait donner de lui. Égal à lui-même, toujours aussi nombriliste, il n'avait posé aucune question sur ma propre vie jusqu'à ce que le thé ait refroidi et qu'il recommence à pleuvoir dehors.

— Et toi, Lucy ? demanda-t-il enfin.

— Mariée. Trois enfants. Je suis mère au foyer. Voilà une profession qui coupe court à toute conversation. J'ai quitté *Newsnight* deux ans après toi. Suite à la naissance de notre premier fils, j'ai encore travaillé quelque temps.

— Mais pourquoi ? Tu adorais ce boulot ! Tu avais tellement de projets, tant d'idées. Tu étais destinée à atteindre les sommets. Je te propose un poste quand tu veux.

— L'équilibre entre travail et vie de famille semblait trop aléatoire. Alors je me suis dit que j'allais prendre une année sabbatique. Puis je suis retombée enceinte, et encore... et ces huit années ont défilé à une vitesse incroyable.

J'avais envie de lui demander s'il se souvenait de l'une de mes grandes idées car, personnellement, j'en étais incapable. Cela pourrait pourtant s'avérer utile un jour. Comme tout cet excédent de sommeil que j'estimais normal avant d'avoir des enfants. Si seulement j'avais fait des réserves pour l'avenir.

— Et ça te plaît d'être une maman à plein temps ?

— Renoncer à son travail, c'est un peu comme quitter la ville pour s'installer à la campagne. Une fois qu'on a déménagé, il est difficile de revenir en arrière. J'ai été aspirée dans le vortex parental. Le rythme de vie change, devient un domaine sauvage et agité, la culture contemporaine te passe sous le nez et on va se coucher de plus en plus tôt tellement on est épuisé. En revanche, on apprend de nouveau à vivre au gré des saisons. Et je pense que les enfants sont contents de m'avoir à la maison. J'aime être disponible pour eux. Maintenant, je suis complètement sortie du monde du travail et mon CV ne vaut pas celui d'une bonne entraîneuse de bar.

Il rit. Et nous avons souri du contraste entre nos aspirations partagées et leurs évolutions radicalement différentes. Le féminisme a beau avoir remporté plusieurs victoires, ce sont toujours les femmes qui prennent les décisions difficiles.

— Les entraîneuses ont beaucoup de pouvoir, répliqua-t-il. Et la vie conjugale ?

La question resta en suspens car c'était un territoire dangereux. Je fixai ma tasse remplie de thé froid.

— Ça va. Parfois agitée, parfois tragi-comique.

Je l'avais dit avec le genre de franchise qu'on s'autorise face à quelqu'un qu'on est sûr de ne plus jamais revoir. Le genre d'honnêteté que permet le voyage en pays étranger. Avoir des enfants vous pousse à bout, et les relations finissent par se perdre dans le marécage domestique.

— Ne m'en parle pas ! Parfois, je pense qu'il est plus facile d'avoir un coup de foudre pour une femme avant de la connaître vraiment et qu'elle tombe de son piédestal. Lorsque je me suis installé avec ma femme et que je l'ai vue se couper les ongles de pied et les manger, une partie de moi est morte. C'est pour cela que les vieilles relations, qui n'ont jamais été consommées, restent ainsi agrippées à notre mémoire.

— Très juste.

— C'est le sujet de mon prochain film, en plus commercial. La trame est basée sur cet homme et cette femme qui se retrouvent sur Copains d'Avant et finissent par essayer de ranimer une ancienne liaison. Nos investisseurs américains exigent une fin hollywoo-dienne.

— Alors, restera-t-elle avec son mari ou le quittera-t-elle pour son ancien jules ?

— Elle abandonne son mari.

— Et en quoi est-ce une fin heureuse ?

— Je n'ai pas dit que c'était une fin heureuse, j'ai dit que c'était une fin hollywoodienne.

— Ce serait pourtant plus romantique si elle restait avec son mari, non ?

— Lucy, si elle ne partait pas, ce serait un peu gnangnan, non ?

— Et que devient le mari ?

— Il trouve quelqu'un d'autre, s'impatienta-t-il.

— Et la femme avec son ancien jules ?

Il bâille.

— Elle meurt. C'est plus pratique, comme ça. De vieilles relations ne font pas de bons films. Ce sont

389

les débuts, la tension sexuelle et l'excitation que les gens veulent voir.

— Je pense qu'un amour à long terme est davantage une attitude qu'un état d'esprit. Ça dépend plus de ce qu'on peut offrir à l'autre que de ce qu'on en reçoit. Je trouve cela plus intéressant qu'une relation immature. Du moins, je l'espère.

— Un retour sur ton investissement, lent mais garanti ?

— Oui, on peut dire ça comme ça.

— Alors mon mariage est mal barré parce que je suis un salaud d'égoïste. Et ton mari ?

— Il est très porté sur les détails, ce qui me rend dingue. Mais il n'est pas foncièrement égoïste. Pas comme toi. C'est peut-être ce qui explique ta réussite, d'ailleurs !

— Le problème, avec le succès, c'est qu'on rencontre toujours des gens qui ont encore mieux réussi. Quand j'ai fait mon premier film, je pensais que ce serait suffisant. Maintenant j'ai compris que si je ne produis pas une quantité astronomique de travail excellent, j'aurai le sentiment d'être une merde. Je connais des moments d'euphorie mais je me sens rarement satisfait. La satisfaction me fuit.

Je sais que j'ai dû passer à côté d'indices évidents, mais cet homme a cessé de m'attirer. Ma curiosité, celle de quelqu'un qui a assisté aux débuts d'une histoire, me poussait à vouloir connaître la suite du récit pour deviner s'il aurait une fin heureuse.

En jetant un coup d'œil à ma montre, je me suis rendu compte avec horreur que j'étais restée assise dans ce bistro pendant près de deux heures. Le magasin était désormais fermé et j'avais oublié d'acheter les caleçons. Retourner au camping sans ces fichus dessous était inconcevable. J'ai fouillé mon sac en quête de mon portefeuille et constaté avec effroi que j'y avais glissé le soutien-gorge et la culotte tant convoités dans le magasin. C'était la première fois de ma vie que j'avais volé quelque chose. J'ai aussitôt décidé de les garder. Je n'éprouvais aucun remords pour ce larcin non prémédité. On pardonne les actes irréfléchis d'une moralité douteuse à condition qu'ils soient inconscients.

— Tu es toujours restée quelque part dans mon esprit, Lucy, tu sais ? Je me suis toujours demandé ce qui serait arrivé si nous avions vécu ensemble. Si tu aurais pu être la réponse.

Entre ses doigts, la tasse semblait minuscule.

— Ah oui ?

J'ai remarqué qu'il avançait une main vers la mienne et me suis brusquement levée de ma chaise. Celle-ci a basculé en arrière, contre le radiateur. Je l'y ai laissée.

— Non, je ne pense pas. On a tort de croire que ce sont les autres qui vont vous rendre heureux. Ça aide, mais ce n'est pas la panacée. Bon, je ferais mieux d'y aller maintenant.

J'ai posé un billet de cinq livres sur la table, sachant qu'il n'aurait pas de cash. Il n'en avait jamais.

— C'était vraiment sympa de te revoir.

Il s'est maladroitement levé et m'a dit que nous devrions rester en contact, mais je savais qu'il n'en pensait pas un mot. Nous en avions déjà trop dit et il serait difficile de nous revoir.

Dans un sens, cette rencontre était une bonne chose. Pour moi, elle fermait un chapitre. Mais avoir oublié les caleçons de Tom et volé des sous-vêtements pour moi aurait des conséquences. Quand je suis revenue au camping, il était furieux avant même que je lui avoue mon expédition infructueuse.

— Mais qu'est-ce que tu as fichu tout l'après-midi ?

Fred est tombé dans la boue et a pleuré pendant plus d'une heure. Joe a cru qu'il allait se ratatiner comme une vieille pomme en voyant ses doigts fripés par l'eau de mer. J'ai aussi trouvé ce passeport dans la voiture et Sam a pleuré parce qu'il avait peur que tu le prennes pour un cafeteur.

Je me suis tournée vers Fred. Ses cheveux étaient couverts de filaments d'algues, de boue séchée et de minuscules plumes. Son visage était sillonné de petites rigoles bien propres et j'imaginais facilement les torrents de larmes qui avaient dû dévaler ses joues.

— Pourquoi ne l'as-tu pas lavé ? dis-je en prenant son petit visage dans la main.

— Je pensais que tu allais rentrer m'aider ! protesta Tom d'un ton désapprobateur.

Là, je pivote vers Sam :

— Mon chéri, papa et moi allons nous disputer un peu. Tu veux bien garder un œil sur Fred et Joe, s'il te plaît ?

Alors j'ai raconté à Tom que j'étais tombée sur un ancien collègue. Il se souvenait de lui avec une clarté inhabituelle et m'a demandé si j'avais déjà couché avec lui, s'étant toujours douté qu'il y avait eu quelque chose entre nous. J'ai pris une mauvaise décision. Oubliant de voir la situation du point de vue de Tom, j'ai pensé que, dans la mesure où ce n'était pas important pour moi, il en serait de même pour lui. Je lui ai donc raconté la vérité sur la première rencontre, estimant que c'était arrivé il y a si longtemps qu'il y avait prescription. J'étais même contente que cet homme compte si peu pour moi. Mais apparemment, Tom ne partageait pas mon avis. Je n'ai donc pas mentionné la seconde fois. Puis j'ai traité Tom d'hypocrite. Parce que c'était lui qui avait couché avec

Joanna Saunders en premier et qu'il l'avait fait bien plus souvent et plus longtemps que moi. Son ardoise comportait des arriérés. Et toutes ces vieilles plaies ont été rouvertes.

Oublier est parfois plus facile que de pardonner.

Chapitre 18

« Si tu ne peux pas monter
deux chevaux à la fois,
tu n'as rien à faire dans un cirque. »

Un mois après cette soirée, je reçois un texto de
Robert Bass disant : « Il faut qu'on parle. Peut-on se
voir pour un café ? J'ai fini mon livre. » Je reconnais
que, quelle que soit ma réponse, elle est classée parmi
les décisions « haut de la pyramide ».

Après ce qui s'était passé au cours du dîner, nos
contacts s'étaient chargés de sous-entendus assez particuliers. Notre tête-à-tête dans la penderie ne laissait
aucune place aux doutes. L'attraction était explicite.
J'allais devoir me montrer plus responsable dans mes
choix. C'est comme la différence entre voler consciem-
ment ou inconsciemment des sous-vêtements dans le
magasin de Holt. Voilà ce qui arrive quand les fantasmes empiètent sur la réalité.

Je m'efforce d'attendre au moins une demi-heure
avant de lui envoyer le texto suivant : « Félicitations,
mais je ne pense pas que ce soit une bonne idée. »
En tenant tacitement compte de ce qui s'était passé,
je court-circuite non seulement une éventuelle rechute,
mais je me coupe également de toute tentation de badi-

nerie, même innocente. Soulagée, je me félicite d'avoir pris cette décision que j'estime raisonnable et bonne. S'il n'y avait pas eu de fruit interdit dans le jardin d'Éden, Ève n'aurait jamais été obligée de choisir entre croquer ou non cette fichue pomme. Le ton de mon message restait ambigu tout en étant exprimé avec la plus grande conviction.

Se montrer rationnel est un de ces investissements à long terme qui rapportent peu de bénéfices immédiats.

Même si j'ai eu quelques remords, ce genre de culpabilité aiguë ne peut pas être soulagé par une confession en bonne et due forme. Il s'agit plutôt d'un mal chronique qui finira par s'atténuer avec le temps. Donc personne, en dehors de Père-célèbre et moi, ne sait que nous nous trouvions seuls dans le dressing-room.

Je préfère ignorer le principe évident selon lequel les secrets alimentent les fantasmes.

Quelques semaines après avoir envoyé ce texto, les vacances de Pâques étant reléguées au rang de souvenir lointain, j'entre dans le bistro du coin après avoir déposé les enfants à l'école. Mère-efficace a en effet organisé une réunion pour préparer la prochaine fête de l'école. Depuis la fameuse soirée, c'est la première fois que je vais me retrouver aussi près de Robert Bass car, jusqu'à ce jour, j'ai réussi à éviter tout contact, même superficiel.

Tandis que je franchis la porte, Mère-parfaite n° 1 m'adresse un signe de la main. D'un geste autoritaire, elle tapote le siège libre à sa gauche. Je m'approche pour m'asseoir, soulagée de constater que je suis arrivée tôt et bien avant Robert Bass. À vrai dire, je suis à la fois soulagée et inquiète. À côté de sa ravissante robe imprimée des années cinquante et ses immenses lunettes de soleil, je vais passer inaperçue. En revanche, elle cherchera forcément à me parler de Guy.

— Bonjour, Isabelle !

Elle semble ravie.

— Oh, c'est la première fois que je vous entends m'appeler par mon prénom.

Avec nostalgie, je me rappelle la période lointaine où j'avais de la chance quand Mère-parfaite n° 1 me jetait quelques miettes d'attention, même dénuées de tout contenu émotionnel. Aujourd'hui, mes sentiments envers elle sont empreints d'un inconfortable mélange de saveurs incompatibles, telle une expérience culinaire où un apprenti cuisinier associe d'improbables ingrédients dans une tentative désespérée de produire un nouveau plat inoubliable. Curry, sucre et sel... Admiration, compassion et culpabilité...

J'ai de l'admiration pour la manière dont elle a décidé de gérer la situation. Elle a porté seule le poids de son chagrin, sans contaminer les enfants avec son anxiété, tout en continuant à affronter le monde avec le même mélange d'humour, de détachement et de souci exacerbé de la mode. Cette attitude de noble dignité force ma compassion.

La culpabilité prédomine néanmoins et je me sens profondément partagée. À l'origine, j'étais persuadée que ce serait une erreur de trahir Emma. L'importance et la profondeur de ma relation avec elle n'ont aucune commune mesure avec la camaraderie bourgeonnante d'Isabelle. Mais maintenant, je culpabilise davantage de mentir à Isabelle que de flirter avec Robert Bass. Si je me tiens à mes résolutions, il n'y aura pas de répercussions pour moi. Simplement un retour au *statu quo*. La position d'Isabelle me paraît bien moins facile et comporte une bonne dose de souffrance inévitable.

Les premières semaines après la soirée, nous avons

échangé plusieurs coups de fil avec Isabelle au sujet de l'éventuelle identité de la maîtresse de Guy et des quelques indices qu'elle avait récoltés lors de son enquête. Le fait que ces appels se soient espacés prouve simplement qu'elle s'apprête à découvrir Emma ou qu'elle pressent ma participation à cette conspiration. Ce en quoi elle n'a pas tort.

Et puis Emma me contrarie terriblement. Je me suis évertuée à lui expliquer que plus elle prolongera sa relation avec Guy, plus elle aiguisera la colère et la douleur d'Isabelle, rendant le rafistolage de leur mariage d'autant plus difficile. Chaque fois que je lui en parle, elle promet de mettre un terme à leur liaison. Elle prétend se servir d'une méthode qu'elle a baptisée le « retrait progressif ». J'ai beau lui affirmer que cela me fait penser à une technique sexuelle tantrique, elle maintient que cette stratégie lui permettra de quitter le terrain en position de force.

Je suis tentée de démasquer Emma mais, en l'état actuel des choses, cela n'arrangerait rien. Isabelle a conservé sa dignité grâce à son activité de détective qui canalise sa colère et lui donne le temps de trouver une riposte appropriée.

Mes réserves de colère sont donc dirigées vers Guy. Fait étonnant, j'ai reçu quelques coups de fil de sa part. Il voulait s'assurer que je ne piperais mot à sa femme de ce qui se passe et me supplier de convaincre Emma de lui foutre la paix. Je me demande si Isabelle surveille toujours ses appels et ce qu'elle va conclure de cette nouvelle piste sur le relevé de téléphone.

Je l'observe. Les soucis lui vont à merveille. Je la trouve resplendissante.

— Vous ressemblez à Jackie Kennedy lors de sa lune de miel à Acapulco !

— Voilà une analogie plutôt malheureuse. Et à plus d'un titre.

Puis, regardant par-dessus ses lunettes, elle ajoute :

— Bien qu'en ce moment j'envisage de tirer une balle sur Guy. Particulièrement depuis que j'ai découvert qu'il ne se trouvait pas du tout en France la nuit du dîner au restaurant.

— Je parlais de votre allure. De toute façon, JFK ne devait pas encore avoir de liaison à cette époque-là.

J'essaye alors de la rassurer et de l'orienter sur un autre sujet que son mari.

— Je ne pensais pas à ses liaisons, chuchote-t-elle laconiquement. J'ai mis ces lunettes parce que je me suis blessée en faisant du sport.

— J'ignorais qu'on pouvait tonifier les muscles du visage. Ça ne risque pas de creuser les rides ?

— Êtes-vous délibérément contrariante, Lucy ?

Mais je sais qu'elle trouve ce genre de conversation agréablement distrayant.

J'aimerais lui dire que je me sens profondément mal à l'aise avec l'intimité croissante de notre relation et que je souhaiterais revenir aux sujets que nous abordions auparavant. Mais il est trop tard. Nous sommes liées par les circonstances.

Elle soulève ses lunettes et révèle un œil au beurre noir impressionnant qui s'étire du sourcil gauche jusqu'à la pommette.

— Je me suis accidentellement donné un coup de poing pendant mon cours de boxe française. C'est parce que je suis très préoccupée.

— Avoir un si joli petit cul doit exiger quelques petits sacrifices.

— Lucy, on a deux choix dans la vie : sauver son visage ou ses fesses. J'ai opté pour mes fesses.

Je parais sûrement troublée car elle ajoute :

398

— Quand on fait trop de sport, on chope des rides. Si on prend du poids, le visage rajeunit.

— Mais votre mari vous voit sûrement plus souvent de devant que de derrière, non ? Ne vaudrait-il pas mieux investir dans votre visage ?

— Puisque vous me posez la question, je vous dirai qu'en ce moment, je ne lui montre ni l'un ni l'autre. Je fais grève. De plus, mon coach personnel m'a conseillé de tout concentrer sur mon plus gros atout. Il s'agit d'un placement pour l'avenir, au cas où les choses ne s'arrangeraient pas.

Sa voix tremble légèrement et une petite larme roule sur sa joue gauche, sous ses lunettes de soleil.

Elle l'efface en reniflant délicatement et je pose ma main sur son avant-bras d'un geste de compassion. Si seulement Emma pouvait voir cet aspect de l'histoire.

— Ne soyez pas gentille avec moi. Je ne supporte pas qu'on me prenne en pitié. Dites un truc méchant pour que je ne me mette pas à pleurer.

— Votre robe est aussi sexy qu'un parterre de chrysanthèmes. Dans les jugements de divorce, les juges ne considèrent pas les coaches personnels d'un œil favorable. Votre prochaine voiture sera une G-Wiz[1]...

Elle sourit faiblement.

Robert Bass se dirige vers nous pour se joindre au groupe et j'essaie de me concentrer sur mon jus d'orange, aspirant bruyamment par la paille et résistant à la tentation de lever la tête vers lui. Je m'autorise à regarder ses jambes et note qu'il porte un jean coupé grossièrement juste au-dessus des genoux. Un été caniculaire n'est pas le moment idéal pour bannir

---

1. Voiturette électrique d'origine indienne, de plus en plus prisée pour circuler dans Londres, mais dont les normes de sécurité sont catastrophiques. (N.d.T.)

des pensées lascives. Je suis des yeux ses jambes qui se dirigent vers un siège vide à côté de Mère-efficace. J'essaie de trouver du ridicule dans ses genoux, de détecter des poils sur ses orteils, un talon calleux... Bref, un détail susceptible de faire éclater la bulle de désir.

Je mentirais en prétendant que je n'ai pas pensé à lui au moins une fois par jour. Pourtant, dès qu'il surgit dans mon esprit, je tâche de songer à autre chose, à un sujet sérieux qui dénoncerait la frivolité de mon obsession. Par exemple, j'établis une liste mentale des pays ayant pâti des cafouillages de la politique étrangère américaine. Puis, si cela n'offre pas un dérivatif assez efficace, je les classe dans un quelconque ordre alphabétique, géographique, démographique ou autre. Est-ce que l'Irak représente un plus grand plantage militaire que le Vietnam ? Doit-on juger une situation en fonction du nombre de victimes civiles ou des décennies perdues avant de revenir au point initial ? La catastrophe du Nicaragua a-t-elle été plus importante que celle de la Somalie ? Parfois, mon esprit s'égare. Un soupçon d'infidélité changerait-il radicalement le paysage de mon mariage ? Combien de temps faudrait-il pour revenir au *statu quo* ? Quels seraient les dégâts collatéraux ?

Si ma résolution avait besoin d'être soutenue, je prendrais le temps d'observer mes enfants et de m'assurer que j'ai assez de volonté pour résister aux avances de Robert Bass. Mais ce que je n'avais pas compris, c'est que si, moi, je tentais bien de faire machine arrière, lui, par contre, poursuivait sur sa lancée. Ma manie de voir les situations du point de vue des autres me faisait défaut au moment précis où elle m'aurait été le plus utile.

Malgré tout cela, je me considère comme une sacrée

veinarde car, chaque fois que le souvenir de la penderie menace d'envahir mon cerveau, il me suffit de porter mon attention vers les autres incidents de cette fameuse soirée. Déplacement d'anxiété : voilà comment Mark – qui éprouve le besoin d'étiqueter tout et n'importe quoi – baptiserait ces cycles menaçants.

Mère-efficace tape vigoureusement dans ses mains pour indiquer que la réunion a commencé, puis me tend un stylo et du papier afin que je prenne des notes. Nous nous redressons tous sur nos sièges et je résiste toujours à l'envie de regarder Robert Bass. Père-célèbre débarque dans le bistro en traînant ses tongs. Il porte un jean super slim qui doit appartenir à sa femme et un chapeau enfoncé sur la tête dont seul le bas du visage dépasse. Il nous demande, à Isabelle et à moi, de nous déplacer pour venir s'asseoir à mes côtés. Maintenant, je suis coincée entre eux deux. Il pue la transpiration et l'alcool. Calé contre moi, son bras s'appuie sur le mien. Quand il le bouge pour porter une tasse de café bien noir à sa bouche, je lèche subrepticement mon poignet et découvre qu'il a pris un goût de whisky.

— Comment ça va, Sweeney ? chuchote-t-il d'une voix éraillée.

J'ai horreur qu'on m'appelle par mon nom de famille.

— Elle propose qu'on donne un thème romain à la fête, qu'on s'y présente en costume et qu'on parle latin.

— Est-ce encore une de ces coutumes anglaises bizarroïdes ?

Il retire ses lunettes de soleil.

— Non, juste du nord de Londres.

Il a une tête épouvantable, comme si l'on était à la fin d'une longue nuit plutôt qu'au début d'une nouvelle journée. Ses yeux sont tellement injectés de sang que les miens commencent à pleurer.

— Je pense que vous devriez remettre vos lunettes de soleil.

Puis, désignant Isabelle, j'ajoute :

— Vous serez en bonne compagnie.

— J'implose, Sweeney, dit-il.

Il imite le son d'une explosion.

Mère-efficace nous jette un regard désapprobateur.

— Ma femme est partie, continue-t-il. Elle a emmené les enfants avec elle aux États-Unis. Ma plus jeune fille m'a demandé si j'étais une étable.

— Comment ça ? Qu'est-ce qu'elle voulait dire ?

— Instable. Mais je ne le suis pas. Je traverse des périodes d'autodestruction puis je remonte la pente. C'est ma façon de survivre.

— Qu'est-ce que vous fichez ici, alors, si vous n'êtes plus un parent ?

— Je commence un tournage à Prague dans quatre semaines. En attendant, je n'ai rien de mieux à faire. C'est plus divertissant que de regarder la télé et il faut que je garde un œil sur vous.

Quand j'ai fini de compter jusqu'à cent cinquante dans ma tête, je m'autorise à lever la tête et à jeter mon premier coup d'œil vers Robert Bass. Je remarque que les manches de son T-shirt sont négligemment roulées et révèlent le haut de son bras et un soupçon de son omoplate. Sa peau est bronzée. Il est calé contre son dossier, les jambes étendues devant lui. Il se sert de l'index de sa main gauche – celui avec lequel il m'a touchée – pour tracer de petits cercles sur la table poussiéreuse. Il se passe sans arrêt l'autre main dans les cheveux jusqu'à ce qu'ils finissent par rester dressés sur sa tête.

Une à une, je me rappelle les situations bizarres qui ont ponctué cette fameuse soirée, comme un scientifique collecterait les preuves empiriques en vue de calculer la probabilité d'une catastrophe naturelle. Je pense aux gens dans les bureaux du Colorado, enregistrant chaque jour les moindres mouvements tectoniques de la planète et essayant de prédire un éventuel tremblement de terre. S'ils appliquaient les mêmes techniques à ma vie, ils concluraient sûrement qu'un incident sérieux est sur le point de se produire. Je suis devenue la grande faille de San Andreas[1].

Je ferme les yeux pour prendre une profonde inspiration puis réprime un soupir. Je me souviens de l'odeur de la veste en mouton retourné d'Isabelle, du robinet qui gouttait, de la chaleur de sa main sur ma peau… Plus tard, j'avais même vérifié si elle n'avait pas laissé une trace de brûlure. Sans omettre le tissu de ma robe portefeuille, étiré à l'épaule… et à jamais déformé. Je me demande ce qu'il aurait fait par la suite si Père-célèbre ne nous avait pas interrompus. Cette main, qui trace désormais des cercles sur la table, je l'imagine à l'intérieur de ma robe, descendant de l'épaule vers le bas de mon corps. Là, je laisse échapper un soupir plutôt sonore. Père-célèbre me donne un coup de coude.

Quand j'ouvre les yeux, Robert Bass m'observe. Je me demande depuis combien de temps. Il retire le doigt de la table et se caresse pensivement la lèvre inférieure. Puis il me sourit, d'une espèce de demi-sourire en partie caché par son index. Je suis sûre qu'il lit dans mes pensées.

— Ressaisissez-vous, Sweeney, me murmure à

---

1. Faille géologique à l'origine de nombreux tremblements de terre en Californie. *(N.d.T.)*

l'oreille Père-célèbre. À moins que vous ne souhaitiez révéler ces regards affamés à toute la classe.

Je me redresse sur mon siège. Suis-je donc si transparente ?

— Pensez dieux et gladiateurs ! Toges et armures ! s'excite Mère-efficace.

Je me penche vers Père-célèbre et chuchote :

— Je parie qu'elle va pimenter cette histoire avec un soupçon de compétition.

— Et n'oubliez pas qu'un prix récompensera le parent le mieux déguisé ! ajoute-t-elle triomphalement.

— J'adore la manie des Anglais de sauter sur la moindre excuse pour se déguiser, explique Père-célèbre.

— Je pense qu'il faudrait soumettre cette proposition au vote, intervient Robert Bass d'un ton maussade.

Il se penche en avant et la manche droite de son T-shirt descend sur le haut de son bras.

— *In vita priore ego imperator romanus fui*[1], déclame Mère-efficace. De plus, la démocratie n'existait pas dans la Rome antique. Au trimestre dernier, nous étions convenus de donner une portée pédagogique à chaque événement scolaire.

— Nous ne vivons pas dans la Rome antique mais au nord de Londres, insiste Robert Bass. Nous ne suivons pas tous des cours accélérés de latin pour aider nos enfants à faire leurs devoirs.

Il est encore plus sexy quand il est en colère, me dis-je, rêveuse. Sa rage est nettement plus grisante que ses monologues sur les vertus du compostage.

— Je pourrais peut-être recycler le costume que je portais dans *Troie*, suggère Père-célèbre, tentant d'arrondir les angles.

---

1. Dans une vie antérieure j'étais un empereur romain. *(N.d.T.)*

404

Robert Bass le fusille du regard, tandis que Mère-efficace applaudit et ouvre son ordinateur portable.

— Ce n'est pas la même époque mais je trouve cette idée formidable !

— J'espère que vous nous avez de nouveau amené ces jolies nanas ! susurre Père-célèbre en se penchant vers elle.

Mère-efficace se tortille sur sa chaise, croise et décroise ses jambes. Son sourire est figé mais, de toute évidence, elle apprécie la situation.

— Et votre costume, comporte-t-il des chaînes et des jambières ? demande-t-elle avec une pruderie affectée.

— Tout le tintouin, y compris un casque avec une crête rouge ! précise Père-célèbre.

Je m'affole :

— Quoi ? Vous voulez que nous fassions notre propre costume ?

— Il suffit d'assembler un truc sur votre machine à coudre, pas vrai ? s'impatiente Mère-efficace.

Je laisse échapper un gémissement et m'insurge :

— Mais je n'ai pas de machine et j'ai déjà passé plus d'une semaine à fabriquer le costume de l'Ours Barney pour la pièce de théâtre !

— Et que sont censés porter les hommes ? demande Robert Bass. On n'a pas tous des costumes made in Hollywood !

— Quelque chose de court et de plissé avec des sandales à lanières, rétorque Mère-efficace, consciente de tenir les rênes. Je suis sûre que Lucy vous donnera un coup de main. Je propose que vous teniez le stand des gâteaux romains tous les deux.

— Je ne pense pas que ce soit une bonne idée.

Tout le monde se tourne vers moi. J'ajoute :

— Je ne pourrais pas m'occuper du jeu de la queue du cheval de Troie, plutôt ?

Mère-efficace balaie ma suggestion d'un geste méprisant de la main.

— Mauvaise époque ! Pourquoi refusez-vous de vous charger du stand des gâteaux avec Robert Bass ?

Elle me dévisage, puis pivote vers lui. Il hausse les épaules.

— Craignez-vous un excès d'enthousiasme de sa part ? insiste-t-elle.

Je m'étouffe avec mon jus d'orange.

— Moi aussi je peux vous aider, propose Père-célèbre. Je serai Spartacus, déclare-t-il en imitant merveilleusement Kirk Douglas dans le film de Kubrick.

— Non, c'est moi, Spartacus ! rétorque Robert Bass.

— Ah non ! Spartacus, c'est moi ! intervient Isabelle.

Nous éclatons tous de rire.

Puis elle se lève soudain en levant la main. Nous l'observons, bouche bée.

— J'ai une idée, annonce-t-elle. Pensez jupes plissées, merveilleuses spartiates Miu Miu avec des incrustations turquoise, pensez vestales…

— Nous sommes censés gagner de l'argent, pas en jeter par les fenêtres, proteste Robert Bass, l'air revêche.

— Je me réjouis de l'enthousiasme que montrent certains d'entre vous, lâche Mère-efficace. Nous nous retrouverons donc dans la cour de récréation samedi matin avec nos contributions au thème de la Rome antique. Et en costume, cela va de soi !

Nous hochons tous la tête avec docilité.

— Pourquoi as-tu fait autant de gâteaux ? me

demande Tom. Il y en a un pour chaque verre de vin que tu as ingurgité ce soir ?

— Il suffirait que j'en réussisse un, dis-je en m'affalant sur une chaise, enveloppée dans le vieux peignoir de Tom. Tout mon statut de mère dépend de la production d'un gâteau parfait.

— Ne sois pas ridicule, Lucy. Pourquoi tes dons de pâtissière auraient-ils un lien avec tes qualités de parent ? C'est parfaitement illogique. Tu te comportes comme ta mère à Noël.

— L'incapacité de faire un gâteau est sûrement génétique.

— Tu n'aurais pas pu demander à Bobo-intello de les préparer à ta place ? Après tout, vous tenez le même stand, non ?

— Arrête de l'appeler comme ça, Tom !

— Je ne vais tout de même pas l'appeler Père-au-foyer-sexy ? me nargue-t-il. Isabelle m'a dit que la Mamafia l'avait surnommé ainsi. Je croyais que la pâtisserie était sa spécialité.

— C'est justement ça le problème, dis-je, troublée.

Tom pose son doigt sur l'un de mes gâteaux qui se dégonfle encore plus.

— Pourquoi sont-ils aussi plats ? On dirait des Frisbee. Tu n'as qu'à prétendre que ce sont des disques pour les discoboles romains.

— C'est une idée géniale, ça !

Je pleure presque de soulagement et me dirige vers lui pour le remercier avec un câlin.

— Ce peignoir est répugnant, dit-il en me prenant dans ses bras.

Nous restons l'un contre l'autre en silence.

— Est-ce que tout va bien ? Tu sembles très distraite ces derniers temps. Tu t'inquiètes pour Emma ? Cathy ? Ou Isabelle ?

— Je vais bien. J'attends avec impatience cet été et notre voyage en Italie.

— D'ici là, la bibliothèque sera bien avancée et je pourrai prendre de vraies vacances. Ça nous permettra de nous retrouver. Il ne nous reste plus qu'un mois à tenir. Je vais me coucher. T'ai-je dit que je devais retourner à Milan toute la semaine prochaine ?

Il ne l'avait pas fait mais, franchement, je m'habitue à ses absences. La séparation ne pose aucun problème. En revanche, il nous faut toujours un temps de réadaptation à son retour. La dérive a commencé il y a quelques mois et nous nous sommes éloignés l'un de l'autre. Aujourd'hui, la solitude me paraît presque plus facile. Je dois tenir le coup jusqu'à la fin de l'année scolaire. Les vacances d'été me narguent à l'horizon, comme la terre ferme après un voyage difficile sur une mer démontée. Si je survis à la fête de l'école, alors je serai en sécurité. Les vacances mettront une distance respectable entre Robert Bass et moi-même. De toute façon, il partira bientôt en tournée pour faire la promotion de son livre.

À 5 heures du matin, je titube jusqu'à la cuisine, prête à affronter de nouvelles hostilités. Avant même d'atteindre le sous-sol, une odeur âcre de gâteau brûlé chatouille mes narines. Hier soir, le manque de sommeil combiné à l'excès de vin m'a assommée en plein travail. Je me suis endormie, condamnant ainsi ma dernière expérience, un gâteau de Savoie, à un avenir incertain digne du déclin de l'Empire romain.

Je finis le fond d'un verre de vin qui traîne encore de la veille pour calmer mes nerfs, espérant qu'on ne me soumettra pas à un alcootest sur la route de l'école. Un spectacle accablant m'accueille, plus proche du champ de bataille que du bonheur domestique. Chaque saladier réquisitionné pour l'exercice nocturne est rempli de pâte à gâteau pratiquement pétrifiée. La desserte est devenue un *no man's land*, recouverte d'un truc visqueux impossible à identifier et de quelques cadavres de bouteilles de vin. Des casseroles sales sont plongées dans une mer de sucre glace. Le Magimix est partiellement noyé dans le chocolat. J'évalue la situation avec un sang-froid admirable et en déduis, sans m'énerver, que quelques éléments pourront être sauvés : trois super disques, un gâteau de Savoie au chocolat légèrement carbonisé et quelques autres petites babioles représentant des animaux, même si certaines ont perdu leur tête ou leur queue.

Puis j'allume la radio et tombe sur une émission destinée aux gens qui se lèvent aux aurores pour la traite des vaches ou l'esclavage pâtissier. On a remarqué une recrudescence d'hirondelles en Grande-Bretagne après des années de déclin. On manque de bergers et de vicaires dans les zones rurales. Cette image pastorale a des vertus lénifiantes et, toute revigorée, je me lance dans la préparation d'un nouveau gâteau. En cassant un œuf dans une jatte, je jette un coup d'œil par la fenêtre et vois un drap claquer doucement sur la corde à linge. Puis je panique. Concentrée sur ma quête du gâteau parfait, j'ai complètement oublié l'ingrédient crucial de la journée : le costume romain ! Je me précipite dans le jardin, stimulée par le verre de vin vespéral, et arrache le drap de la corde à linge. De l'autre extrémité du jardin, un pigeon ramier avise le gâteau de Savoie que j'ai laissé refroidir sur la pelouse et roucoule ses remerciements.

Nil desperandum, à chaque problème sa solution. Et la mienne me regarde droit dans les yeux. Un magnifique drap-housse blanc, certes un peu froissé, attend son heure de gloire. À l'aide des gros ciseaux de cuisine, je coupe un cercle grossier là où devra se trouver la tête. À côté du short fabriqué par Joe, c'est un travail d'amateur. Mais avec une corde autour de la taille, je passerai pour une jeune esclave ou un page quelconque. Les rideaux de nos voisins sont bien tirés. Je retire ma chemise de nuit et secoue le drap.

Là, j'entends un bruit et lève la tête pour découvrir Tom qui m'observe à travers les vitres de notre chambre, l'air perplexe. Il ouvre la fenêtre et se penche dehors, à moitié endormi.

— Qu'est-ce que tu fabriques à poil dans le jardin à 5 heures du matin ?

Il semble inquiet, comme s'il redoutait ma réponse. Il remarque le gâteau au milieu de la pelouse et ajoute :

— Ne me dis pas que tu t'exerces pour la compétition de lancer de disque en chocolat. Je commence sincèrement à douter de la santé mentale des parents de cette école et en particulier de la tienne.

— Chut ! Tu vas réveiller tout le monde !

J'agrandis le trou autour du cou.

— Pourquoi as-tu bousillé ce drap ?

— Voilà ! C'est évident, maintenant, non ?

— Pas pour un spectateur non averti.

— C'est mon costume romain.

— C'est curieux, parce qu'on dirait que tu as enfilé un drap avec un trou découpé au milieu.

Il referme la fenêtre en grommelant.

Quelques minutes plus tard, il déboule dans la cuisine. En remarquant les taches de chocolat sur le plafond, il soupire :

— Doux Jésus, Lucy ! J'aimerais savoir comment tu as réussi à faire un tel capharnaüm ! Pourquoi tu ne nettoies pas au fur et à mesure ? Cette méthode a fait ses preuves au cours des siècles. Même à l'époque romaine. Regarde la photo de maman. On dirait qu'elle a la varicelle, maintenant.

Il essuie le chocolat qui macule le visage de Petra et lèche méticuleusement ses doigts.

Je lui explique qu'à un moment crucial de la fabrication du gâteau, je n'ai pas réussi à mettre la main sur le couvercle du mixeur et, qu'avec mon ingéniosité de Robinson Crusoé, j'ai dû improviser et utiliser un morceau de carton dans lequel j'ai découpé un trou pour les fouets.

— Tu as tiré cette idée d'un film ? Tu réalises tout de même que tu aurais pu te servir d'une jatte plus petite.

Je retire ma dernière création du four et la démoule. Cette merveille a conspiré pour être à la fois brûlée à l'extérieur et liquide au centre. Je suis désespérée.

— Comment est-ce possible ? C'est comme être gros et maigre à la fois.

Tom se dirige vers la boîte à outils et revient avec une scie à métaux.

— Ça a bien marché pour le gâteau d'anniversaire de Joe, l'année dernière, lance-t-il pour me rassurer. Ensuite, tu pourras découper un cercle au centre et le remplir d'œufs en chocolat.

— Mais les œufs en chocolat ne sont pas authentiquement romains.

— Les pâtisseries non plus. Je ne comprends pas pourquoi tu te portes volontaire pour faire des trucs qui finiront forcément en désastres. C'est tellement maso !

Puis il s'interrompt et ajoute en secouant la tête :

— C'est impossible d'avoir une conversation sérieuse avec une adulte déguisée en drap-housse.

Il monte au premier et redescend avec son vieux manteau en tweed.

— Je sais qu'il fait chaud, mais tu ne peux tout de même pas te rendre à l'école dans cette tenue. Tu as

411

l'air ridicule. Je retourne me coucher. Je réveillerai les garçons et les emmènerai ensuite à l'école.

D'une humeur rebelle, je quitte la maison quelques heures plus tard, les disques olympiques et les animaux en chocolat dans un panier. Je marche en direction de l'établissement. Je crève de chaud et le manteau de Tom me gratte la peau. Juste devant la grille de l'école, j'aperçois Robert Bass en train d'attacher son vélo, une boîte de gâteaux en fer-blanc à motif vichy Cath Kidston calée sous son bras. C'est trop tard pour l'éviter.

Il sourit avec nonchalance.

— Beignets aux carottes. Entièrement bio. Ma spécialité.

Je décide de me rappeler cette phrase chaque fois que je penserai à lui. Car s'il existe sept mots sur terre capables d'annihiler le désir, ce sont bien ceux-là !

Il a également mis un long manteau. Je fixe ses mollets et remarque qu'ils sont pris dans des lanières de cuir, comme les anciens Romains. La curiosité me démange.

— Qu'est-ce que vous portez sous votre manteau ?

— La panoplie demandée : une toge courte et une ceinture en cuir, me répond-il en forçant un rictus.

— Courte comment ?

— Bon, disons plutôt que j'ai récupéré un drap de lit pour enfant.

Il écarte les pans de son manteau et m'expose sa tenue dans toute sa splendeur. Robert Bass en minijupe pour la fête de l'école ! Avec indulgence, je laisse courir mon regard sur ses jambes, un tantinet trop poilues à mon goût, quoique joliment galbées. Souhaitant partager son humiliation, je lui montre en vitesse mon propre drap-housse découpé au centre.

Il blêmit et recule vers le buisson pour avoir une meilleure vue.

— Mais c'est Casper le fantôme !

L'arrivée d'Isabelle me sauve d'une avalanche de moqueries. Elle s'arrête à côté de nous et la vitre électrique de son 4 × 4 super luxe s'abaisse.

— Vous voulez qu'on compare ? demande-t-elle sans attendre de réponse.

Elle descend de voiture, arborant une magnifique robe longue ivoire plissée et parfaitement repassée avec de jolies sandalettes fines.

Je suis sincèrement impressionnée :

— Comment avez-vous réussi à vous fabriquer ça ?

— C'est Issey Miyake.

— Je ne savais pas que vous aviez une femme de ménage japonaise, fait remarquer Robert Bass.

— J'ai acheté cette robe spécialement pour l'occasion.

Et là je comprends que je me suis trompée dans mes priorités. Les gâteaux au chocolat restent anonymes, contrairement au code vestimentaire qui est extrêmement visible.

Robert Bass et moi nous dirigeons en silence vers notre stand de gâteaux.

— À propos de la soirée, Lucy, dit-il. Il faut qu'on parle.

Je balaie les alentours du regard pour m'assurer que personne ne nous entend.

— Il n'y a rien à dire.

— Vous ne pourrez pas toujours m'éviter.

Les bras croisés, il se campe derrière notre stand, une planche posée sur deux tréteaux.

Comment, dans de telles conditions, garder Robert Bass à distance ? Il se donne déjà beaucoup de mal pour engager la conversation et je commence à craquer.

Tout à coup, l'arrivée d'un authentique centurion plonge la cour de récréation dans un silence inattendu. En jupette blanche, armure complète et casque avec visière et crête, il se dirige droit sur nous d'un pas martial.

— *Ave* César ! crie-t-il en fendant l'air de son épée.

Père-célèbre vient de faire son entrée.

— Je suis là pour défendre votre honneur, Lucy, murmure-t-il tandis que Robert Bass file à l'avant de notre stand pour déballer les gâteaux. À moins que je meure avant, bien sûr ! Tout cet attirail me serre un peu. J'ai sûrement pris du poids depuis qu'on a tourné le film. Ça doit être à cause de la bière.

— Pas du whisky ?

— Aussi.

Mère-efficace tape dans ses mains et crie :

— Est-ce que tout le monde peut se mettre en place ?

Une fois que nous sommes installés derrière notre stand, les nuages s'écartent et un magnifique soleil inonde la cour de récréation. Robert Bass et moi découvrons que nos draps sont devenus complètement transparents avec ce soleil dans notre dos.

— Ils ne laissent pas beaucoup de place à l'imagination, commente Père-célèbre en nous toisant de haut en bas à travers sa visière.

Il passe le bras autour de Robert Bass et appuie son épée sur son ventre.

— Vous, au moins, vous portez des caleçons longs.

— Aussi longtemps que nous restons derrière notre stand, notre dignité sera protégée par les gâteaux, rétorque Robert Bass. Il va falloir s'accrocher à eux le plus longtemps possible.

Mère-efficace s'approche en rouspétant :

— Toujours à bavarder, tous les deux ! Il y a plein de travail !

D'un geste théâtral, elle déplie une nappe qu'elle a personnellement brodée de chiffres romains, parfaitement assortie à de petites tartelettes, elles aussi décorées d'inscriptions latines. Mes petits animaux en chocolat, fabriqués avec soin et amour, ont soudain un air très... rustique.

— Où sont vos sandales romaines, Lucy ? demande-t-elle en fixant mes semelles compensées.

Puis elle me tend une coupelle remplie de fausses pièces romaines et ajoute :

— Tenez, il faut qu'on rende cela aussi authentique que possible !

— Alors j'aurais mieux fait de passer la nuit à plumer des merles et à rôtir des loirs !

Un brin dépitée, je pousse mon gâteau vers l'avant du stand. D'une main, Mère-efficace le soulève et titube avec exagération sous son poids. De l'autre main, elle avance ses tartelettes en première ligne. Un peu trop, sans doute, parce qu'elles basculent et tombent par terre.

— Je pense que c'est une véritable victoire à la Pyrrhus, déclare Robert Bass en soulevant mon gâteau pour le sauver du désastre.

Puis il aide Mère-efficace à récupérer ses tartelettes en miettes.

— Mais c'est quoi ce truc, Lucy ? Il pèse plus lourd que moi ! grommelle Robert Bass.

Avant que je puisse répondre, Mère-efficace annonce qu'elle vient d'avoir une idée géniale et décide de se servir de mon gâteau pour lancer un nouveau concours sur le thème « Devinez le poids du disque romain en chocolat ».

Maudissant intérieurement Robert Bass, je proteste faiblement :

— Mais ça ne se faisait pas à l'époque romaine !

— La tombola n'existait pas non plus, rétorque Mère-efficace du tac au tac. Mais il faut bien qu'on récolte de l'argent d'une manière ou d'une autre, non ?

Robert Bass me jette un regard navré et hausse les épaules :

— Désolé, Lucy. Nous avons affaire à une femme de devoir.

J'interviens avec un peu trop d'enthousiasme :

— Robert Bass pourrait très bien s'occuper de cette animation !

Isabelle se glisse jusqu'à nous, ses plis ondulant sensuellement derrière elle. Elle brandit une lance et fixe Père-célèbre droit dans les yeux.

— Ça fait très vestale, non ? minaude-t-elle.

C'est trop injuste. Je m'insurge :

— Mais vous avez quatre enfants !

— Pour ma part, je penserais plutôt à Minerve, lâche Robert Bass. Je peux être votre esclave ?

— Non, c'est moi ! renchérit Père-célèbre.

— Lucy, il va falloir que vous entriez un peu dans l'esprit de ce thème, me dit Isabelle, sans rancune.

— Mais c'est ce qu'elle a fait, lui assure Robert Bass en montrant mon déguisement. Elle est habillée en Casper le fantôme romain.

Ils gloussent tous de rire et je souris à contrecœur. Robert Bass s'éloigne pour organiser sa compétition et le calme revient doucement en moi.

Le soleil se lève derrière un petit nuage et révèle de nouveau ma silhouette dans toute sa gloire. Isabelle fixe mon ventre en gémissant :

— Vous auriez dû prendre des draps 100 % coton égyptien. C'est plus épais et vous auriez évité d'étaler tout ça devant tout le monde, ajoute-t-elle d'un air dégoûté en agitant son doigt devant ma tenue.

J'essaie de me justifier.

— Mais c'est beaucoup plus difficile à repasser !

— Je n'en sais rien, ce n'est pas mon rayon. Et le polyester va forcément coller à la peau. Si j'étais vous, la prochaine fois, je veillerais certainement à porter un drap en coton. Et éventuellement une culotte brésilienne.

Tandis que les autres parents arrivent et que la cour se remplit, le bruit court sur la nature quelque peu « torride » de l'animation proposée au stand de gâteaux romains. Nous nous retrouvons assaillis de parents et d'enfants qui commencent à faire monter les enchères sur les disques en chocolat. Une longue file bien rangée s'est formée devant le concours « Devinez le poids du disque romain en chocolat ».

Le soleil est maintenant tellement chaud que je me retrouve enveloppée dans un fourreau de polyester, trempé de sueur, et qui se colle à moi sans la moindre pitié. L'orifice de la tête hâtivement découpé s'est affreusement agrandi et, en l'espace d'une heure, le décolleté sage est devenu plongeant, voire inconvenant. Chaque fois que je me penche en avant pour prendre de la monnaie dans la boîte de « sesterces », je suis obligée de plaquer l'avant du drap contre ma poitrine pour rester décente. C'est parfaitement agaçant car, pour servir des gâteaux, j'ai besoin de mes deux mains. Alors, Père-célèbre préserve ma dignité en plaçant sa main quelque part juste au-dessus de mes seins.

Il profite d'une accalmie dans nos ventes pour me toiser de la tête aux pieds, évaluant mon corps sans la moindre gêne.

— Plus Vénus que Minerve ! plaisante-t-il. Rien de tel qu'une Romaine bien en chair pour attiser l'appétit d'un humble centurion.

J'avise Tom qui approche, les trois garçons sur les talons.

417

— Il paraît que le stand des gâteaux est le clou de la fête, Lucy ! lance-t-il, incrédule. J'aurais dû me montrer moins sceptique.

Il jette un coup d'œil à Père-célèbre :

— Super costume ! Mais il faudra peut-être prévoir une autre tenue pour notre match d'Arsenal.

Le soleil réapparaît.

— Doux Jésus, Lucy ! ajoute-t-il en reculant d'un pas. Heureusement que tu as un centurion pour protéger ton honneur.

Puis, la tête jetée en arrière, il éclate d'un rire tonitruant qui dure probablement une bonne minute.

— On voit la culotte de maman, annonce Sam à qui veut l'entendre.

— Bon, je repasserai plus tard, déclare Tom.

— Rien de tel que les enfants pour vous ramener les pieds sur terre, dit Père-célèbre d'un air navré. Parfois, on ne prend conscience de ses richesses qu'en les perdant. Les gens instables sont des gens dangereux, Lucy. D'ailleurs, j'ai viré mon psy. Je le tiens en partie responsable du problème.

Chapitre 19

« Le feu est un bon serviteur
mais un mauvais maître. »

Plus tard, ce jour-là, je me traîne dans l'escalier qui mène au club privé d'Emma. C'est un de ces jours d'été londoniens où la chaleur tombe du ciel pour rebondir sur le bitume, si bien qu'on en ressent toute la puissance quelque part au niveau de la taille. Mes vêtements me collent à la peau et je commence à me dire que j'aurais mieux fait de rester chez moi. Mais nous sommes là pour fêter la promotion d'Emma. Je grimpe d'étage en étage et il fait de plus en plus chaud. Quand j'arrive enfin au bar, je m'adosse contre les boiseries pour reprendre mon souffle, espérant me rafraîchir, mais le bois est brûlant et poisseux. Il laisse même une marque brune sur mon chemisier blanc.

Avec envie, je pense à la robe bain de soleil d'Isabelle et à la légèreté de son tissu fleuri. Et dire que cela fait près d'un an que je ne me suis acheté aucun vêtement ! La femme de ménage d'Isabelle a pris une journée entière pour trier ses affaires d'été et d'hiver. Ma vie ne connaît pas ce genre de cloisonnement saisonnier. Je porte le même jean qu'à ma dernière visite, il y a dix mois.

Ça m'a tellement épuisée de m'être couchée tard et

levée tôt pour ces fichus gâteaux… Je me sens dans le même état qu'à l'époque où mes enfants étaient encore bébés. Une espèce de torpeur interrompue par des sursauts, comme si l'on essayait de me réveiller. Bon, personne n'est jamais mort du manque de sommeil, mais cela explique indubitablement mes comportements pour le moins erratiques. Et peut-être aussi ce qui s'est produit par la suite. Au début, tout semblait se passer comme dans un rêve. Je ne cherche pas d'excuse, c'est juste une explication plausible.

Tom a proposé de garder les enfants car il culpabilisait d'avoir oublié de m'informer qu'il irait à Milan la semaine suivante. Mais il avait mis une condition à son offre : les enfants devaient être couchés avant que je quitte la maison pour lui permettre de se concentrer sur son travail avant le voyage. Donc, entre la fête de l'école et mon départ de la maison, j'ai simultanément préparé des spaghettis bolognaise et soigné la blessure que Fred s'est faite au genou quand Joe lui a accidentellement donné un coup de pied pendant la partie de foot dans le jardin. Le sang a toujours suscité une grande fascination, même chez Sam qui, à neuf ans, n'était toujours pas blasé par les possibilités dramatiques d'une blessure sérieuse. « Il y a du sang ? » demandait toujours l'un d'entre eux, plein d'espoir. Je pouvais sentir un frisson d'excitation quand je répondais par l'affirmative, un mélange de respect et de dégoût. Je pense que le sang prouve aux enfants qu'ils existent indépendamment de leurs parents, qu'un jour ils devront affronter seuls les vicissitudes de la vie.

J'ai également démarré une lessive et interrogé Sam sur sa leçon d'orthographe ; appelé une autre mère pour confirmer la présence de Joe à un futur goûter d'anniversaire et réparé une étagère ; repassé le jean humide que je porte en ce moment tout en répondant à la question de Joe sur le sperme.

— Maman, c'est grand comment, un spermatozoïde ?

— Minuscule.

— Même si on est un spermatozoïde de baleine ?

— Exact. Quelle que soit ta taille, le spermatozoïde est toujours minuscule.

J'espérais le décourager pour qu'il choisisse un autre moment pour approfondir le sujet.

— Je peux en faire un animal de compagnie ?

— Ils ne survivent pas longtemps une fois qu'ils ont quitté leur maison.

Je savais que ces balivernes allaient semer la confusion plus tard, mais je n'avais franchement pas le temps de m'appesantir. Je devais retrouver Cathy et Emma dans moins d'une heure.

— Papa pourrait t'en donner un, intervient Sam, essayant de se montrer utile. Il en cultive.

Joe lui lance un regard méfiant. Sam prend la vie avec légèreté. Joe, pour sa part, ne se défera jamais de ses doutes et de ses questionnements.

C'était l'occasion rêvée pour les embarquer dans une discussion sur les oiseaux et les abeilles, mais je n'avais pas une minute à perdre. Je m'imaginais déjà Joe à l'âge de seize ans, faisant l'amour avec une fille, la mettant enceinte, puis venant me blâmer pour lui avoir assuré que les spermatozoïdes ne survivaient pas dans le monde extérieur. Mais d'ici là, nous aurions forcément d'autres prétextes pour continuer cette discussion.

— Je pense que je vais plutôt économiser mon argent de poche pour m'en acheter, dit-il.

— Mieux vaudrait élever un poisson rouge, mon chéri. Ils ont plus de personnalité. Bon, et si vous faisiez une partie de Top Trumps tous les deux ?

Ce n'était pas ce que j'aurais appelé un baby-sitting

grand luxe, me dispensant des bains, des histoires pour s'endormir, du rituel qui demande bien une heure et demie, même en prenant des raccourcis. Ce genre de baby-sitting vous laisse sur les rotules quand le moment de quitter la maison se présente enfin. En faisant la lecture à Joe, je sentais mes paupières s'alourdir et il était déjà 8 h 30 lorsque Tom m'a réveillée.

— J'ai mis Fred au lit. Dépêche-toi, tu peux encore y arriver !

En filant par la porte, j'ai grommelé un merci du bout des lèvres parce que je lui en veux. Je pourrais compter sur les doigts d'une main le nombre de fois où il a gardé les enfants pour me rendre service. Alors que moi je les ai couchés toute seule un nombre incalculable de fois. Et pourtant, je sais qu'il s'imaginera avoir accumulé infiniment plus de points pour le baby-sitting de ce soir qu'il ne m'en accordera jamais. Comment se fait-il que même les hommes les plus serviables se sentent obligés d'enregistrer la moindre contribution, que ce soit le bain des enfants, la préparation du petit déjeuner ou le chargement du lave-vaisselle ? Ce soir, en rentrant, je sais que je retrouverai les vestiges du dîner sur la table et que ce sera à moi de m'occuper de Fred quand il se réveillera comme il le fait pratiquement une nuit sur deux.

Alors, bien que la perspective de sortir avec mes amies me remplisse généralement de joie, telle une adolescente qui retrouve son nouveau petit ami pour la première fois, ce soir je n'ai qu'une seule envie : m'avachir devant la télévision avec une bonne bouteille de vin pour seule compagnie.

Pourtant, lorsque Emma et Cathy me font un signe de l'autre côté de la pièce, mon moral reprend un peu du poil de la bête.

Nous ne nous sommes pas vues depuis presque deux

mois et ma dernière sortie avec Emma reste gravée dans ma mémoire pour des raisons on ne peut plus inavouables. En tout cas, nous n'avions pas eu le temps de bavarder et, depuis que j'ai décidé de rompre tout contact avec Robert Bass, je suis au plus bas. Je finirai peut-être par remonter la pente, mais pour l'instant il y a comme un vide dans ma vie.

— À la domination du monde ! lance Emma en me tendant une coupe de champagne quand je m'assois en face d'elle. À compter d'aujourd'hui, je dirige l'Europe, l'Afrique du Nord et le Moyen-Orient.

Je porte un toast à sa réussite et vide ma coupe d'une seule traite comme si c'était de l'eau. La capacité d'Emma de toujours aller de l'avant ne cesse de me sidérer. Elle investit toujours de nouveaux territoires, semblable à une puissance colonisatrice, tandis que moi j'ai un mal fou à régner sur mon petit lopin de terre. Même la pile de linge sale est en état de constante rébellion.

— Je suppose que c'est un peu comme avoir trois enfants, dis-je. L'aîné se tient relativement tranquille mais a tendance à réclamer de l'argent de poche, celui du milieu se sent tout le temps exclu et le petit dernier est têtu et infatigable.

Fière de mon relativisme géographique, je m'installe confortablement dans le canapé en velours.

— Je lis encore les journaux, vous savez et...

Puis la sonnerie de mon téléphone m'interrompt. Sans même vérifier le numéro, je sais que l'appel provient de Tom. Si je devais être une région, ce serait l'Afrique centrale. Une anarchie complète, prête pour la guerre civile, et sous la férule de petits dictateurs.

— Lucy, je n'arrive pas à trouver les couches et si je n'en mets pas une à Fred pour la nuit, il va pisser partout.

— Il se peut qu'on soit à court. Je passerai en

acheter sur le chemin du retour. Il va falloir que tu improvises.

J'écarte le téléphone de mon oreille et attends sa réaction.

— Et qu'est-ce que tu suggères ?

— Eh bien, prends une serviette de table et enfile un épais pantalon par-dessus. Tu gagneras quelques heures.

— Tu as déjà fait ça, pas vrai ? jette-t-il, exaspéré.

Puis il raccroche.

Emma semble impressionnée.

— Tu trouves toujours la solution à n'importe quelle situation. Tu es tellement douée pour improviser. C'est un véritable don.

— Ça fait partie du métier de mère. Trois petits bouts et un mari au bord de la crise de nerfs réveillent le pompier qui sommeille en toi.

— Je n'imagine pas avoir trois enfants un jour. Le destin est assez cocasse : c'est la première fois depuis des siècles que je garde un jules aussi longtemps et pourtant je n'ai jamais été aussi loin d'avoir un bébé. Guy ne voudrait pas d'autres enfants de toute façon.

Ce disant, Emma tapote le gros sac à main noir, qui avait servi à transporter les outils le fameux soir de notre expédition nocturne, comme une femme enceinte caresserait son ventre. Il paraît bien plein et je me demande ce qu'il contient cette fois.

Je note qu'elle a employé le conditionnel.

— Ce n'est pas plus mal puisqu'il a déjà une femme et plein d'enfants, dis-je.

— Et moi non plus je n'en aurai pas d'autre si la situation actuelle persiste, renchérit Cathy. Tout compte fait, Pete aurait fait un meilleur père, mais ce serait une curieuse manière de commencer une vie de famille.

424

— Et tu n'aurais pas pu choisir l'un plutôt que l'autre ?

— Ou avoir un bébé avec le premier puis avec le second ? suggère Emma.

— Et finir avec trois enfants de trois pères différents ? Ça fait un peu désordre, non ? De toute façon, ce n'est pas une option. Il fallait sortir avec les deux ou avec aucun et je n'ai jamais creusé la question. À eux deux, ils forment l'homme parfait.

— Et de quoi parlez-vous, alors ?

— Foot, ciné, restos… des prochaines vacances, des livres qu'on est en train de lire… les trucs habituels, quoi ! Curieusement, c'est assez normal. Je trouve seulement tout ça épuisant. C'est génial de faire autant l'amour et d'être adorée par deux hommes en même temps. Pourtant, c'est comme avec le chocolat. Mieux vaut ne pas abuser des bonnes choses.

— Quand Ben est chez son père, tu passes le week-end avec eux ? Comment décides-tu dans quel lit tu vas dormir ?

— Nous dormons tous ensemble.

— Très confortable ! commente Emma.

— En fait, c'est un peu trop torride en ce moment.

— Et à quel moment est-ce que l'autre sait quand il peut se joindre à vous ?

J'imagine déjà l'ancien système de clochette qu'on trouve dans certaines maisons cossues. J'adore passer du temps avec Emma et Cathy ! Leurs vies sont nettement plus divertissantes que la mienne.

— Eh bien, c'est le seul aspect de notre relation qui ait évolué. Les deux hommes sont devenus incroyablement fusionnels.

— Il y a donc bien un truc homo ! triomphe Emma en voyant que sa première théorie se confirme.

— Ça n'est pas aussi simple, à mon avis. Je pense

que ça les excite de se voir faire l'amour à la même femme. Ils doivent se sentir un peu en compétition.

— Toujours la même chose avec les hommes ! fait remarquer Emma.

— Mazette ! Il faut que j'en parle à Tom.

— Et moi qui ai envie de redécouvrir les joies de l'amour-vanille ! dit Cathy.

— C'est quoi, ça ?

Déjà, j'imagine un scénario avec de la glace à la vanille, une perspective impossible à envisager vu l'état critique de mon tas de lessive.

— Je veux parler du bon vieil amour des chaumières, explique-t-elle. On n'en vient jamais au grand classique, style « plateau télé ».

— Tu as largement le temps pour ces routines plan-plan, dis-je.

— Ton frère affirme que la fidélité et l'affection constituent deux qualités importantes chez les hommes. Le problème, c'est qu'à vingt ans, nous ignorons ceux qui en sont dotés. Puis, à la trentaine, quand nos priorités changent, ces types-là sont pris et il ne nous reste plus que les autres.

— Est-ce que tu inclus Mark dans ces autres ?

— Oh, oui ! Il se décrit comme un phobique de l'engagement, incapable d'entretenir une relation de plus de deux ans avec la même femme.

Ce n'est pas le genre de conversation qu'on a au téléphone.

— Tu l'as revu ?

— Je suis tombée sur lui il y a deux semaines et on a déjeuné ensemble plusieurs fois.

Un serveur arrive avec une seconde bouteille de champagne.

— Désirez-vous un Canada Dry ? me demande-t-il après avoir salué Emma.

Il s'agit du même serveur que la dernière fois et je le félicite de sa mémoire impeccable. Puis je jette un coup d'œil envieux sur son tablier, prête à le jalouser. Depuis le départ de Petra, mon paysage « lessive » a quelque peu évolué. J'ai trouvé un service extérieur pour les chemises de Tom et la baby-sitter touche une prime pour s'occuper du reste. Il y a eu du progrès, mais le problème persiste.

À ma grande surprise, son tablier est froissé et couvert de taches cette fois. Il y en a tellement qu'on dirait une mappemonde. Je cherche les contours des différents pays et repère une tache de vin rouge qui me fait penser à l'Australie agrémentée d'une série de petites îles de ketchup...

— Il m'a quitté, soupire le serveur, devançant ma question. Il laissait tout le temps la porte du frigo ouverte. Un jour de canicule, tout le contenu s'est abîmé et ça m'a énervé. Et voilà ! Des années de tabliers amidonnés se sont évanouies en moins de cinq minutes à cause d'un litre de lait tourné.

Il hausse les épaules, me sert une autre coupe de champagne puis repart.

— Je n'en reviens pas que des couples se séparent pour des broutilles pareilles, lance Emma.

— Isolés, ces trucs te semblent dérisoires, mais il suffit d'une goutte pour faire déborder le vase, dis-je.

Et je raconte à Cathy et Emma notre dernière dispute conjugale :

— Après d'interminables négociations, Tom a finalement donné son accord pour l'achat d'un hamster à l'occasion du sixième anniversaire de Joe. À condition, bien sûr, que je m'en occupe intégralement.

— Je ne veux pas qu'il coure partout, qu'il mâchouille les fils électriques et sème des crottes n'importe où ! avait-il dit.

— Tu sais, ce n'est pas comme si on avait besoin de les sortir, de leur faire faire une promenade. Ils sont tout petits ! lui avais-je répliqué.

Puis je leur raconte mon expédition à l'animalerie locale avec les trois garçons pour choisir un hamster orange qu'ils ont décidé de baptiser Rover, car ils auraient préféré avoir un chiot.

Le temps qu'on arrive à la maison, Rover s'était grignoté un passage hors de la boîte à chaussures et avait disparu dans la voiture. Les enfants étaient inconsolables et nous sommes donc retournés dare-dare à l'animalerie pour acheter un remplaçant. Celui-ci, on l'a ramené dans un aquarium, attaché sur le siège avant avec la ceinture de sécurité. Arrivés à la maison, nous l'avons immédiatement transféré dans une cage hautement sécurisée dans le jardin.

Le lendemain matin, en montant dans la voiture pour partir, j'ai découvert que Rover y avait élu résidence. Il s'était frayé un chemin jusqu'à la boîte à gants et avait mastiqué quelques câbles électriques rouges et blancs. Il avait aussi mangé un petit Lu et un trognon de pomme tout en laissant sa carte de visite un peu partout. Tom a essayé de mettre un CD, mais ça n'a pas marché. Tout comme la lumière de la boîte à gants. Il a jeté un coup d'œil dedans et en a retiré une barre chocolatée entamée.

— Je dirais presque que ces marques de dents sont celles d'un rongeur, avait-il dit, soupçonneux.

— En tout cas, Rover est sagement installé dans sa cage. Tu l'as vu, n'est-ce pas ?

— Qui est Rover ? Je croyais que le hamster s'appelait Spot.

— C'est son deuxième prénom. N'en parle surtout pas, parce qu'il y a eu une grosse dispute à ce sujet. Tom avait déterré l'atlas des routes de derrière le siège passager. Quand il l'avait ouvert, de petits bouts de papier gros comme des confettis ont voleté tout autour de lui. De toute évidence, notre brave Rover se fabriquait un nid.

— Mais bon sang, Lucy ! Qu'est-ce qui est arrivé à ce plan ? Quelque chose a mangé la moitié d'Islington !

Heureusement, il était tellement occupé à rassembler le puzzle qu'il n'a pas remarqué le petit hamster qui l'observait du fond de la boîte à gants. Les enfants, en revanche, l'ont vu.

— Maman, regarde ! C'est Rover. Il est ressuscité ! a crié Joe.

Rover a bondi sur les genoux de Tom qui a sursauté sur son siège en lâchant quelques jurons.

— Papa dit des gros mots ! Papa dit des gros mots ! entonna un chœur sur la banquette arrière.

Rover a filé à l'arrière de la voiture.

Il nous a fallu une demi-heure pour l'attraper et le remettre en captivité. Les enfants criaient si fort que la pauvre bête refusait de sortir.

— Tu es vraiment nulle en cachotteries ! a lâché Tom quand nous avons fermé la porte de la cage. Au moins, je suis sûr que tu n'auras jamais de liaison. Si ça arrivait, tu serais incapable d'en garder le secret.

— Là, il n'a pas tort. Tu es tellement transparente, commente Emma.

— Le truc, c'est que dans trois mois, l'épisode du hamster pourrait être considéré comme un tournant dans notre vie.

— Qu'est-ce que tu veux dire ? demande Cathy, méfiante.

— Rien de très précis. Mais ce n'est qu'avec un peu de recul qu'on peut comprendre comment un événement en influence un autre. Les réactions s'enchaînent.

— Comme lorsque l'archiduc Ferdinand s'est fait assassiner à Sarajevo ? suggère Emma.

— Exactement.

J'ai terminé ma coupe de champagne et Emma m'en sert une autre.

— Alors, où en es-tu avec Père-au-foyer-sexy ? interroge Cathy.

— Ça ne m'intéresse plus. Nous sommes devenus amis.

— Et lui ?

— Pas même un frisson.

Je dis ça avec une telle conviction que j'y crois presque moi-même.

— Si seulement je pouvais couper le courant sexuel entre Guy et moi ! dit Emma. C'est la partie la plus difficile du processus.

— Et quel est ton pronostic pour la suite ?

— Dans ma tête, c'est pratiquement une affaire réglée et je vous garantis que ce sera complètement terminé avant la fin du week-end. En fait, je dois le voir tout à l'heure. Je promets de vous donner tous les détails une fois que ce sera fini, mais je refuse d'en parler maintenant, sinon je risque d'avoir le trac.

— Cette situation me met terriblement mal à l'aise. Je ne peux pas continuer à mentir indéfiniment à Isabelle.

— Voyons, fais un effort, Emma ! déclare fermement Cathy. Si tu te poses des questions au sujet de Guy, tu as le devoir moral de mettre un terme à cette relation immédiatement. Les enfants sont toujours les perdants quand les parents se séparent. Ils grandissent et se lancent dans une relation sans avoir d'exemple à suivre. Regarde-toi, tu es encore tellement affectée par le départ de ton père que tu ne sors qu'avec des types terrifiés par l'engagement.

— J'ai l'impression que Ben ne s'en porte pas si

mal, fait remarquer Emma après un silence interminable.

— Oui, il va plutôt bien, admet Cathy. On essaie de
présenter la séparation de ses parents sous une lumière
positive. Je lui assure qu'il a une chance inouïe d'avoir
deux chambres, deux maisons, deux cadeaux de Noël,
deux fois plus de vacances. Mais je dois avouer que
je n'y crois pas vraiment.

— Écoutez, je ne vais pas tarder à rompre, répète
Emma. Chaque fois que je suis avec lui, je lui trouve
un nouveau défaut et bientôt je serai prête à renoncer
à lui complètement. Il faudrait que je lui dégotte un
remplaçant.

— Tu as des pistes ? demande Cathy.

Je me réjouis qu'elle intervienne dans la conversation. Emma a le don d'avoir une opinion arrêtée sur
tout et c'est particulièrement agaçant.

— J'ai commencé à flirter avec un type de ma boîte.

— Et où est le hic ? demande Cathy.

— Il travaille pour l'antenne de New York. Mais
il n'est pas marié. Un océan est plus facile à vaincre
qu'un mariage.

S'agit-il d'un moyen efficace pour endiguer le flot
de nos questions ou a-t-elle réellement trouvé une stratégie pour se détacher de Guy ? Je l'ignore. Une chose
est sûre, néanmoins : quoi qu'il arrive, la semaine
prochaine je raconterai tout ce que je sais à Isabelle.

J'attaque un autre verre de champagne et me sens
déjà un peu vacillante sur mes jambes. La chaleur, la
fatigue, l'alcool et le manque d'air forment une alliance
redoutable. Je ferme les yeux. Le monde autour de
moi commence à tourbillonner. Quand je les ouvre,
mon frère se tient près de la table.

— Quelle surprise ! Mais... que fais-tu ici ?

— Je présente un papier à une conférence demain

matin et ils m'ont réservé une chambre d'hôtel. Je ne resterai pas longtemps sinon je risque de trop boire. Cathy m'a dit que tu venais, alors j'ai eu envie de faire un saut. Tentée par un autre verre ?

Nous nous dirigeons vers le bar et il ajoute :

— Tu ne m'en veux pas de m'incruster dans votre sortie entre filles ?

— Non. À condition que tu ne couches pas avec l'une de mes amies.

Je plaisante tout en me demandant combien de fois il est « tombé » sur Cathy par hasard.

— Oh, je suis trop vieux pour ça. Où est Tom ?

— Il garde les enfants à la maison. Mais il y met tellement de mauvaise volonté que je préférerais payer une vraie baby-sitter. Il a déjà appelé deux fois ce soir et ça ne fait même pas une heure que je suis partie.

Mark commande une bouteille de bière.

— Et son projet de Milan ?

— Tout est rentré dans l'ordre. Incroyable. Cette bibliothèque a pris tant de place dans notre vie que je n'arrive plus à nous imaginer sans. Tom a décroché quelques autres contrats après celui-ci. Notre situation financière est un peu moins inquiétante.

Normalement, rien ne me détend plus que la compagnie de mon frère. Comme nous avons grandi non loin d'un petit village, nous dépendions toujours l'un de l'autre pour jouer. Il mettait un point d'honneur à me trouver agaçante quand ses copains étaient dans le coin, mais je savais qu'il s'agissait d'une feinte pour éviter de perdre la face devant les autres garçons. Être un adolescent est déjà difficile, alors quand il faut en plus s'occuper d'une petite sœur... Je l'avais compris et ne lui en tenais pas rigueur car leurs conversations d'ados se limitaient essentiellement à trois sujets : les filles, le sexe et comment réussir à combiner les deux.

Mon frère enchaînait les petites amies et ses copains lui demandaient sans arrêt conseil.

— Parlez-leur et traitez-les comme des déesses, leur disait-il. Ensuite, ça tombe tout seul. Analysez. Elles adorent analyser. Et être embrassées. C'est crucial.

Mark aime les femmes. Et donc elles l'aiment. Même s'il est connu pour être structurellement peu fiable. Mais il transforme aisément ses relations bancales en amitiés solides parce qu'il est toujours disposé à discuter avec elles à cœur ouvert.

Je censure peu de choses dans mes conversations avec lui et je pense qu'il en va de même pour lui. Ce soir pourtant, je suis mal à l'aise de me retrouver seule avec lui. Il s'est hissé sur un tabouret au bar et ne semble pas pressé de revenir à notre table. Il porte une barbe de deux jours et une chemise froissée. Mon petit doigt me dit qu'il est là en mission.

— Tu sors directement du boulot ?

— Mmmm, répond-il rêveusement en buvant quelques gorgées de bière à même la bouteille.

Je remarque qu'il jette un coup d'œil vers la table en esquissant un sourire, puis il prend une autre gorgée avant de demander :

— Et comment vont mes adorables neveux ?

— Ils sont super ! Des chiots surexcités. Ils courent partout dans la maison, mettent un bazar incroyable même quand ils essaient de ranger, se battent plusieurs fois par jour, mangent quand ça leur chante et ressemblent à des moulins à paroles, surtout quand ils me posent mille questions tous les trois en même temps. J'ai hâte d'arriver aux vacances d'été !

— Pourquoi ? demande-t-il, méfiant. Généralement, tu trouves les vacances épuisantes. En fait, l'été est le seul moment où je t'entends dire que tu envisages sérieusement de retourner travailler à plein temps.

— Comme si s'occuper de trois enfants n'était pas un job à plein temps. C'est beaucoup plus dur que d'avoir une activité professionnelle.

— J'ai lu une interview de John McEnroe où il avouait trouver plus facile de participer aux finales de Wimbledon que de se charger de ses gamins. Les mères culpabilisent beaucoup plus facilement que les autres femmes, à part les vieilles bigotes catholiques, bien sûr. La maternité et la culpabilité sont tellement imbriquées qu'on voit mal où finit l'une et où commence l'autre. La culpabilité devient simplement une seconde nature. Cela dit, depuis que j'ai renoncé à mon job, il y a un vide côté culpabilité qui ne demande qu'à être rempli.

Décidément, mon frère me traite comme une de ses patientes. Il me pose doucement des questions pour me cerner, jusqu'à ce que les sujets qui l'intéressent soient enfin abordés. Il semble néanmoins oublier que j'ai jadis été journaliste. Je passais des heures à observer les politiciens se défiler devant des questions épineuses.

— En tout cas, j'ai plein de projets. J'irai peut-être passer quelques jours chez une amie dans le Dorset avant d'aller faire un tour chez papa et maman. Nous partirons en Italie, aussi.

— Qui est ton amie dans le Dorset ? Je la connais ?

— Tu te demandes si tu as déjà couché avec elle ? Non. C'est une maman de l'école et la femme de l'amant d'Emma.

— Ça m'a l'air compliqué.

— C'est une situation délicate. Mon amie Isabelle a découvert que son mari Guy entretenait une liaison. Elle a mené son enquête et ne tardera pas à identifier Emma. Emma, en revanche, ne veut pas que je lui en parle avant d'avoir réussi à se sortir de cette histoire. Et ça prend bien plus de temps que prévu.

Je songe à Isabelle. J'ai rarement rencontré une personne ayant autant de certitudes sur la façon de mener sa vie. Depuis que je la connais, elle n'a jamais montré le moindre doute. Et pourtant, au cours de cette dernière année, son mari n'a pas cessé de saper ces fondations, au point que tout l'édifice menace de s'écrouler autour d'elle. Je me demande ce qu'elle arrivera à sauver de ce naufrage.

— Et comment va ton béguin perso ? demande-t-il en commandant une autre bière tout en vérifiant s'il a reçu des messages sur son téléphone. Ça fait une éternité que tu ne m'as pas parlé de lui. Je trouve ça suspect.

— Il va bien. On ne se voit pratiquement plus.

— Et pourquoi donc ?

— Je suppose qu'on ne s'intéresse plus l'un à l'autre, dis-je avec détachement. Et ta vie de célibataire, comment ça se passe ? Pas trop dur ?

— Écoute, Lucy, je ne crois pas un mot de votre désintérêt mutuel. Ça ne vient pas comme ça.

Je me lève.

— Je n'ai pas envie d'en discuter.

— Tu as couché avec lui, pas vrai ? Tu as ce petit air qui…

Il me provoque bien sûr et je tombe droit dans le piège.

— Nous étions à une soirée et ça a failli déraper, mais nous ne nous sommes même pas embrassés. J'ai décidé que nous devrions mettre un peu de distance entre nous. En fait, j'ai adopté une conduite irréprochable.

— Tu en as touché un mot à Tom ? Si tu ne l'as pas fait, alors je suis sûr qu'il y a anguille sous roche.

— Il n'y a rien à lui dire.

435

— Alors pourquoi te montres-tu aussi évasive à propos de tout ça ?

— S'efforcer de ne pas penser à quelqu'un s'avère épuisant. Cela demande une grande concentration.

— Être en état permanent de désir n'a rien de reposant.

Emma se dirige vers nous.

— Vous venez, tous les deux ? Ou bien est-ce que vous allez passer toute la soirée à discuter de vos histoires de famille ?

Nous retournons à la table pour nous asseoir. Mark et Cathy échangent un sourire entendu. Je suis certaine qu'elle l'a envoyé en mission pour contrôler la véracité de ce que je lui avais raconté sur mes rapports de plus en plus distants avec Robert Bass. Pourtant, ça ne me chiffonne pas car je sais qu'ils veulent tous les deux mon bien. C'est même réconfortant.

Emma interroge Mark sur son travail.

— Aimes-tu toujours autant tes patients ?

— Aujourd'hui, je m'implique beaucoup moins mais, au début, quand j'étais stagiaire, je leur trouvais des qualités pour compenser leurs défauts. Ce qui est intéressant, c'est que certains types de patients m'attirent plus que d'autres.

— Comment cela ? demande Emma.

— Eh bien, certaines psychopathologies entraînent des traits de caractère similaires. Et certains de ces traits s'avèrent plus attachants que d'autres. Les anorexiques sont souvent des perfectionnistes qui cherchent à plaire aux autres. Les personnes atteintes de névroses obsessionnelles sont très rigides et essaient toujours de ranger mon bureau.

J'aimerais en savoir plus :

— Lesquels préfères-tu ?

— Les obsédés sexuels, répond-il sans la moindre hésitation. Non parce qu'ils tentent sans arrêt de vous séduire – ce qu'ils font tous, y compris les hommes – mais parce que leur succès dépend de leur capacité à déployer leur charme. Ils engagent des conversations intéressantes et ont beaucoup d'humour. On passe de bons moments avec des gens comme ça.

— Comment résistes-tu à leurs avances ? demande Cathy.

— Je n'oublie jamais que je pourrais perdre mon boulot si je succombais. Imagine les conséquences ! Avec les hommes, c'est plus facile, je suis résolument hétéro. Et je vois plus d'hommes que de femmes. Cette pathologie touche d'ailleurs plus fréquemment les hommes.

Cela m'intrigue.

— Comment peux-tu faire la différence entre une addiction et une obsession malsaine ?

— Certaines personnes mettent tout dans le même sac. Mais une addiction vous poursuit constamment, vous coupe du monde, devient comme un ami particulièrement collant. Elle comprend également un brin de dégoût pour soi-même. Toi, Lucy, tu es peut-être obsédée, mais tu n'es pas accro.

Il se cale dans sa chaise. Il adore son métier.

— Et moi, tu penses que je suis accro à Guy ? s'inquiète Emma.

— Non. Guy ou un autre peu importe, tu es simplement accro au type qui ne pourra jamais t'appartenir. En fin de compte, tu restes sur ta réserve, au cas où on te rejetterait.

Je suis déconcertée. Aucune d'entre nous n'a jamais parlé à Emma aussi franchement.

— Et comment ça se soigne ? demande-t-elle, un peu moins sûre d'elle à présent.

— Tu devrais soigneusement éviter les mecs dans son genre. Tout comme tu reconnais ce genre de bonhomme, ils arrivent à te détecter. L'idéal serait que tu consultes un psy.

— Et toi ? demande Emma.

— Eh bien, figure-toi que j'ai rencontré quelqu'un que je pourrais bien épouser.

J'en reste baba.

— Merde ! Quand est-ce que tu nous la présentes ?

— Bientôt, dit-il d'un air mystérieux.

On me tape sur l'épaule. C'est sûrement le serveur et je me retourne lentement, prête à lui commander une autre bouteille. Ce soir, j'ai en effet décidé de me comporter comme s'il n'y avait pas de lendemain. Mais ce n'est pas le serveur. C'est Robert Bass.

Il pose les mains sur le bras du canapé et se penche pour me parler. Ses doigts sont écartés et je note qu'il griffe le velours avec une certaine nervosité.

J'essaie de masquer mon trouble :

— Tiens, que faites-vous ici ?

— J'ai dîné avec mon éditeur. Je vous ai aperçue et me suis dit que ça ne serait pas gentil de partir sans vous saluer. Et vous, que faites-vous ici ? Vous prétendiez ne jamais sortir.

— Habituellement, non. On prend un pot avec des amies et mon frère.

Je ne daigne pourtant pas les lui présenter.

Au lieu de ça, je me lève et me mets en travers du chemin pour lui faire comprendre qu'il ne devrait pas s'asseoir avec nous. Il se penche et dépose un baiser sur ma joue. Un geste qui, de loin, n'a rien de significatif. Ni Mark ni mes amies ne semblent perturbés. Ils partent du principe que c'est un vieil ami, sans doute du temps de *Newsnight*. Le baiser dure néanmoins un peu trop longtemps. Je sens sa joue contre la mienne, sa main sur mon épaule. Ce sont des gestes complices, une continuation de l'intimité de cette fameuse soirée.

Je me dis que nous avons dû, tous les deux, rejouer la scène maintes fois dans notre esprit. Quand nos regards se croisent, je vois mon propre désir se refléter dans ses yeux. J'ai le souffle coupé. Ma poitrine monte et descend trop vite et je commence à me mordiller la lèvre inférieure. J'aimerais saigner pour que la douleur me fasse penser à autre chose et m'extirpe de cette situation. Je songe au petit genou de Fred, recouvert de sang, et la manière dont il m'appelait à travers ses larmes comme si personne d'autre que moi ne pouvait le consoler. Je pense à Tom, posé, rationnel, si sûr de tout.

— Lucy, vous devez me parler. Vous ne pouvez pas prétendre qu'il ne s'est rien passé, me chuchote-t-il à l'oreille. Nous sommes tous deux complices.

— J'ai des devoirs envers ma famille et vous envers la vôtre. Écoutez, ce n'est ni le moment ni l'endroit pour discuter de cela.

— Alors dites-moi où et quand. Je n'arriverai pas à m'en sortir tout seul. Je suis vraiment tourmenté.

Puis, mon frère, grégaire et amical comme toujours, se lève et s'approche de nous.

— Désirez-vous boire quelque chose ? demande-t-il à Robert Bass.

Je le présente aux autres, soulagée que tout le monde le connaisse sous le nom de Père-au-foyer-sexy. Il faut que je me débrouille pour qu'il parte le plus rapidement possible.

— Permettez-moi de vous offrir une tournée, lance-t-il en se dirigeant vers le bar.

Je me rassois, le cœur chaviré. Mais cette fois je ne peux pas blâmer la boisson. Je suis malade de désir. C'est comme interrompre une expérience de chimie alors que tous les ingrédients ont déjà été placés dans l'éprouvette.

— Qui est-ce ? demande Emma. Il est superbe ! Je pense qu'il pourrait aisément me distraire de Guy.

Je renoncerais même à la domination du monde pour une tranche de ça.

C'est toujours agréable d'entendre une vieille amie valider mes goûts en matière d'hommes, mais je me demande si Robert Bass n'est pas un peu trop voyant.

— C'est un vieil ami. Ça fait une éternité que je ne l'ai pas vu. Mais je parierais qu'il est marié.

— Le mariage est un état d'esprit, rétorque Emma. D'après Guy en tout cas. Quand il est avec sa femme il se sent marié et quand il est avec moi il a envie de faire l'amour. Selon lui, l'idéal est d'être célibataire en semaine et marié le week-end.

Je laisse échapper un profond soupir.

— Parce que les hommes ont l'affolante capacité de compartimenter leur vie. Les femmes ne pourraient jamais vivre ainsi !

— D'où est-ce que tu le connais ? s'enquiert Mark. Ça fait bien dix ans que tu es passée du col blanc au col bleu.

— Pourquoi col bleu ? demande Emma.

— S'occuper d'enfants c'est comme travailler dans une mine de charbon, sauf qu'il n'y a jamais de pause entre les trois-huit, dis-je.

Puis je me tourne vers Mark et le regarde droit dans les yeux :

— Il s'agit d'une vieille connaissance, dis-je en restant délibérément dans le vague.

Mark rétorque par un double haussement de sourcils et Robert Bass revient à notre table. Il s'installe dans un fauteuil entre Emma et moi.

— Alors, que faites-vous ici ? l'interroge-t-elle en se tournant vers lui avec un sourire éblouissant.

Emma est incorrigible. Robert Bass s'appuie sur son coude gauche et me tourne le dos. Il étend ses jambes sous la table. Je sais que je devrais me décaler un peu sur le sofa pour éviter tout contact, consciente que mes défenses sont affaiblies, et que chaque fois que nous nous touchons, cela déclenche une réaction en chaîne.

Mais avant que je puisse mettre ce projet à exécution, je sens la jambe gauche de Robert Bass se placer résolument entre mes genoux, remontant vers mes cuisses. Soit ce type a l'habitude de ce genre de manœuvre – parce que c'est tout de même très osé –, soit il a l'intention de coucher avec moi. Heureusement, la table est assez haute pour nous protéger des regards indiscrets.

Cathy continue à parler, inconsciente de ce qui se passe. À l'autre extrémité, en face de Robert Bass, Mark ne semble rien soupçonner non plus. Il ne peut rien voir. Je sais qu'il me suffirait de m'éloigner. Cela risquerait néanmoins d'attirer l'attention sur ce qui se trame. Je décide donc de profiter au maximum de l'instant présent.

— Alors, Lucy, as-tu décidé de ce que tu feras en septembre, quand Fred passera toute la journée à la garderie ? demande Cathy.

— Je crois que je vais me remettre à la peinture, dis-je d'un air rêveur.

Je me penche le plus loin possible en avant afin de cacher au mieux l'espace sous la table. La nuit commence à tomber mais les lumières n'ont pas encore été allumées à l'intérieur.

— J'ai aussi quelques projets de livres pour enfants. Je vais commencer par des illustrations et voir où cela me mène. Je me contenterai d'un temps partiel. Cela ne nous sortira toujours pas du chaos domestique, mais bon. Peu importe, après tout.

— C'est super !, s'écrie-t-elle. Quant à moi, je me suis fixé pour objectif de transformer mon triangle en ligne droite avant que cela ne devienne un carré.

Elle me jette un regard énigmatique. Je ne vois absolument pas de quoi elle veut parler.

— Je tiens à m'extirper de cette relation et m'engager dans quelque chose de plus linéaire.

Emma se lève pour se rendre aux toilettes.

Elle s'éloigne. Cathy parle à Mark et Robert Bass se tourne vers moi. Son expression ne révèle rien. Il se penche à mon oreille gauche, son souffle me chatouille la nuque.

— Imaginez ma main à la place de ma jambe. Puis ma tête à la place de ma main.

— Oh, le vilain garçon !

— Non, je sais seulement ce que je veux. Quelle heureuse coïncidence que nous nous soyons retrouvés ici tous les deux ce soir. Profitons-en. Nous pourrions partager ces quelques heures et prétendre ensuite qu'il ne s'est jamais rien passé. Suspendre un moment la réalité puis retourner à nos tristes routines. Allez, Lucy, profitez un peu de la vie !

C'est toujours tentant de tout mettre sur le dos de la coïncidence. Mais en vérité, nous attribuons un sens à certains événements et pas à d'autres. Par exemple, je pourrais dire que le destin m'a envoyé un signe en plaçant Robert Bass sur mon chemin ce soir, alors que je mets rarement les pieds dans ce club. Cela m'éviterait d'avoir à assumer la responsabilité de mes actes. Et la présence de mon frère ne relève-t-elle pas du plus curieux des hasards ?

Nous aimerions tous trouver une logique à un monde aléatoire pour le comprendre en lui donnant une signification.

Robert Bass pose sa main à une vingtaine de centimètres au-dessus de mes genoux. Je pourrais bien sûr me lever et partir, mais c'est tellement agréable.

— Alors, comment vous êtes-vous connus ? demande soudain mon frère de l'autre bout de la table.

La question me fait sursauter. J'avais presque oublié la présence des autres.

— Vous n'avez pas grand-chose à vous raconter pour des gens qui ne se sont pas vus depuis des années, ajoute-t-il.

Je le fusille du regard pour qu'il n'insiste pas dans cette voie. Robert Bass ne retire pas sa main.

— Nous avons couvert tous les sujets, réplique-t-il. D'ailleurs, je ferais mieux de rentrer.

Il sort un bout de papier, y griffonne quelque chose et me le passe en disant :

— Mon adresse, si jamais vous souhaitez me contacter.

Quand il ôte la main de ma jambe, je ressens aussitôt un manque. Je me lève pour lui dire au revoir. Il m'embrasse de nouveau sur la joue, assez machinalement cette fois.

— À la prochaine, lance-t-il à Cathy et à mon frère.

— J'espère que je ne l'ai pas fait fuir, lâche Mark.

Je l'ignore et déplie le bout de papier.

« Je vous attends à l'hôtel Aberdeen. »

Je le froisse furtivement et le glisse dans ma poche. Emma revient à notre table.

— Il est déjà reparti ? Je pensais que la fête ne faisait que commencer !

Quinze minutes plus tard, je prétexte un gros coup de fatigue et me retrouve en train de héler un taxi pour l'hôtel.

Chapitre 20

« Le voyage est la destination[1]. »

Quand j'arrive à l'hôtel Aberdeen, je me dirige tête haute vers l'homme qui se tient derrière le bureau de la réception et lui annonce que j'ai une réservation. Dans un premier temps, je trouve offensant qu'il ne se lève pas pour me parler. Puis je comprends que le petit homme dans son grand costume est tellement court sur pattes que, même debout, ses coudes atteignent à peine le comptoir. Dommage qu'il n'accorde pas à l'occasion la gravité qu'elle mériterait. Je regarde autour de moi, mais il n'y a personne d'autre. Suis-je bête ! Les hôtels qui louent les chambres à l'heure n'offrent pas les mêmes prestations que le sublime Sanderson, bien sûr !

Il est en train de tailler un crayon.

En m'apercevant, il se gratte pensivement le menton et demande avec un fort accent hispanique :

— Participez-vous au séminaire sur l'anxiété ?

— Pourquoi ? J'ai l'air nerveuse ?

---

1. *The Journey is the Destination*, best-seller du jeune reporter photographe Dan Eldon sur les ravages de la guerre civile en Somalie. En 1993, il a été lapidé à mort par la population locale. Un film, *Journey*, avec Daniel Radcliffe, est en préparation. *(N.d.T.)*

Comment un homme, qui m'est à ce point inconnu, arrive-t-il à détecter ainsi mes émotions ? Il me montre du doigt un panneau planté à côté de l'ascenseur. Celui-ci souhaite la bienvenue au troisième congrès sur l'anxiété. Les intervenants aborderont un certain nombre de sujets, dont : 1) le rôle de la respiration dans le contrôle de la nervosité, 2) apprivoiser l'anxiété et 3) briser le cercle infernal de la tension. Puis une pause-café sera organisée pour favoriser les discussions.

— Parfois, il ne suffit pas d'en parler. Et la caféine ne fera qu'aggraver le problème.

Après mon commentaire négatif sur la pause en question, il me considère d'un air méfiant et pose le taille-crayon.

— Je peux trouver un expert en anxiété si vous avez le moindre doute. Cela arrive à chaque fois. Les gens anxieux ressentent souvent une certaine anxiété à participer au séminaire sur l'anxiété.

Un instant, je me demande si cet hôtel, connu pour son rôle dans l'hébergement de liaisons illicites, ne suivrait pas l'exemple de ces chaînes de télévision qui vous montrent des drames épouvantables puis vous donnent les numéros de gens à appeler au cas où l'émission vous aurait déstabilisé. Peut-être ferais-je bien de parler à un expert en anxiété des raisons de ma présence ici.

— J'ai rendez-vous avec M. Robert Bass, dis-je d'un air décidé. À 1 heure du matin.

— S'agit-il d'un des responsables de la conférence ?

— Non. C'est un ami.

— Un gentil ami nocturne ?

Il commence à consulter la liste des réservations, suivant de la pointe de son crayon fraîchement taillé les noms qui défilent, s'arrêtant quelques secondes à chacun d'entre eux avant de marmonner dans sa barbe :

— Smith... Klein... McMannus... Smith...Ville-roy... Raphael... Smith...

Il les égrène en détachant chaque syllabe comme pour un cours de diction, roulant fabuleusement ses R à la manière d'une mitraillette.

— Roderick Riley ? annonce-t-il avec satisfaction en levant la tête vers moi en souriant.

Il y a deux pages de noms. Il va sûrement lui falloir quatre ou cinq minutes pour aller jusqu'au bout. Je jette nerveusement un coup d'œil dans le hall d'entrée, me demandant comment je justifierais ma présence ici si je croisais une connaissance. Mais très vite je me rassure car leur présence n'aurait pas d'explication innocente non plus, à moins qu'ils participent au séminaire sur l'anxiété.

Je lis le nom sur le badge accroché de guingois sur le revers de sa veste. Il s'appelle Diego.

Quand je lève les yeux, il me regarde, un sourire rassurant scotché aux lèvres.

— Vous croyez qu'il utilise son vrai nom ? Nous avons un paquet de Smith tous les jours.

— Il a dû se présenter sous le nom de Bass. *Trucha* en espagnol.

— *Trucha* signifie truite. Vous vouliez peut-être dire un *merluza* ?

— Il ne s'agirait pas plutôt d'un mérou ? C'est plus un poisson d'eau froide, il me semble. Un poisson anglais.

— On trouve tellement de poissons merveilleux au Costa Rica. Y êtes-vous déjà allée ?

Je secoue la tête, préférant qu'il tourne la page de la liste des réservations car je viens de m'apercevoir que quelqu'un d'autre est arrivé et attend derrière moi à bonne distance, se balançant d'un pied sur l'autre pour ne pas écouter notre conversation.

Je me penche vers Diego et, pour plaisanter, lui chuchote nerveusement à l'oreille :

— Vous croyez que ce client est venu ici pour l'adultère ou pour l'anxiété ?

Il sourit d'un air énigmatique, sans rien révéler.

— Et lamantin ? Truite, truite, truite… grommelle-t-il, sentant mon impatience.

— Non, Bass, B-A-S-S ! Voulez-vous que je jette un coup d'œil ?

D'un geste théâtral, il tourne le registre vers moi et passe à la page suivante. Je fais défiler les noms et quand je tombe enfin sur Robert Bass, j'éprouve une sorte d'excitation nauséeuse.

Diego me décoche un clin d'œil.

— Ah, il a appelé pour réserver il y a vingt minutes. Je vais vous montrer la chambre. Elle est réservée pour trois heures, mais si vous les dépassez, je ne vous compterai pas de supplément.

Il commence à se diriger vers l'ascenseur. Je n'en reviens pas que Robert Bass ait demandé la chambre pour si longtemps. Sa femme ne se méfiera-t-elle pas de le voir rentrer à 4 heures du matin ? C'est étrange, mais je ne me pose pas la même question au sujet de Tom.

J'essaie d'évaluer le nombre de fois où nous pourrons faire l'amour en l'espace de trois heures et mes genoux ramollissent comme de la guimauve. L'homme qui patientait derrière moi semble amusé lorsque je suis docilement Diego dans l'ascenseur.

— Je vois que vous n'avez pas de bagages, remarque l'employé en refermant les portes derrière nous avant d'appuyer sur la touche du cinquième étage.

— Je ne resterai pas longtemps.

447

Il regarde mon alliance. Je range furtivement mes mains derrière mon dos et fixe le plafond.

La cabine s'arrête dans une secousse et nous nous engageons dans un couloir jusqu'à la chambre 507 dont il ouvre fièrement la porte.

— Voici l'une de nos plus belles chambres, annonce-t-il.

Il s'avance vers le lit, soulève un angle du couvre-lit et le replie en un beau triangle, style club sandwich. Je nous imagine, Robert Bass et moi, allongés tous les deux et dois me retenir pour ne pas perdre l'équilibre.

Diego tient à me montrer la salle de bains.

— La baignoire est immense. Assez grande pour deux. Ou trois. Mais pas assez vaste pour un lamantin, en revanche.

Quoi qu'il dise, je trouve sa voix extrêmement triste.

Il revient dans la chambre et demande si je désire qu'on me serve quelque chose.

— Nous proposons une tisane « Anxiété domptée » pour les participants du séminaire ou encore « Nuit calme » si vous préférez, propose-t-il aimablement.

J'accepte volontiers.

— Un peu d'« Anxiété domptée » serait parfait pour l'instant.

L'anticipation n'augmente pas nécessairement le désir. Les infidèles professionnelles – celles qui n'attendent pas leur amant dans un hôtel de Bloomsbury – doivent se mettre en condition, passer du mode *travail* à celui, plus ludique, de *bagatelle*. Prendre une douche en songeant aux plaisirs dont elles jouiront bientôt. Peut-être s'allongent-elles sur le couvre-lit impeccable, assorti aux rideaux, pour regarder la chaîne *Playboy* ou lire un roman en sirotant doucement un verre de piquette.

Moi, au contraire, je suis timidement assise sur le

448

bord du lit, m'interrogeant sur la propreté du matelas, vu sa charge de travail. Le désir langoureux que je ressentais s'est évanoui et je commence à prendre conscience de cet environnement déconcertant. Lorsque mes yeux tombent sur la clé de la chambre posée à côté de moi, je commence stupidement à gamberger sur la signification de son numéro : 507. Si l'on retire sept de cinquante, on obtient quarante-trois. L'âge de Tom. On s'est mariés un 7 juillet. Le métro londonien a été bombardé un 7 juillet. Je me demande à quelle heure doit débuter le séminaire sur l'anxiété demain matin. Sans doute très tôt pour éviter de faire patienter trop longtemps un groupe d'anxieux avant de leur proposer enfin une rémission.

La chambre est équipée d'une télévision, mais je préfère le silence. S'il devient insupportable, je peux toujours allumer la radio et mettre les infos. Je me demande si Robert Bass écoute les nouvelles et s'il accepterait – comme exercice préliminaire – qu'on s'allonge gentiment côte à côte sans dire un mot, pour suivre une émission de radio pendant un quart d'heure avant de rentrer chacun chez soi.

Puis d'autres questions me traversent l'esprit : Quel genre de programme télévisé l'intéresse ? Quelles sont ses lectures ? Laisse-t-il un pourboire décent aux serveurs ? Sa coupe est-elle à moitié vide ou à moitié pleine ? Quel est le dernier film qu'il a vu ? Je suis frappée d'en savoir si peu sur lui. Hormis, bien sûr, les bribes d'infos qu'échangent habituellement les parents. Je sais que ses enfants ont été vaccinés contre la rougeole, que la télévision n'est pas autorisée en semaine et que chacun d'entre eux joue d'un instrument de musique.

Parviendrait-il à allumer un feu de bois pendant un camping sous la pluie ? Surveille-t-il le frigo pour guetter d'inexplicables changements dans le rangement des aliments ? Remarquerait-il, par exemple, que les yaourts occupent la même étagère que le poulet, que la laitue a établi une relation intime avec une confiture entamée ou que les briques de lait ont été classées selon leur date de péremption ? Parle-t-il dans son sommeil ? Souffre-t-il d'un complexe d'Œdipe prononcé ? Ses parents sont-ils encore en vie ? A-t-il des frères et des sœurs ?

Bien sûr, je pourrais découvrir que nous nous ressemblons en tout. Plus probablement, je prendrais conscience de ses imperfections, différentes de celles de Tom, mais pas forcément moins irritantes à long terme. La première fois qu'on voit son conjoint dormir dans le lit en diagonale, les pieds dépassant sur l'autre moitié, ce désir de contact durant les heures solitaires de la nuit peut paraître touchant. Une semaine plus tard, cette manie devient relativement agaçante, voire pénible. Et dans l'avenir se profilent inévitablement les lits séparés.

Ensuite je me rappelle que bien trop souvent, je trouve les propos de Robert Bass particulièrement irritants. Ces derniers mois, j'ai tenté d'oublier tous ses travers. Désormais, ses commentaires ainsi que ses habitudes s'accumulent et exigent qu'on s'y intéresse de plus près.

Sa manie de retirer son casque de cycliste et de se passer la main dans les cheveux un nombre incalculable de fois me semble tout à coup ridicule. La manière dont il vante ses principes d'éducation commence sérieusement à m'agacer : pas de télé en semaine, l'importance de jouer avec les enfants sans les commander, ne jamais consommer d'aliments en conserve, pas même les haricots rouges… Et sa démarche de cow-boy : grotesque ! Tout est tellement travaillé. Les cicatrices sur son visage, loin d'être viriles, ne constituent que les reliquats d'une acné juvénile.

Cela me rappelle un incident survenu il y a bien longtemps durant les vacances d'été quand – allez savoir pourquoi – Simon Miller avait téléphoné à la maison, chez mes parents, pour me demander s'il pouvait passer. Nous ne nous étions pas vus depuis au moins deux ans car je faisais mes études à Manchester. Mes parents étaient en vacances et je savais qu'il voudrait rester dormir pour rallumer la passion de notre adolescence. Lorsqu'il est arrivé, j'ai remarqué qu'il portait des chaussettes blanches. J'ignore pourquoi ce détail m'avait autant indisposée, au point de le coller dans la chambre d'amis pour la nuit tandis que je comptais les heures jusqu'à son départ. Quand j'ai rencontré Tom – qui pratiquait un hara-kiri vestimentaire bien pire que cela –, j'étais soulagée de constater que son style ne me faisait pas le même effet. Même le vieux peignoir velu m'attendrissait.

Penser à Tom me rend nostalgique.

On frappe doucement à la porte. Que faire ? Être allongée sur le lit pourrait sembler quelque peu prématuré, mais par ailleurs, ouvrir la porte prêterait sans doute à confusion. Et puis je ne sais même pas où le faire asseoir. À côté de la fenêtre, il y a une table avec un seul siège. Tous les chemins mènent inévitablement au lit. Je pourrais jurer qu'une partie de la moquette est usée entre la porte et le lit, comme une trace de tondeuse sur une pelouse un peu haute, piétinée par tous ces gens qui accordent de l'importance au temps.

— Entrez !

Diego apparaît avec une théière et une tasse orange que je trouve rassurante. Quand je prends conscience de mon soulagement en voyant le réceptionniste plutôt que Robert Bass, je sais que c'est fichu. Voilà le problème avec le désir. C'est tellement immatériel. Si nous étions venus ici ensemble, à l'heure qu'il est je serais certainement engagée dans une relation adultérine avec un parent de l'école de mes enfants. On ne m'aurait pas coupée dans mon élan.

— Dois-je vous servir ? demande-t-il avec sollicitude.

— Je vais m'en occuper.

— Toujours aucun signe de M. Bass ? N'hésitez pas à appeler la réception si vous avez besoin de quoi que ce soit.

Il est 1 h 30 du matin. Je me demande comment j'ai pu atterrir ici. Je jette un coup d'œil à mon portable, au cas où il aurait envoyé un texto. Rien. Pas d'appel manqué. Pas de message. Leçon n° 1 pour un apprenti en adultère : débouler en retard. Leçon n° 2 : tirer les rideaux pour obtenir un éclairage tamisé. J'ai déjà commis deux erreurs : dans une rare démonstration de ponctualité, je suis arrivée tôt et maintenant je regarde par la fenêtre pour voir quel chemin Robert Bass va emprunter. Leçon n° 3 : éviter de discuter avec le personnel de l'hôtel. Je suis malheureusement déjà tombée dans ce piège. Maintenant, je pense à la faune et à la flore du Costa Rica et me dis que ce serait une destination passionnante pour des vacances familiales quand les finances nous le permettront.

Je retourne m'allonger sur le lit mais, franchement, j'aimerais rentrer chez moi. En dépit de l'air conditionné, il fait tellement chaud dans la chambre que mes mollets collent au couvre-lit en polyester. C'est un amas brillant de formes géométriques vertes et bordeaux qui me donnent le tournis si je les fixe trop longtemps. La moquette est d'un vert différent, un brin plus profond, et les lampes de chevet bordeaux, elles aussi. Emma a souvent évoqué cet hôtel avec des trémolos dans la voix et pourtant je ne ressens rien de ce genre.

— C'est super louche, nous avait-elle dit. Comme dans un film français. Tout le monde a un secret à cacher. Cet endroit étrange semble chargé de concupiscence, véritable toile de fond pour faire l'amour sans inhibition.

Décidément, je suis loin de ce type de frisson. En revanche, cela me rappelle une conversation que Tom et moi avons eue après la fameuse soirée.

— Tu sais, je crois que Bobo-intello a un sérieux béguin pour toi, avait déclaré Tom lorsque je me suis réveillée à 5 heures du matin.

Il était allongé sur le côté, appuyé sur une épaule, une main posée sur mes fesses.

— Tu n'as pas l'air en forme, a-t-il ajouté devant mes grognements.

Encore un peu pompette après avoir ingurgité tout ce champagne, je m'étais réfugiée dans le jardin pour fumer deux cigarettes tandis que Tom était allé se coucher. J'étais donc assez groggy et la gueule de bois n'était pas loin.

Pour me ressaisir, j'ai sorti les pieds du lit et j'en ai posé un fermement sur le sol afin de mettre un terme à cette sensation de vertige. Il était temps que je me ressaisisse.

— Qu'est-ce qui te fait dire ça ?

— La façon dont il t'a évitée durant toute la soirée, la façon dont il te regarde, la façon dont il enlace sa femme quand il remarque que je le regarde, comme s'il cherchait à prouver qu'il s'intéresse encore à elle.

J'ai protesté, aussitôt sur la défensive :

— Mais non, pas du tout ! C'est parce qu'il est heureux en ménage.

— Être heureux en ménage n'empêche pas d'être attiré par d'autres. Et toi, tu le trouves attirant ?

Tom n'a pas tort, enfin bon...

— Il n'est pas vilain.

— Ce n'est pas ce que je te demande. Il te plaît ?

— Est-ce que tu trouves les autres femmes attirantes ?

— Parfois. Surtout quand c'est Arsenal qui gagne. Cesse d'éviter la question que je t'ai posée.

— As-tu déjà été tenté ?

— L'idée m'a déjà effleuré. Je ne suis qu'un homme, après tout. Mais il y a une grosse différence entre penser à quelque chose et le faire.

— Faire quoi, par exemple ?

— Bon sang, Lucy ! Baiser ou ne pas baiser. Ne joue pas les innocentes.

— Crois-tu qu'il existe un truc comme l'adultère par pensée ?

— Comment ça ?

— D'après toi, si on passe trop de temps à s'imaginer faire l'amour avec un autre que son mari ou sa femme, on commet une sorte d'adultère ?

— Non. C'est absurde. En revanche, si on passe beaucoup de temps en sa compagnie tout en pensant qu'on aimerait faire l'amour avec lui ou elle, alors le terrain s'annonce beaucoup plus dangereux. Cela signifie que tous les deux cherchent à créer une situation où quelque chose pourrait effectivement arriver.

— Cela t'a déjà effleuré ?

— Au départ, cette conversation portait sur toi, pas sur moi.

— Tu n'as pas répondu à la question.

— Toi non plus.

— Nous avons droit à une question chacun. Je commence. As-tu déjà été tenté ?

— Cela m'est arrivé une fois. En Italie. Un soir, je suis sorti prendre un verre avec Kate et, quand nous sommes revenus à l'hôtel, elle m'a invité à monter dans sa chambre.

— Et tu as accepté ?

— Tu as posé ta question. Maintenant c'est à mon tour. Est-ce que tu as le béguin pour Bobo-intello ?

— Parfois, surtout quand il fait chaud. Et alors ? Qu'est-ce que tu lui as répondu ?

— Que ce n'était pas une bonne idée. Puis je suis retourné dans ma chambre. Seul. Pour être honnête, je suis content que cette étape du projet soit terminée. Ça m'évitera toute tentation.

— Mais comment résiste-t-on à la tentation ?

— Il suffit que tu te concentres sur tout ce qui te plaît chez moi et que tu ignores le reste : je suis un bon père, je ne joue pas au golf tous les week-ends, je ne drague pas tes copines, je suis relativement solvable. Tu te dis que tu n'as aucune envie de ressembler à une de ces nanas qui n'assument pas leur crise de la quarantaine. L'infidélité est une mauvaise habitude qu'il vaut mieux ne pas contracter sinon tu risques de finir comme Bobo-intello.

— Que veux-tu dire ?

— Un accro à l'adultère. C'est marqué en gros sur son front.

On frappe à la porte, un coup sec qui me fait sursauter.

— Entrez !

J'ai crié un peu trop fort. Robert Bass passe la tête dans l'embrasure et pénètre dans la chambre. Il ferme derrière lui et reprend son souffle, l'incontournable casque cycliste à la main, les cheveux en bataille. Je parie qu'il a passé au moins trente fois la main dans sa tignasse pour obtenir ce résultat. Il grignote une de ces barres de céréales diététiques dont il vante tant les mérites.

— Des sucres lents ! précise-t-il en s'essuyant le front avec sa manche.

— On vous a poursuivi ?

Il sourit faiblement et transpire comme un goret.

— Non, je suis épuisé d'avoir pédalé aussi vite. Je craignais que vous soyez repartie. Désolé d'être en retard. Dieu qu'il fait lourd ! Il doit faire au moins trente degrés dehors.

Il vient jusqu'au lit et s'assoit sur le coin, sur le triangle que Diego a rabattu. Son T-shirt est trempé de sueur. Il se penche vers moi pour m'embrasser. Je m'écarte de lui et demande :

— Avez-vous déjà fait ça ?

Il paraît légèrement déconcerté par ma question.

— Non. Pourquoi ?

— Vous semblez gérer la situation en pro.

— Comment ça ?

— Vous connaissiez cet hôtel.

— Tout le monde le connaît. Vous aussi, d'ailleurs. Je ne suis pas venu ici pour me soumettre à une inquisition. Pas la vôtre en tout cas, j'en subis déjà assez avec ma femme, dit-il en essuyant de nouveaux filets de sueur dégoulinant de ses sourcils.

— À propos de quoi ?

Il me jette un regard méfiant.

— Un peu de tout. Que je ne gagne pas assez d'argent pour lui permettre de travailler un peu moins. Écoutez, je ne suis pas là pour avoir ce genre de conversation…

— Si vous preniez un bain ? dis-je en lui indiquant la porte entre les deux placards.

Je n'arrive pas à comprendre pourquoi les chambres

456

d'hôtel sont équipées de si grandes armoires alors que la plupart des clients ont si peu de bagages.

— Excellente idée ! lance-t-il en se dirigeant vers la salle de bains.

Puis il repasse la tête par la porte :

— Envie de vous joindre à moi ?

— Non, je crois que je vais regarder la fin de cette émission sur le cycle de vie des fougères amazoniennes. C'est très intéressant.

Il me regarde d'un air suspicieux puis bat en retraite dans la salle de bains.

Quand je suis certaine d'être de nouveau seule, je prends une profonde inspiration et m'adosse contre la tête de lit en bois. Elle craque et tremble dangereusement. Je n'en reviens pas d'être dans un hôtel de Bloomsburry en compagnie d'un Robert Bass qui s'imagine faire bientôt des galipettes avec moi. Bien que j'aie fantasmé cette scène des centaines de fois au cours de ces derniers mois, maintenant que je m'apprête à la réaliser, je me sens complètement détachée.

Ce n'est pas ça que je veux. Depuis presque un an de folles hésitations, voilà ma première certitude. Comment ai-je pu en arriver là ? Je mettrai cela sur le compte de ses pouvoirs de persuasion, de l'alcool et... de l'envie pressante de faire une bêtise ! Parfois il faut atteindre le point de non-retour pour savoir exactement où l'on va. Je me rends compte que c'est l'illusion d'une évasion que je voulais plutôt que l'évasion elle-même.

Robert laisse la porte ouverte et, quand je suis certaine qu'il est bien dans l'eau, je me lève pour m'éclipser. Mieux vaut ne pas le prévenir, au cas où il réussirait à me convaincre de rester. De toute façon, je n'ai aucune envie de le voir nu dans son bain.

L'eau s'arrête de couler et Robert Bass commence

à siffloter un air. Dans le couloir, j'entends des éclats de voix et m'approche de la porte. Des bruits de pas. Quelqu'un qui court. Une femme crie. Un homme lui répond. Une porte claque. Puis s'ouvre de nouveau. Je passe la tête dans l'embrasure au cas où quelqu'un aurait besoin d'aide.

La porte d'en face est ouverte et ce raffut provient manifestement de cette chambre. Sur la pointe des pieds, je traverse l'affreux couloir et entre dans la chambre 508.

Il y a là trois individus. Mais aucun d'entre eux ne remarque ma présence sur le seuil, ce qui me laisse le temps de réaliser que je les connais. Ils parlent tous en même temps, poussent des cris, agitent maladroitement leurs bras pour mieux se faire comprendre. Quand ils m'aperçoivent enfin, ils restent muets, pétrifiés, les bras toujours en l'air. Cette posture étrange doit particulièrement tirer sur leurs muscles.

Trois visages gris comme de la cendre me fixent.

— Lucy Sweeney ! Qu'avez-vous encore fait, bordel ?! vitupère Guy sans bouger.

Il se tient à droite du lit double, la chemise déboutonnée, le pantalon un peu lâche au niveau des hanches, chiffonné et défait. J'espère qu'il était en train de se déshabiller plutôt que l'inverse. Il serre les poings. De toute évidence, il cherche un exutoire à sa colère.

— Ça n'a rien à voir avec elle ! crient simultanément Emma et Isabelle.

Ce sera là le seul moment d'harmonie au cours de l'heure épouvantable que nous allons passer ensemble dans cette chambre.

— Lucy ! Dieu merci tu es là ! souffle Emma, soulagée, comme si nous avions toutes les deux planifié cette rencontre. Rien ne se déroule comme je le souhaitais.

De toute évidence, Emma pense que je suis venue ici pour elle. Pas un instant elle n'imaginerait que ma présence puisse être liée à autre chose qu'à ses propres problèmes.

— Je suis enfin arrivée au bout de mon enquête, explique Isabelle sans quitter Emma des yeux.

Il y a une pointe de fierté dans sa voix. Elle semble pourtant épuisée. Je sais qu'elle est en train de jauger sans pitié la femme qui se tient devant elle, se demandant ce qu'Emma a à offrir qu'elle-même n'a plus. J'ai envie de lui dire que c'est une erreur. Comparer une épouse de dix ans à une maîtresse d'un an à peine est inutile. La balance penche inévitablement en faveur de la nouvelle recrue. Le fait qu'Isabelle soit mieux fichue qu'Emma – qui n'a jamais mis les pieds dans une salle de gym – n'entre pas en ligne de compte. Emma a l'apanage de la nouveauté. Le temps nous rend plus critiques envers l'autre, qui perd de son mystère. Les femmes deviennent des enquiquineuses et les maris des grincheux.

— Ça revient à comparer la cathédrale Saint-Paul avec le musée d'Art moderne, dis-je. L'une est vieille et familière et l'autre nouveau et excitant. Reste à savoir lequel durera le plus longtemps.

— Désolée, Lucy, mais j'ai du mal à te suivre, répond Emma.

Zut ! Je ne m'étais pas rendu compte que je parlais à voix haute.

Isabelle se tourne vers moi, les poings sur les hanches.

— Étiez-vous au courant depuis le début ?

Je remarque que ses yeux sont moins maquillés que d'habitude et qu'elle s'est habillée pour l'occasion. Les talons vertigineux de ses sandales Roger Vivier lui donnent l'avantage de la taille sur nous tous et elle arbore une robe qui serait plus adaptée pour la soirée annuelle du Serpentine. Mais bien sûr, tout cela est sans importance. Même si à ses yeux il est psychologiquement vital de ne pas baisser la garde. Tout à fait le style Jerry Hall.

— Je suis vraiment navrée, Isabelle. Je voulais vous en parler mais je pensais qu'Emma mettrait un terme à cette liaison avant la fin de votre enquête. Je me suis retrouvée dans une situation embarrassante.

— Je comprends votre dilemme, Lucy. Mais j'avais le droit de savoir.

Elle ramasse un porte-documents et le tient devant elle de ses deux mains. J'essaie d'en deviner le contenu. Je me demande même si elle ne va pas tirer une balle sur Guy. Cela dit, avec la fortune qu'il lui verse tous les mois, elle aurait pu engager quelqu'un pour s'en charger.

— Finalement, vous avez bien fait ! Il y a quatre semaines, je n'aurais pas vu toute l'étendue de sa trahison et j'aurais même envisagé une éventuelle forme de réconciliation. Je n'aurais pas admis que mon mari soit devenu un menteur compulsif.

Elle ouvre le porte-documents et en sort divers papiers, des photos… des éléments dont certains me sont familiers, d'autres non. Apparemment, elle sait qu'Emma loue leur appartement de Clerkenwell, que Guy a indirectement attrapé les poux de mes enfants, que sa secrétaire est complice de sa trahison. Elle a même appris qu'Emma et moi sommes entrées dans leur maison durant leur absence. En révélant ce dernier élément, elle se tourne vers moi et je baisse les yeux comme une enfant prise en faute.

— Je suis désolée. Je me sens vraiment minable. Mais je pensais qu'en effaçant le message d'Emma je pourrais changer le cours de l'histoire.

D'autres découvertes m'ont coupé l'herbe sous le pied : Emma avait fait la connaissance de leurs deux plus jeunes enfants. Elle avait passé un week-end dans un hôtel près de leur maison de campagne dans le Dorset pour permettre à Guy de passer la voir quand il prétendait sortir pour son jogging. Isabelle détenait même des renseignements sur une autre femme avec laquelle il avait couché plusieurs fois au cours de l'année.

— Elle ne comptait pas pour moi, Emma ! plaide-t-il, afin que sa maîtresse revienne sur sa décision.

— Il est trop tard, Guy. Quand je me suis introduite dans ta maison, l'autre nuit, j'ai compris que tu n'avais jamais eu l'intention de quitter ta femme.

— C'est le bouquet ! Comment peux-tu présenter des excuses à cette femme alors que cela fait plus de dix ans que tu es marié avec moi ?

Des larmes silencieuses coulent sur ses joues et son maquillage appliqué avec soin commence à couler. Je lui tends un mouchoir sale que je trouve dans ma poche et m'approche pour passer le bras autour de ses épaules, mais elle s'écarte.

— Je suis tellement désolée, gémit Emma. Je ne voulais pas ça.

Isabelle avance lentement vers elle.

— Ah oui ? Et que vouliez-vous ? Tout acte a des conséquences.

— Je pensais simplement profiter du moment, répond Emma en reculant vers la table de nuit. Je croyais être amoureuse. C'est Guy qui aurait dû se sentir responsable de ses actes, pas moi.

Isabelle avance à quelques centimètres d'Emma et se met à hurler :

— Vous n'aviez aucun droit de tomber amoureuse du mari d'une autre ! Vous ne l'avez pas seulement enlevé à moi, vous l'avez surtout arraché à ses enfants, et sans éprouver le moindre remords. Vous avez essayé de voler la famille de quelqu'un d'autre parce que vous n'en avez pas une à vous !

Isabelle sort une enveloppe et la jette sur la table.

— Et voilà des photos pour le prouver.

Guy, surtout, est trop bouleversé pour réagir. Je me demande si Emma avait déjà rompu au moment où Isabelle a fait irruption dans la chambre.

Je jette un coup d'œil discret vers le lit. Il n'a pas servi et, d'après les commentaires d'Emma, plus tôt dans la soirée, je comprends tout de suite que c'est significatif. En y regardant de plus près, je repère un certain nombre de vêtements et d'objets sur le couvre-lit, soigneusement étalés, un peu comme dans les Memory pour enfants. Je reconnais le soutien-gorge Agent Provocateur et le string qu'Emma avait pris dans la maison de Guy. Le lapin vibreur se dresse à la verticale juste à côté du string. Sur la droite, un assortiment d'autres objets, des cadeaux que Guy avait faits à Emma, je suppose : un bracelet identique à celui qu'Isabelle porte au poignet, un parfum Joe Malone, un roman et une série de billets d'avion de divers week-ends passés ailleurs. Au pied du lit, le sac Chloé Paddington vide.

— Lucy, j'étais en train de rompre ! plaide Emma en se tournant vers moi pour que je la soutienne. Je t'avais dit que ce serait terminé d'ici la fin du week-end et...

Isabelle l'interrompt et se tourne vers Guy, furieuse.

— Et toi qui avais prétendu partir pour l'Allemagne ! Comment peux-tu me mentir avec un tel aplomb ? N'as-tu donc aucun respect pour moi ou nos enfants ?

Tout le monde reste vissé au sol, interloqué. Guy

semble paniquer. Ses yeux vont d'une femme à l'autre, puis s'arrêtent sur le miroir de la coiffeuse où il se contemple.

— Notre mariage était mort, dit-il froidement. Je n'étais plus qu'un portefeuille pour toi. Tu refusais même que je change de boulot parce que tu appréciais trop ton train de vie. On faisait rarement l'amour. Grâce à ton organisation parfaite et sans faille, notre vie était tracée d'avance. Je me noyais. Je suffoquais dans ma banlieue.

— On ne peut pas considérer Notting Hill comme une banlieue ! proteste Emma.

— La banlieue est aussi un état d'esprit, rétorque Guy.

— Nous faisions l'amour tous les quinze jours ! Ce n'est déjà pas si mal. Pas vrai, Lucy ?

— Elle a raison, intervient Emma. Lucy est restée bien plus longtemps que ça sans toucher à Tom.

— Parce qu'elle n'a pas de domestiques, rétorque Isabelle.

C'est la première fois que l'un d'entre eux fait attention à moi. C'est étrange… Il y a une explication bizarre mais logique à leur présence dans l'hôtel, mais il n'y en a aucune en ce qui me concerne. Et pourtant, personne ne me demande ce que je fabrique ici, au milieu de la nuit. Je commence à m'inquiéter de la fatigue que je ressentirai demain matin et me demande comment je vais pouvoir m'extirper de cette chambre pour demander à Diego de m'appeler un taxi et rentrer à la maison. Soudain, il n'y a qu'un seul endroit au monde où je souhaiterais me trouver en ce moment : dans mon lit, à côté d'un Tom endormi.

Je me rappelle avec effroi que Robert Bass trempe toujours dans la baignoire de la chambre d'en face. Maintenant, cette scène me semble encore plus extraordinaire qu'il y a dix minutes. Je suis prise dans la tourmente de la vie des autres et j'ai oublié le drame qui se joue dans la mienne. Je remarque une chaise près de la porte et m'y installe. Tout le monde se tourne vers moi avec méfiance. De toute évidence, personne ne veut que je m'en aille. Je demande à Isabelle :

— Dois-je fermer la porte ? Je crois que ça vaudrait mieux.

— Non, Lucy, laissez-la ouverte, je vous prie.

Dans le couloir, j'entends d'autres voix qui s'élèvent. Ce genre d'incident arrive peut-être tout le temps ici. Dans une chambre au bout du couloir, la même scène est peut-être en train de se jouer. Diego est sûrement habitué à ce genre de scénario. J'entends sa voix dehors.

— Venez par ici, s'il vous plaît ! Par ici ! Le bruit venait de là ! Ce sont sans doute des participants du congrès sur l'anxiété, chuchote-t-il.

Toujours sur ma chaise – puisque personne ne me laissera partir –, je recule discrètement pour me pencher vers le couloir et voir ce qui s'y passe. S'il s'agit de Robert Bass, je peux peut-être lui faire signe de s'éclipser avant que quelqu'un le remarque. Mais c'est un autre couple.

— Je vais jeter un coup d'œil, dis-je aux autres.

— Revenez vite, lance Guy, une pointe de panique dans la voix.

Je le fixe un instant. Bizarrement, il ne souhaite pas se retrouver seul avec Isabelle et Emma.

Quand je mets un pied dans le couloir, le couple est presque arrivé à la chambre.

— Lucy ! crie l'homme, surpris. Que se passe-t-il ? C'est mon frère. Il tient Cathy par la main.

— Chhhhut ! dis-je en chuchotant comme si j'accompagnais des retardataires à leur place au théâtre. Et toi, que fais-tu ici ?

— J'interviens à la conférence de demain et ma chambre se trouve à cet étage. Le type de la réception m'a signalé une altercation et m'a chargé de mener l'enquête. L'hôtel est plein d'anxieux.

— Et toi, Cathy ? Qu'est-ce que tu fabriques ici ? Tu participes au colloque des anxieux ?

— C'est de tomber sur toi ici qui me rend anxieuse. En fait, je passe la nuit ici. Avec ton frère.

Gênée, elle regarde ses pieds. Je suis contente d'avoir été journaliste pendant toutes ces années, car je n'ai toujours pas perdu ma capacité à absorber des informations de sources multiples, à les organiser par ordre de priorité, tout en envisageant les répercussions à court, moyen et long terme. Donc, il va falloir : 1) écouter Cathy faire les éloges de mon frère, 2) m'occuper des deux cœurs brisés si leur relation tourne au fiasco et 3) m'empresser de le raconter à Emma.

— Nous allions t'en parler, poursuit rapidement Cathy. Je voulais attendre le bon moment. Et puis on ne sort ensemble que depuis un mois.

— Mais tu sais qu'on ne peut absolument pas compter sur lui ! Es-tu certaine de vouloir courir ce risque ?

— Ça, c'est déloyal, Lucy ! proteste Mark.

Mais il ne m'en veut pas. En fait, il affiche cette expression docile d'un homme au tout début d'une histoire d'amour.

— Et toi, Lucy ? Que fais-tu ici ? demande-t-il.

Je lui montre la chambre 508 et lui expose brièvement la situation.

— Je pense qu'il faut absolument tirer tout le monde de là, et le plus rapidement possible, dis-je à Mark en essayant de ne pas révéler les raisons de mon implication dans cette histoire.

Nous retournons tous dans la chambre. Isabelle et Emma sont encore en train de se disputer. Guy est assis sur le lit, la tête dans les mains. Ses vêtements sont toujours défaits. Personne ne semble surpris de voir entrer d'autres visiteurs. Trois observateurs impartiaux devraient diluer quelque peu la tension.

— Je suis Mark, le frère de Lucy.

Il serre la main de tout le monde et pose un baiser rapide sur la joue d'Emma.

— Et voici ma petite amie Cathy, que vous, Guy, avez déjà rencontrée.

En geste de propriétaire, il prend Cathy par les épaules et sourit, comme si nous étions tous réunis ici en vue de fêter sa nouvelle liaison. Il reste là, à attendre qu'on vienne le féliciter. Cathy lève les yeux vers lui, heureuse. Je me dis que tout cela risque de devenir épuisant.

Mais comment résister à l'envie de sourire en voyant l'air perplexe de Guy...

Puis je scrute le visage d'Emma et comprends qu'elle trouve l'éclosion de cette nouvelle relation moins agréable que Cathy.

— J'ignorais que vous aviez un frère, intervient Isabelle en serrant la main de Mark.

Il est temps que je prenne les choses en main.

— Je ne vais pas tarder à y aller. Isabelle, je vous dépose chez vous.

C'est davantage un ordre qu'une question. Elle attend d'autres instructions puis acquiesce. Ses épaules s'affaissent et je lui recommande de rassembler tous les papiers et les photos dispersés sur la table.

— Nous, on ramènera Emma, propose Cathy.

Je note qu'elle prend déjà des décisions au nom de Mark.

— Mais alors, on ne passera pas la nuit ici ?

demande Mark en lui passant les doigts dans les cheveux.

— Je n'ai pas envie de me retrouver à Clerkenwell toute seule, lance Emma devant tout le monde. Est-ce que je peux rester chez toi Lucy, le temps de réintégrer mon ancien appartement ? Et puis je ne supporterai pas d'être raccompagnée par Cathy et Mark. J'ai toujours cru que nous finirions par nous entendre, lui et moi.

Je n'en reviens pas qu'Emma ait choisi le moment exact où Mark annonce publiquement sa relation avec Cathy pour se montrer jalouse comme une tigresse. Ce n'est pas la première fois que je me demande si mon frère n'a pas raison, si Emma ne gagnerait pas à consulter un psy pour remettre un peu d'ordre dans sa tête.

— Nous deux, ce serait un désastre, dit-il un peu trop vite. De toute façon, c'est toujours une erreur de renouer une ancienne relation.

Nous tombons donc d'accord. J'appelle Tom pour lui annoncer qu'Emma débarquera bientôt à la maison et y séjournera quelque temps, pendant que je raccompagnerai Isabelle chez elle, à Notting Hill.

J'organise sans mal le départ de tout le monde mais je ne vois vraiment pas comment expliquer ma présence dans cet hôtel. L'interrogatoire s'annonce inévitable. Avec une certaine confiance, je me dis qu'il me reste une petite chance de m'en tirer avec une vague histoire du style : j'ai suivi Emma jusqu'ici en sortant du club pour m'assurer que tout se passerait bien. Si personne ne rentre trop dans les détails, je pourrai neutraliser tout soupçon éventuel.

Mais il va falloir que je me prépare pour l'interrogatoire serré de Tom.

Je l'entends déjà :

— Mais n'as-tu pas dit être partie la première ? Et

comment se fait-il que tu sois passée devant cet hôtel alors qu'il ne se trouve absolument pas sur ton chemin entre le club et la maison ?

Avec un peu de bol, le drame des autres satisfera peut-être sa curiosité et le détournera de son implacable logique.

— Et moi, alors ? demande Guy alors que tout le monde s'apprête à partir.

Son ton est assez agressif, comme si j'étais responsable du sort de chacun. Je trouve curieux qu'il me charge de résoudre ses problèmes de logement et qu'il soit incapable de mesurer l'étendue de la catastrophe.

— Je pense que vous allez devoir passer la nuit ici. Ou dans votre appartement de Clerkenwell. La chambre était de toute façon réservée, sinon ils vous en trouveront une autre.

Il se tourne vers Isabelle, la suppliant du regard.

— S'il te plaît, je peux rentrer à la maison avec toi ?

— Quand je pense que tu t'es excusé auprès d'elle d'avoir couché avec une autre femme et que tu n'as montré aucun remords pour ce que tu nous as fait, aux enfants et à moi ! Ce qu'il faut que tu comprennes à propos de l'adultère, c'est que cela détériore toute relation. Rien ne redevient plus jamais comme avant. On ne fait pas ce qu'on veut sans en payer le prix. Ton arrogance t'aveugle.

— Mais où vais-je habiter ?

Il remarque que son pantalon est toujours défait et remonte la fermeture Éclair.

— Ça n'est plus mon problème ! Ta maison n'est plus ton foyer. Tu n'as qu'à aller t'installer dans l'appartement de Clerkenwell. Passe demain après-midi et nous expliquerons tout aux enfants.

— Mais qu'est-ce que je vais leur dire ?

— Que tu es tombé amoureux de quelqu'un d'autre,

dit-elle en se remettant à sangloter, la voix de plus en plus aiguë.

Puis, s'adressant aux autres, elle ajoute :

— Je ne peux pas le reprendre. Il y a des limites à la trahison et Guy les a toutes franchies. Je ne pourrai plus jamais lui faire confiance, surtout que cette femme n'est pas la première. Ni la dernière, j'en suis sûre. Guy, notre mariage est brisé depuis ta première incartade.

Tout le monde approuve et hoche la tête avec sagesse. Même Mark, qui a rarement mis fin à une relation sans s'être ménagé au préalable une période de double vie avec une autre femme. Avec le temps, Isabelle reviendra peut-être sur sa décision, une fois qu'elle y aura réfléchi « à froid », et que les griefs de ce soir se seront atténués. Guy changera peut-être. L'expérience le rendra éventuellement plus humble. Tous deux s'apercevront qu'ils ont laissé leur relation en friche pendant trop longtemps, que le mariage ne se réduit pas à un vague contrat de confiance. Le mariage demande à être taillé, arrosé, bichonné régulièrement.

J'ai l'impression d'assister à la conséquence logique de mon manque de communication avec Tom, comme si l'on me donnait la chance d'observer ce qui se passe lorsqu'on laisse la pourriture s'installer. Je décide de rentrer chez moi et de tout lui raconter, du début à la fin.

Au moment où je présume que la soirée touche à sa fin, Robert Bass apparaît, une serviette de bain blanche nouée autour de la taille. Il entre dans la chambre.

— Ça fait tellement longtemps que j'attends, dit-il.

Puis il réalise que cinq autres personnes le dévisagent. Un silence interminable s'ensuit et il se passe la main dans les cheveux, déconcerté.

— Que font tous ces gens ici ? demande-t-il finale-

469

ment. C'est un piège pour paparazzi ? J'aurais pourtant dû savoir qu'il ne fallait pas se frotter à vous. Vous êtes une spécialiste du désastre. Ma femme est sans doute cachée dans le placard.

Nerveusement, nous nous tournons tous vers l'armoire en question et moi-même, je me demande si son épouse ne va pas profiter de cette occasion pour pointer son nez.

— Oh, mon Dieu, Lucy ! s'écrie Cathy, paniquée. Qu'est-ce qu'il fabrique ici ?

Abasourdie, Isabelle recommence à sangloter.

— Quoi ? Mais vous êtes donc tous pareils ? Je n'arrive pas à croire que vous avez une aventure avec un parent de notre école. On ne peut donc croire en rien ?

— Tiens, et moi qui pensais qu'il s'agissait d'un ancien collègue de *Newsnight*… s'étonne Mark en fermant la porte.

— Ne soyez pas ridicule. C'est lui, Père-au-foyer-sexy ! continue Isabelle. Ils ont flirté ensemble tout au long de l'année. Je me disais qu'ils se contentaient de badiner un peu, pour rire. Je ne pensais pas que ça finirait dans un hôtel.

— Quoi ? Je n'en reviens pas que toi, tu aies fait ça ! s'offusque Emma, la main sur la bouche.

— Lucy ? Elle ne vaut pas mieux que moi. C'est la pire des hypocrites ! lance Guy qui s'anime pour la première fois de la soirée.

La coïncidence donne l'impression qu'il existe une étrange logique dans la vie. Quand trop de hasards surviennent le même soir, cela révèle le chaos du monde, comme si tout pouvait arriver à tout moment.

J'essaie de me disculper :

— Je vous assure qu'il ne s'est rien passé.

Ils ne semblent pas convaincus.

— Tu plaisantes ? Il est pratiquement à poil ! fait remarquer Cathy. Ça se présente mal.

— C'est parce qu'il vient de prendre un bain.

Est-ce une explication crédible ? Pas sûr.

— Écoute, Lucy. D'abord, personne n'entre dans un hôtel juste pour y prendre un bain, s'énerve Mark. Et ensuite, vas-tu prétendre que tu es venue ici dans le simple but d'écouter BBC Monde ?

— Eh bien oui ! J'ai vraiment écouté BBC Monde. Vous n'êtes qu'une bande d'hypocrites ! À part Isabelle, vous êtes tous impliqués dans une forme ou une autre d'infidélité, alors que moi j'ai passé pratiquement une année à me demander ce que je devais faire au sujet de cet homme et nous ne nous sommes même pas encore embrassés pour de vrai !

— Elle a raison, intervient Robert Bass. Je sais que les apparences sont trompeuses, mais il ne s'est absolument rien passé. À plusieurs reprises déjà, Lucy a repoussé mes avances.

On frappe à la porte et nous la fixons nerveusement. Ce n'est pas le petit toc toc discret et rythmé de Diego. C'est bien plus déterminé et insistant.

Tout le monde se tourne vers moi.

— Qui c'est ? demande Robert Bass.

— Enfin c'est qui, Lucy ? insiste Mark.

— Comment voulez-vous que je le sache, bon sang ?

Ah, mais ils commencent à m'agacer, à la fin !

— Lucy ! Le dénominateur commun ici, c'est toi ! lâche Mark.

— Je vais ouvrir, annonce résolument Isabelle. C'est peut-être quelqu'un de mon cours de filature.

— Non, laissez-moi y aller ! Il se peut que ce soit Tom.

Je songe à ce qui m'attend : des mois de reproches,

de suspicion sur l'authenticité de mon histoire... Tous croiront que Robert Bass et moi avons menti. Quel que soit notre forfait, nous sommes grillés. Fichus.

Puis je me dis que tous, ici, vont se servir de mon histoire pour minimiser leurs drames personnels, pour les transformer en incidents insignifiants comparés à ma prétendue infidélité. Tom essaiera de me croire mais devra endurer l'humiliation de tous ces gens qui lui reprocheront son aveuglement.

Je laisse échapper un profond soupir. Le premier depuis une éternité. Tom risque de me quitter. Il va me trouver indigne de confiance, préférera que nos enfants vivent avec moins de tension et de suspicion. Il se vengera peut-être avec une infidélité, bien mature, et non pas avortée comme la mienne.

Je tourne la poignée.

— Sweeney ! s'exclame une voix mâle en poussant la porte. Laissez-moi entrer ! Je suis venu vous sauver.

La dernière phrase est prononcée avec un accent du sud profond des États-Unis. Les autres restent pétrifiés quand Père-célèbre entre dans la chambre. Je crains qu'il ait finalement succombé à une crise de delirium et qu'il s'imagine dans la scène d'un film hollywoodien. Sans doute un drame se déroulant sous les tropiques, écrit par Graham Greene, parce qu'il porte un costume chiffonné qui a dû commencer sa carrière couleur crème fraîche pour la finir gris crasseux.

— Oh, non, pas lui ! gémit Robert Bass. Ma *bête noire*[1].

— Oh, mon Dieu ! souffle Emma qui reprend du poil de la bête. Permettez-moi de vous dire que j'ai vu tous vos films et que je vous trouve extrêmement

---

1. En français dans le texte. *(N.d.T.)*

talentueux. Et puis sachez que je suis redevenue céli-bataire.

Père-célèbre lui jette un regard appréciateur.

Je me tourne vers lui :

— Qu'est-ce que vous fichez ici ?

— Je suis là dans un but bien précis : celui de vous ramener à la maison. Une voiture m'attend en bas.

— Est-ce que vous pouvez me déposer chez moi en passant ? s'enquiert Isabelle.

— Bravo ! Vous, au moins, vous savez divorcer avec classe ! répond Père-célèbre. Et c'est avec plaisir que je vais vous raccompagner chez vous.

— C'est une maigre consolation, soupire Isabelle.

J'ai l'impression que cela adoucit tout de même un peu son chagrin. Quelque chose me chiffonne, cependant :

— Comment saviez-vous que j'étais ici ?

— Tom m'a appelé. Il y a environ trois heures, vous vous êtes assise sur votre portable et avez composé le numéro de la maison. Tom a donc entendu tout ce qui se passait. Il a trouvé mon numéro sur la liste de la classe et m'a téléphoné pour me demander si je pouvais aller vous récupérer.

Je tire nerveusement sur la manche de sa veste.

— Pendant combien de temps a-t-il écouté ?

— Depuis le moment où vous êtes arrivée dans votre chambre d'hôtel et avez commencé à écouter cette émission sur les fougères en Amazonie, explique Père-célèbre. Un prélude érotique pas très orthodoxe, ma foi.

— Alors il sait qu'il ne s'est rien passé entre Robert Bass et moi ?

— Absolument. Il a même compris que vous étiez complètement dépassée par les événements et m'a appelé pour que j'intervienne. Il m'a mis au courant de la situation et m'a dit que vous vous étiez fourrée dans un pétrin qui exigeait une intervention immédiate. Comme je connais tout le monde ici et que je suis un bon supporter d'Arsenal, j'étais le mieux placé pour venir mettre de l'ordre dans tout ce bazar.

— Et pourquoi ne s'est-il pas déplacé lui-même ?

— Il craignait que Fred se réveille et trouve un acteur américain complètement saoul étalé sur le canapé du salon. Et puis je connais cet hôtel. Hum… j'y ai moi-même quelques souvenirs.

Diego arrive dans la chambre.

— Désolé, madame, mais vous avez dépassé l'heure, me dit-il d'un air contrit. Et vous êtes nombreux, non ? Le prix dépend du nombre de personnes.

Père-célèbre lui tend une liasse de billets.

— Tenez, ça devrait suffire. Et ce monsieur paiera le reste, ajoute-t-il en désignant Guy, toujours prostré sur le lit.

— C'est comme dans *Reservoir Dogs*, commente Emma. Ou bien était-ce dans *Traffic* ? Mon Dieu ! Je n'arrive pas à croire que vous êtes avec nous, en chair et en os.

Sur le chemin du retour, nous sommes assis côte à côte sur le siège arrière de sa voiture. Elle est propre et rangée, le chauffeur passe une musique apaisante. Isabelle garde le silence. Père-célèbre tire une bouteille de whisky d'un compartiment situé derrière le siège du chauffeur, prend une gorgée et la lui tend. Elle renverse la tête en arrière et boit goulûment en frissonnant à cause de l'amertume du breuvage.

— Je vais avoir du mal à m'en sortir toute seule,

avoue-t-elle. Je ne manque pas de personnel, évidemment, mais il va falloir que je prenne ma vie en main.

— Si vous aviez été mariée à un type comme moi, vous auriez été obligée de le faire de toute façon, affirme Père-célèbre.

— Vous ne resterez pas seule éternellement, dis-je pour lui remonter le moral.

— D'abord, je vais devoir faire le deuil de ce mariage et réfléchir à tout ça. Je ne suis pas entièrement innocente, pourtant j'estime payer bien cher mes erreurs. En tout cas, je ne punirai pas les enfants pour des fautes commises par leur père. Et vous, que comptez-vous faire ? demande-t-elle à Père-célèbre.

— Finalement, toute cette histoire m'aura appris beaucoup de choses, marmonne-t-il en ponctuant ses mots avec l'index. Quand on mène une vie publique, on finit par craindre de se retrouver face à face avec soi-même, car un fossé énorme vous sépare de la vie normale. J'aimerais croire au mythe qui m'entoure mais chaque fois que je me regarde dans un miroir, je ne vois que la réalité. Il faudrait que je passe un peu plus de temps avec ma femme et mes enfants dans un endroit isolé pour essayer de reprendre pied. Un endroit sans alcool dans un rayon de cent kilomètres. Quand Tom m'a appelé ce soir, j'ai compris que j'avais une raison de vivre autre que m'amuser. J'étais flatté qu'on me demande d'accomplir une bonne action. Quelque chose de vrai. C'est aussi un excellent exercice. Je jouerai bientôt dans un film sur deux personnes amoureuses l'une de l'autre dans leur enfance et qui se retrouvent sur Copains d'Avant. Et vous, Sweeney ?

— Je vais sans doute me contenter de ce que j'ai et m'y accrocher, dis-je avec une assurance inhabituelle dans la voix.

En fouillant dans mon sac à la recherche de mon

trousseau de clés pour ouvrir la porte d'entrée, je suis inquiète car je ne sais pas trop ce qui m'attend. Sûrement un comité d'accueil… J'essaie de ne pas songer à l'humeur de Tom ou à la dispute qui ne manquera pas d'éclater, parce que je ne parviens pas souvent à deviner ce qu'il pense réellement. De mon point de vue, en tout cas, cette soirée a marqué la fin de quelque chose.

Au lieu de cela, la maison est plongée dans l'obscurité quand je monte l'escalier. La porte de la salle de bains est légèrement entrouverte et la lumière allumée. J'entre pour me débarbouiller le visage et retirer mes lentilles de contact. Comme je ne retrouve pas leur étui, je les place dans une tasse à café qui se trouve sur l'étagère puis la cache tout en haut du placard.

C'est alors que je perçois un doux clapotis de l'autre côté de la pièce. Je traverse et trouve Tom dans son bain, ce qui était parfaitement prévisible. Soulagée, je ressens une grosse bouffée de joie devant le naturel de cette situation. Je me dirige vers le rideau de douche et le trouve allongé sous l'eau, les cheveux flottant joliment autour de son visage. Je tends la main pour repousser une mèche qui lui barre la joue mais il m'attrape le poignet et se redresse.

— Ah, Lucy, dit-il en souriant. Tu es enfin rentrée.

Remerciements

J'aimerais d'abord remercier Gill Morgan d'autoriser Lucy Sweeney de s'épancher chaque semaine dans le *Times Magazine*. Rien de tout cela n'aurait pu être réalisé sans elle. Merci à Simon Trewin de m'avoir accompagnée à chaque pas et à Zoe Pagnamenta, de New York. Je souhaiterais également remercier mes éditeurs : Nikola Scott et Kate Elton chez Century & Arrow, et Sarah McGrath de chez Pinguin, tout comme l'équipe de Random House pour leur enthousiasme et leur dévouement sans faille. Aucun remerciement ne suffira à exprimer ma gratitude envers mon mari, Edward Orlebar, pour ses conseils judicieux, et son aide précieuse consistant à me relayer pour les tâches domestiques quand celles-ci devenaient insurmontables. Dès le début, Helen Townshend et Henry Tricks ont lu le manuscrit et m'ont continuellement encouragée. Helen Johnston m'a inspirée de mille manières. Je suis reconnaissante à Sally Johnston pour ses tuyaux sur le fonctionnement de la BBC et à Imogen Strachan pour ses conseils dans le domaine de la psychologie. Merci à mes parents pour tant de choses, mais surtout pour les rires que nous avons partagés. Aux mères indignes, merci de votre amitié et surtout merci de m'avoir confié vos secrets. Vous devriez vous reconnaître, mais dans le cas contraire : Louise Carpenter, Carey Combe, Caroline Combe, Alexa Corbett, Sarah Dodd, Vicky McFadyen, Ros Mullins et Amanda Turnbull. Et enfin, merci à Lucy Sweeney, une source d'inspiration pour nous toutes.

Faites de nouvelles rencontres sur pocket.fr

- Toute l'actualité des auteurs : rencontres, dédicaces, conférences...
- Les dernières parutions
- Des 1ers chapitres à télécharger
- Des jeux-concours sur les différentes collections du catalogue pour gagner des livres et des places de cinéma

POCKET

Un livre, une rencontre.

Composé par NORD COMPO

Imprimé en Espagne par CPI
en mars 2017

POCKET - 12, avenue d'Italie - 75627 Paris Cedex 13

Dépôt légal : juin 2014
S20319/15